10
18

12, AVENUE D'ITALIE. PARIS XIIIe

Sur l'auteur

Née en 1966, Lucía Etxebarria est journaliste et romancière. Après une biographie de Courtney Love en 1996, elle publie *Amour, Prozac et autres curiosités* qui devient très vite un formidable best-seller. Elle a publié depuis *Beatriz et les corps célestes* (Prix Nadal en 1998), *De l'amour et autres mensonges* (Prix Primavera, 2001), un recueil de nouvelles – *Aime-moi, por favor !* – et *Un miracle en équilibre* qui a reçu le prix Planeta en 2004. Son dernier roman, *Cosmofobia*, a paru en 2007 aux éditions Héloïse d'Ormesson.

LUCÍA ETXEBARRIA

UN MIRACLE
EN ÉQUILIBRE

Traduit de l'espagnol
par Nicolas VÉRON

10
18

« Domaine étranger »
dirigé par Jean-Claude Zylberstein

ÉDITIONS HÉLOÏSE D'ORMESSON

Titre original .
Un milagro en equilibrio

© Lucía Etxebarria, 2004
© Éditions Héloïse d'Ormesson, 2006,
pour la traduction française.
ISBN 978-2-264-04269-9

À ma mère.

*Dans la mythologie de diverses civilisations
ainsi que dans la pensée féministe païenne, la Déesse
représente les trois phases de la vie de la femme,
correspondant à celles du cycle lunaire :
la nouvelle lune est la vierge,
la pleine lune est la femme sexuellement active,
habituellement décrite comme mère et prostituée,
et la lune déclinante est la femme âgée. Ses adorateurs
ont donné à cette manifestation de la divinité le titre
de Triple Déesse. (…) À l'instar de la Déesse,
la nature possède de nombreuses qualités qui vont
par cycles de trois : elle est tour à tour en jachère,
fertile et productive, ce que reflète le cycle féminin
de la menstruation, de l'ovulation et de la gestation.
Elle est ainsi reliée aux trois triades cosmiques :
les trois étapes de l'existence (naissance, vie et mort),
les trois moments du temps (passé, présent et avenir)
et les trois phases de la lune.*

Shahrukh HUSAIN, *La Déesse*

I

L'EFFET BAMBI

Nos successeurs viendront contre nous.
Filippo Tommaso MARINETTI, *Manifeste du futurisme*

OCYTOCINE : L'ocytocine est une hormone liée aux modèles sexuels et aux comportements maternel et paternel. Elle est également associée à l'affectivité et à la tendresse. Certains la surnomment « molécule de la monogamie ».

L'ocytocine influe sur des fonctions aussi élémentaires que le sentiment amoureux, l'orgasme, l'accouchement ou l'allaitement. En période de rut, nombre de mammifères (y compris l'être humain) et certains volatiles produisent chimiquement cette hormone tant à partir du cerveau que des organes génitaux (ovaires et testicules). En passant dans le flux sanguin, elle déclenche toute une série de sensations, presque toutes liées à la sexualité ou aux effets consécutifs à l'acte sexuel. Chez l'homme comme chez la femme, l'orgasme provoque l'écoulement de cette hormone, facilitant dans les canaux reproducteurs de l'un et l'autre sexe la circulation du sperme et la contraction des muscles. Lorsqu'une personne vit une relation sexuelle stable et satisfaisante avec une autre, elle développe une accoutumance à sa propre ocytocine et devient dépendante de son partenaire : c'est ainsi que s'explique, sur le plan chimique, le sentiment amoureux.

L'ocytocine favorise également d'autres comportements chez la femme : elle aide les muscles à se relâcher et l'utérus à se contracter lors de l'accouchement, et stimule en outre la production de lait maternel. Et c'est naturellement grâce à elle que la mère se prend d'affection pour son bébé.

En 1953, le docteur Vincent du Vigneaud a réalisé la synthèse chimique de l'ocytocine, qui lui valut, deux ans plus tard, le prix Nobel de chimie. C'est depuis cette date que l'obstétrique dispose d'une ocytocine synthétique très concentrée, couramment employée comme catalyseur de l'accouchement.

En Espagne, dans la plupart des hôpitaux, le recours à l'ocytocine fait partie du protocole d'intervention, ce qui signifie qu'une femme qui se présente à la maternité se voit administrer de l'ocytocine chimique par injection intraveineuse.

Encyclopédie médicale et psychologique de la famille

Pour commencer, je vais te parler d'une chanson de Los Secretos qui s'appelait *Soy como dos*, mais je préfère te dire tout de suite, mon amour, ma chérie, ma petite peluche, mon chocolat à la liqueur de griotte, ma lumière où le soleil prend sa source, et avec lui toutes les lampes de chevet de l'appartement, y compris celle sous laquelle j'écris en profitant de ton sommeil qui est mon repos, ma tranquillité et le seul moment que j'aie pour moi, je préfère te dire tout de suite, donc, que je n'ai jamais aimé Los Secretos, surtout parce qu'à l'époque où j'aurais dû les aimer (quinze ans est l'âge auquel on est censé fredonner des chansons d'amour), je me l'interdisais et me refusais résolument à laisser le moindre de leurs refrains, pourtant tenaces, me trotter dans la tête, et si d'aventure je me surprenais à fredonner *Déjame*, je me mettais aussitôt à hurler *Bela Lugosi is dead* comme une litanie destinée à exorciser les mauvaises pensées, car ce que faisaient Los Secretos était de la pop guimauve, alors que ce que nous écoutions, nous autres (c'est-à-dire Sonia, Tania et moi, trois adolescentes qui arborions des coiffures en pétard, portions la même tunique noire jusqu'aux chevilles et les mêmes bracelets en cuir clouté pour imiter Robert Smith et Siouxsie), c'était du punk tendance gothique, qui s'accordait infiniment mieux à notre état d'esprit de l'époque, oscillant entre « Aujourd'hui j'ai envie de m'entailler le bras avec une lame de rasoir » et « Je ne sais pas si cette nausée pressante dans mon estomac est la conséquence de mon dégoût existentiel ou des trois jours que je viens de passer sans manger ».

Si j'ai mentionné cette chanson, ce n'est pas pour te parler de mes goûts musicaux, mais de la raison pour laquelle tant de gens ont l'impression d'être deux en un, de la raison pour laquelle je me suis toujours sentie deux. Il y a mon moi profond, l'être que je suis vraiment sous ces pelures d'oignon superposées que sont les déguisements et les conventions sociales, et qui cachent ce qu'il y a dessous, au cœur de moi-même, dans ce cercle ultime et obscur : une créature cachée, qui surgit intacte de mes souvenirs d'enfance et supporte tant bien que mal le poids de ma vie et des raisons secrètes qui l'animent. Et il y a mon double, l'être que je ne suis pas mais que, du fait que les autres le disaient, j'ai toujours cru être : une calamité ambulante, authentique et absolue. Aussi loin que je me rappelle, j'ai toujours entendu ma mère me dire, dès qu'elle entrait dans ma chambre : « Mon Dieu, quelle calamité que cette fille, ta chambre est un vrai capharnaüm. » Une calamité doublée d'une hystérique, car mon frère Vicente me répétait sans cesse : « Eva, tu te plains toujours parce que tu n'es qu'une hystérique. » Et, par-dessus le marché, une immature, comme je pouvais le déduire des commentaires d'Asun, qui n'arrêtait pas de dire que sa petite sœur (c'est-à-dire moi, l'hystérique, la calamité) ne se marierait jamais parce qu'elle était irrémédiablement immature : « Eva, tu sais, est incapable de se décider pour l'un ni pour l'autre ni pour qui que ce soit, pas besoin de te dire la réputation qu'elle s'est faite comme ça… » Et j'étais enfin, cela va de soi, une grosse, ainsi qu'il ressortait des regards méprisants que me jetait ma sœur Laureta chaque fois qu'elle me voyait manger une barre chocolatée : « Ne va pas te plaindre après de ne plus rentrer dans tes jeans. »

Mais, malgré tout, Eva (la calamité, l'hystérique, l'immature, la grosse, moi-même) n'était pas tout à fait ce que croyaient les autres. C'est quelque chose qui arrive, je suppose, à tout le monde. Et qui t'arrivera aussi à toi, car personne, aucun de nous ne constitue un tout objectif, catégoriquement défini, qui soit identique aux yeux de tous et dont tous puissent s'enquérir comme d'un acte de propriété ou d'un testament ; chacun est plutôt un kaléidoscope, aux formes et aux couleurs changeantes selon la personne qui le regarde et selon l'angle, quand bien même il conserve inchangés les éléments qui, ensemble, composent les dessins dont la vue divertit autrui ; ou bien un écran sur lequel nous projetons nos propres illusions, nos carences, nos déceptions, nos frustrations, et où nous reconnaissons non pas la réalité, mais ce que nous voulons voir, car la matérialité n'est qu'une surface réfléchissante. Chacun, chacune associe à l'apparence physique d'autrui toutes les idées qu'il ou elle se fait intérieurement de lui, et ce sont ces préjugés qui, en fin de compte, occupent l'essentiel de cette apparence.

Au collège, nous avions un professeur qui s'appelait José Merlo et pour qui nous éprouvions un impossible amour (« Nous », c'est-à-dire Sonia et moi. Mais pas Tania, parce qu'à l'époque elle n'aimait personne ou, si elle aimait quelqu'un, elle n'avait pas le courage de le dire, et comme ce qui n'est pas nommé n'existe pas, Tania avait selon la rumeur publique une pierre à la place du cœur). José Merlo aussi était deux : son moi profond était celui d'un homme merveilleux, cultivé, séduisant (« un air de Rome andalouse nimbait d'or sa tête[1] »), adorable (« son rire était un jasmin de sel et d'intelligence[2] »), qui n'avait qu'un seul défaut : il n'osait pas vivre par lui-même et vivait à travers les

1. Federico García Lorca, *Chant funèbre pour Ignacio Sánchez Mejía*.
2. *Ibidem*.

mots des autres ; et l'autre José, qui avait fini, avec le temps, par ne faire qu'un avec le José profond, et que celui-ci ne voyait qu'à travers les yeux d'autrui, était un pervers dégénéré, car le premier José avait entendu toute sa vie tout le monde dire autour de lui qu'un homme qui aime un autre homme ne mérite que les tourments éternels de l'enfer (n'oublions pas que José Merlo avait près de cinquante ans quand j'en avais quinze, et avait été élevé dans une société où l'homosexualité n'était pas à la mode, où elle n'avait même pas d'existence, où homosexuel se disait pédé, et où pédé n'était pas une de ces épithètes affectueuses qu'on s'adresse entre copains au comptoir d'un bar branché, mais une vraie injure, pleine de hargne et de fureur, une de celles qui attirent les « répète un peu ça pour voir »), de sorte que le José profond haïssait l'autre José, « l'efféminé des villes, assassin des colombes, à la chair tuméfiée et aux pensées immondes, ennemi sans rêves de l'Amour qui partage des couronnes d'allégresse[1] ». Car José Merlo, en bon professeur de lettres et en bonne pédale refoulée, adorait Lorca, autre tantouze mélancolique, et c'est pourquoi, lorsqu'il tomba amoureux de David Muñoz, le plus beau garçon de la classe, dont la moitié du collège était folle (mais ni Sonia ni moi, car des punks gothiques comme nous n'allions tout de même pas tomber amoureuses d'un minet qui écoutait Los Secretos ; et Tania encore moins, pour les raisons que j'ai dites), et qui évoquait davantage les poèmes de Cernuda que ceux de Lorca car il avait plus l'air d'un marin que d'un torero (David avait ces « lèvres salées et fraîches[2] » que l'on devinait dociles au désir, c'était un beau brun qu'on aurait cru sorti d'une pub de Jean-Paul Gaultier si Jean-Paul Gaultier avait existé alors, mais c'était l'époque où il y avait en tout et pour tout deux chaînes de télé, et où les

1. Federico García Lorca, *Ode à Walt Whitman.*
2. Luis Cernuda, *El Mirlo, La Gaviota.*

spots pour after-shave à l'usage des vieux beaux cons-
tituaient le summum de l'érotisme), José Merlo donc,
qui fumait déjà, s'est mis à fumer encore plus, deux
paquets sans filtre par jour, et a laissé la nuit l'envelop-
per dans ses squelettes de tabac (encore Lorca), lesquels ont fini par se matérialiser sous forme d'emphysème, et son désespoir et sa haine de soi étaient tels
qu'il n'a même pas voulu arrêter de fumer. Et qu'il en
est mort. Non seulement « la mort a recouvert son
corps de soufres pâles[1] », mais elle lui a noirci les poumons de goudron. Les médecins diraient qu'il est mort
des suites d'un cancer.

Mais pour moi, ce n'est pas le cancer qui l'a tué,
c'est son second moi. Je suis certaine que le moi
imposé, le regard des autres qui s'est imposé à lui, a
assassiné son moi profond, que « la tristesse qu'avaient
sa joie et sa vaillance[2] » l'a tué définitivement, et que
José Merlo, aussi incapable de s'aimer lui-même que
de se suicider de façon classique (c'est-à-dire d'un seul
coup décisif aussi bien que mortel, du type saut dans le
vide, poignets tailladés au rasoir ou pendaison), s'est
tué lentement : il n'a pas voulu arrêter de fumer, car il
ne voulait plus vivre.

Quand José Merlo est mort, j'avais vingt-six ans,
je ne portais plus ni tuniques ni bracelets, entre
autres parce que ce n'était plus la mode (et aussi
parce que je mettais le bracelet aztèque en argent que
Sonia m'avait offert pour mes vingt ans), j'avais fini
mes études, je savais évidemment Lorca et Cernuda
par cœur, je n'écoutais plus The Cure mais Portishead, je payais moi-même mes factures et les
mensualités de mon appartement, et même si, vue du
dehors, je paraissais une et indivisible, au-dedans
j'étais deux.

1. Federico García Lorca, *Chant funèbre pour Ignacio Sánchez Mejía*.
2. *Ibidem.*

C'est à cet âge-là que j'ai choisi, pour me tuer, un autre poison, de plus faible intensité mais tout aussi légal. En vérité, je l'avais choisi depuis longtemps, à l'époque des tuniques et des bracelets, mais jusque-là j'avais su me restreindre, et ne m'étais empoisonnée qu'avec lenteur et mesure, en espaçant les doses. Peut-être est-ce la mort de mon ancien professeur qui a déclenché le mécanisme autodestructeur, j'ignore quel rôle a joué, dans cette furie meurtrière d'un moi contre l'autre, la douleur de voir mourir José Merlo, mais je sais que c'est plus ou moins de ce moment-là que date la recrudescence. J'avais choisi, sans même le savoir (c'est affreux à dire, mais les choix inconscients sont les seuls sincères), de me tuer par l'alcool, comme pour faire honneur au vieux dicton « Les natifs d'Alicante sont réputés pour leur descente » ; et ce qui est certain, c'est que si j'avais bu au même rythme que José Merlo fumait, j'aurais suivi le même chemin, sauf qu'au lieu de succomber à un emphysème, j'aurais crevé d'une cirrhose.

Je croyais que cela me faisait du bien de naviguer, sans jamais arriver au port, sur l'océan agité de l'alcool qui panse les blessures ; je croyais vraiment qu'il y avait de l'héroïsme à me réveiller, transpirant le gin et les larmes, aux côtés d'un corps non identifié, avec une gueule de bois comme une pierre attachée à mon cou par une corde et m'entraînant jusqu'au fond de draps étrangers et froissés auxquels je ne pouvais m'arracher.

Je croyais vraiment que chaque verre était la clé magique qui ouvrirait les cellules de mon être pour en libérer sentiments et souvenirs refoulés ; je croyais vraiment trouver dans mes compagnons d'ivresse des confesseurs discrets et solidaires, et un refuge dans les bars où ma souffrance n'avait ni à s'excuser ni à s'expliquer.

Je croyais, je croyais vraiment que je serais sauvée si je jouais sur les zincs mes dernières cartes, je croyais aux paroles des tangos et à la mystique de l'ivresse, et c'est ainsi que je suis devenue l'hallucinée qui cherchait dans les vapeurs de l'alcool la cuite finale, celle qui donnerait, sans même attendre le dernier applaudissement, le coup de grâce à la représentation, et tirerait, comme dit le tango, le rideau sur mon cœur.

Mais cela n'a rien donné, il n'y a eu ni rideau, ni voilage, ni même toile d'araignée, et mon foutu cœur a survécu tant bien que mal, vaille que vaille, malgré mes artères bouchées et une force de contraction réduite. Et le poète homosexuel que je citais n'était plus Cernuda ni Lorca, car au fond je n'avais jamais voulu être prof et on n'étudie pas Gil de Biedma en classe, en tout cas on ne l'étudiait pas à l'époque où je portais des tuniques noires et des bracelets cloutés et où David Muñoz était la star du collège ; José Merlo ne l'a jamais cité, mais moi je le cite pour t'expliquer que mon double, ma pensionnaire encombrante, l'autre moi à l'intérieur de moi, hantait jusqu'au bout de la nuit les derniers bars encore ouverts, et les rues désertes au petit matin, hagarde, buvant jusqu'à perdre contrôle (désolée de citer encore Los Secretos, mais c'est venu comme ça), et quand elle rentrait chez elle et prenait le temps de regarder dans la glace de l'ascenseur son visage bouffi sous la lumière jaune, son sourire de petite fille somnolente et ses yeux d'orpheline endurcie, elle se rendait compte que ses cuites carabinées n'avaient en vérité plus rien de joyeux et qu'à trente ans passés il devenait franchement pathétique de faire la bringue comme une ado. C'est alors que j'ouvrais la porte et avançais à tâtons dans mon appartement crasseux, en me cognant aux meubles et en me traînant jusqu'à mon lit pour me coucher aux côtés de mon double, comme une chienne malade, repentie et enrageant d'impuissance.

Je t'ai ainsi choisie sans te choisir, car, comme je te l'ai déjà dit, les choix inconscients sont les seuls sincères, et je n'avais jamais pensé consciemment à t'engendrer, mais n'est-il pas étrange que, durant toutes ces années passées à me soûler, jamais je n'aie oublié

21

d'enfiler des capotes sur les engins de mes amants sporadiques, que jamais non plus, lorsque je m'embarquais dans une relation plus durable, je n'aie eu de gueule de bois ni d'ivresse qui me fasse oublier l'ingestion quotidienne de ma petite pilule blanche, ni de vomissement qui expulse de mon estomac le comprimé magique (ainsi qu'il est arrivé, par exemple, à ma voisine, dont la fille fut certes la conséquence d'une nuit d'amour, mais aussi celle d'une indigestion qui lui fit régurgiter son petit-déjeuner, et avec lui l'Ovoplex que son premier café de la matinée l'avait aidée à avaler), et que ce soit justement après avoir arrêté de boire qu'une nuit, dissoute dans les brumes du corps absorbé par ses propres mystères, j'ai oublié mes précautions prophylactiques et ouvert mes jambes et mon esprit à la possibilité de ton existence ?

Je me suis alors scindée en deux, non pas deux êtres qui se faisaient face, mais un être qui grandissait à l'intérieur de l'autre, qui se faisait une place à l'intérieur de l'autre, poussant les organes de l'autre pour installer les siens, s'abreuvant du sang de son hôtesse comme un vampire bienvenu, un vampire domestique et désiré qui aspirait la vie par le cordon ombilical à la façon d'un petit oiseau. Et si, durant ces neuf mois, j'ai été deux, ces deux n'ont jamais été deux rivales, mais deux organismes parfaits, alliés, symbiotiques, comme ces soldats de Sparte qui partaient à la bataille en amoureux et que l'amour rendait invincibles, et bien que jamais je n'aie été plus lourde, bien que j'aie toujours eu besoin qu'on m'aide à marcher, bien que les femmes, émues par ma détresse apparente, m'aient cédé leur place dans le métro, jamais je n'ai été plus forte. Il a fallu que je sois deux pour cesser d'être deux, car l'une de ces deux allait tuer l'autre, mais au lieu de tuer j'ai créé la vie, et c'est ainsi que j'ai survécu.

Tu es âgée de onze jours. Et je me suis juré que j'allais m'asseoir devant l'ordinateur et n'en plus bouger pendant deux heures, jusqu'à ce que j'aie au moins écrit quelques pages. Il y a encore peu de temps, quelques jours avant ta naissance, je pensais que je ne pourrais plus jamais écrire. Et en vérité, pendant près de neuf mois, peut-être plus, j'ai à peine touché à mon ordinateur, à l'exception d'un chapitre que j'ai rédigé à Santa Pola pour un roman dont l'héroïne porte ton nom, chapitre que j'ai détruit par la suite, et roman dont j'ignore si je le reprendrai un jour. À quoi bon, en effet, si le malheureux est presque certain de partager le triste sort de ses grands frères et de finir oublié dans un tiroir. Ce que je sais, c'est qu'il m'est impossible en ce moment de parler de quelque chose qui ne soit pas toi. Et moi.

Après ce manège hormonal et vital sur lequel je suis montée sans crier gare, je ne me sens pas capable d'écrire autre chose que ce que je suis en train de vivre. Cela dit, ne t'attends pas, ni toi ni quelque autre lecteur, à une autobiographie ou à un journal au sens habituel du terme. Ce que j'écris est dépourvu dès le départ de toute intention de persuader autrui de la véracité de son contenu : je ne me propose pas d'être fidèle à la réalité, ne serait-ce que parce que la tâche est impossible, étant donné que la réalité est multiforme et la mémoire un imposteur qui interprète le passé comme il lui plaît, de sorte que, même avec la ferme intention de raconter les choses telles qu'elles ont été, on finit toujours par les raconter telles qu'on se les rappelle, ce qui n'est pas la même chose.

Tout le monde s'est trouvé un jour ou un autre en train d'évoquer, en famille ou avec des amis, un épisode (prenons par exemple un dîner de Noël) dont chacun des présents garde un souvenir très différent, alors qu'en principe, ce souvenir devrait être commun à tous. Il y avait du faisan. Non, je te dis que c'était de la dinde. Mais non, c'était de la sole, j'en suis sûre. Comment ça, de la sole, il y a un temps fou que nous n'avons pas mangé de sole dans cette maison ! Et ce n'est pas tante Reme qui avait trop bu et avait dit toutes ces bêtises, c'était maman. Mais bien sûr que si, c'était tante Reme, tout d'un coup elle s'est mise à chanter des tangos à tue-tête, et puis ta mère ne boit quasiment pas ! Et ainsi à n'en plus finir...

La mémoire est régie par ses propres caprices : elle est impérieuse, et donne ou reprend sans arguments logiques. Et parfois, elle remet en lumière un passé qui se trouve soudain présent mais qui n'existait plus (cette sole que nous remet abruptement en mémoire l'évocation de ce soir de Noël où tante Reme s'était enivrée et avait commencé à dire des bêtises, ce que nous avions complètement oublié, aussi bien la sole que la cuite de tante Reme, d'ailleurs), en retournant les faits à la façon d'un manteau élimé, comme si le temps et les certitudes étaient réversibles. Mais nous en souvenons-nous vraiment ? Peut-être l'avons-nous seulement imaginé, ou avons-nous reconstruit toute une histoire à partir de certains éléments, en en ajoutant d'autres qui ne sont dus qu'à notre imagination débordante.

Je me rappelle ainsi une histoire racontée dans un film, *Session 9*, et qui était inspirée, semble-t-il, d'un fait divers authentique. Une jeune fille, soignée dans un hôpital psychiatrique, particulièrement agressive et réfractaire au sexe, suit des séances de régression thérapeutique sous hypnose. Sous l'empire de son thérapeute, la malheureuse finit par se rappeler que son beau-père l'a violée à plusieurs reprises quand elle était encore prépubère, et tous ces épisodes – au demeurant convaincants – remontent à la surface avec toutes sortes de détails scabreux, les caresses plus ou moins innocentes pour commencer, puis les attouchements qui de tendres étaient devenus suspects, pour finir par les pénétrations en bonne et due forme. La mère de la fille, mise au courant par le psychiatre et déjà divorcée du beau-père, brûle d'une sainte (et légitime ?) colère : ça ne lui suffisait pas de boire comme un trou, de la battre pour un oui ou pour un non, de la tromper avec tout ce qui porte jupon, il avait donc fallu qu'en plus il profane ce qu'il y avait de plus sacré au monde, la vertu de sa fille à elle ? La mère dépose donc une plainte pour viol, tout en sachant qu'il sera difficile de prouver ce qui s'est passé. Ou ce qui ne s'est pas passé, car les avocats de l'ex-beau-père produisent un compte rendu d'examen clinique prouvant que la fille était vierge au moment où elle a raconté l'histoire, mettant ainsi à bas tout l'enchaînement des faits, depuis les premiers baisers jusqu'au viol consommé. Mais aujourd'hui, j'en suis à me demander si l'histoire n'est pas rendue réelle du seul fait que la fille l'a vécue comme telle. Peut-être, en effet, a-t-elle exorcisé de cette façon le désir refoulé qu'elle éprouvait pour son beau-père, en l'accusant de pulsions qui existaient dans son imagination à elle, mais qu'elle n'arrivait pas à admettre ? En s'imaginant avoir été violée, elle recréait quelque chose qu'elle aurait souhaité – séduire son beau-père – tout en s'affranchissant du sentiment de culpabilité, grâce au fait qu'elle attribuait à l'objet de ses fantasmes la responsabilité de ceux-ci.

De la même façon, ce que je peux me rappeler ou ne pas me rappeler peut être ou ne pas être tout à fait exact. Qu'est-ce que mentir, finalement, sinon se rappeler quelque chose qui n'a pas eu lieu ?

Par conséquent, ce que j'écris, ce que je vais écrire ne sera qu'une cascade de notes désordonnées. Et en vérité, je ne sais pas très bien de quoi il s'agit ni ce qui en sortira. C'est la première fois que je m'assois devant l'écran en ayant une aussi faible idée de ce que je vais finalement raconter. C'est que ta mère, ainsi que tu le découvriras avec le temps, est plutôt du genre *control freak* et a besoin, quand elle prépare un livre, d'avoir une idée bien arrêtée de ce qu'elle va écrire, ce qui suppose l'établissement préalable de schémas, de fiches sur les protagonistes, de toute une bibliographie et de toute une documentation ; l'inclusion dans le dossier, si besoin est, de coupures de presse, de plans des lieux où l'action est censée se dérouler, d'entretiens avec des personnes réelles susceptibles de ressembler aux futurs personnages imaginaires, ainsi qu'une vision très précise du début, de l'intrigue et du dénouement. Et tout ça pour quoi ? Pour rien. Pour qu'ensuite personne ne veuille publier ses romans.

Je me dis souvent que tout cela répond à un besoin désespéré d'ordonner le monde : celui dans lequel je vis me paraissant ingouvernable, sinon par le chaos le plus absolu, il me reste pour seule consolation de m'ériger en démiurge d'une réalité parallèle où les choses obéiraient à un plan précis. Le mien.

L'ennui, c'est que la vocation est une chose, le talent une autre. J'étais sûre d'avoir la première, mais moins certaine du second. On sait que toute œuvre doit avoir sa part d'imperfection, on sait aussi que la plus incertaine des créations esthétiques est forcément celle dont nous sommes l'auteur, mais malgré cette double certitude je n'arrive pas à croire que mes capacités ne soient pas inversement proportionnelles à l'ardeur qui les anime. Je vais t'avouer une chose : depuis toute petite, je voulais être écrivain. Aussi loin que je me souvienne, même si je t'ai déjà expliqué que la mémoire est menteuse. En première année d'école primaire, j'écrivais des histoires de lutins des bois et de princesses courageuses, que j'illustrais avec des crayons de cire Plastidecor et que j'encadrais de grappes de raisin. Puis il y a eu les poésies adolescentes et les premiers récits de quatre ou cinq pages, plus tard sont venus les prix littéraires décernés par d'obscures municipalités, les accessits à des concours un peu plus importants, les nouvelles publiées dans des anthologies de troisième zone. J'ai fait des études de philologie hispanique, puis une formation à la correction et à l'édition financée par l'agence pour l'emploi, et c'est ainsi que je me suis retrouvée à travailler comme nègre pour une célèbre animatrice de télé qui était censée avoir écrit un livre intitulé *Comment séduire le garçon de tes rêves* (mais cela, comme dirait Moustache, le garçon de café d'*Irma la Douce*, est une autre histoire), comme correctrice et/ou lectrice pour diverses maisons d'édition, comme conseillère sentimentale (sous pseudonyme, et en me faisant passer pour sexologue) dans un magazine pour ados, et, dans le même temps, comme journaliste branchée dans un mensuel féminin et comme responsable de la rubrique culturelle hebdomadaire d'une émission de radio.

Voilà, je viens de te résumer à coups de serpe, en une douzaine de lignes à peine, plus de dix ans de trajectoire professionnelle. Au cours de ces dix ans, j'ai écrit trois romans : j'ai envoyé le premier à vingt éditeurs, qui m'ont tous répondu avec la même lettre type : « Nous vous remercions de nous avoir adressé votre manuscrit, mais sommes au regret de vous informer que nous ne prévoyons pas, dans le cadre de nos projets éditoriaux, gna gna gna. » J'ai envoyé le deuxième, sur les conseils des éditeurs mêmes pour lesquels je travaillais, à un agent, une femme qui m'a dit que le roman était impubliable mais « prometteur » et a consenti à me signer un contrat de représentation au cas où j'en écrirais un troisième, moins dense, que j'ai évidemment écrit et qu'elle a trouvé bien plus intéressant, mais cette opinion n'a dû être partagée par aucun éditeur, car l'infortuné ouvrage, après avoir parcouru toutes les maisons d'édition du pays (y compris celles qui recouraient à mes services de correctrice), a fini par rejoindre les deux autres dans leur tiroir, non sans avoir toutefois rencontré beaucoup plus de monde que ses grands frères. J'en étais quelque peu amère, car je gagnais ma vie en faisant de l'*editing*, c'est-à-dire en corrigeant et en réécrivant de véritables torchons, d'une qualité aussi inexistante que leur intérêt, qui n'avaient ni style, ni contenu, ni force, ni sincérité, ni même orthographe, mais dont les auteurs étaient des journalistes connus, des épouses ou maîtresses d'éditeurs ou d'écrivains, des cousins de directeurs de journaux, parfois même les directeurs desdits journaux ou leurs chefs de section, qui les écrivaient à leur place sans les signer.

Chose curieuse, j'ai fini par être publiée, mais sans l'avoir cherché, et il ne s'agissait pas d'un roman. Je m'explique : comme je te l'ai dit déjà, je pouvais ajouter à mon travail de nègre et de correctrice, dans mon curriculum vitae, la rédaction de reportages pour un mensuel, ainsi que ma participation hebdomadaire et vespérale à une émission de radio où j'étais responsable de la rubrique Culture. Ce n'était pas que ma signature ait une quelconque valeur, ni que mon nom soit des plus connus, mais je pouvais, d'une certaine façon, prétendre au titre de journaliste. Si bien que mon agent, qui ne perdait jamais espoir et avait toujours confiance en moi alors même qu'elle n'avait réussi à placer mon roman nulle part, m'a mise en contact avec la directrice d'une collection de livres-témoignages destinés au public féminin, qui avait déjà sorti trois titres sur le marché : *Prostituées : le marché de la chair* ; *Femmes battues : le drame caché* ; *Anorexiques : le prix de la beauté*. Chacun d'eux comportait des témoignages de femmes, qui faisaient chacun l'objet d'un chapitre, avec un prénom et une histoire propres (depuis l'escort-girl sculpturale qui distrait des cadres supérieurs au D'Angelo d'Alicante jusqu'à la pute misérable qui s'offre pour neuf euros rue Montera ; depuis la marquise qui dissimule pendant des années ses coquards sous un fond de teint Chanel jusqu'à la quasi-analphabète qui nettoie les cages d'escalier et vit dans un foyer d'accueil ; depuis l'ex-top model qui refuse de donner son nom et qui a carburé aux amphétamines pendant toutes les années où elle a fait défilé sur défilé jusqu'à l'étudiante méritante qui a tenu avec trois pommes par jour et a fini aux urgences de l'hôpital de l'Enfant-Jésus, atteinte de dénutrition avancée, etc.). Il ne restait plus qu'à ajouter une préface, signée si possible par quelque célébrité ayant vécu dans sa chair le drame en question, et une conclusion rassemblant des statistiques sur le sujet. Et qu'à vendre.

Après les prostituées, les femmes battues et les anorexiques, c'était, en toute logique, le tour des toxicomanes, et il fallait, pour leur donner la parole, une journaliste ayant de préférence déjà travaillé pour des magazines féminins. Bien que philologue de formation, je pouvais me prévaloir, du fait de ma pluriactivité, d'une telle expérience. Et c'est ainsi que ta mère s'est retrouvée en train d'écrire son second livre de commande (le premier était celui qu'avait signé l'animatrice connasse) et à interviewer des junkies en pantalon de jogging, des femmes d'affaires cocaïnomanes, des babas cool shootées au LSD, des universitaires adeptes du joint et des femmes au foyer accro aux tranquillisants ou à la bouteille, non que ça m'excite particulièrement d'avoir affaire aux unes ou aux autres, mais parce que ça faisait un mois que j'étais plus raide que la queue de Rocco Siffredi et que ma banque menaçait de faire saisir mon appartement dont je n'avais pas payé les dernières mensualités. Écrire ce genre de livre est tout de même plus affriolant que de devoir travailler soi-même au D'Angelo, et c'est ainsi qu'est né *Droguées : elles ne savent pas dire non*, réédité et épuisé quatorze fois, excusez du peu (exploit qui n'est comparable, parmi les œuvres de non-fiction destinées au même genre de public, qu'au coup fumant réalisé par Carmen Alborch avec *Seules*), et qui a rendu célèbre du jour au lendemain, à son corps défendant, ta mère qui n'aspirait qu'à être reconnue en tant qu'écrivain sérieux, avait toujours pensé que ce livre, comme les précédents de la collection Féminin Pluriel, passerait plus ou moins inaperçu, et n'avait pas spécialement envie d'accéder au vedettariat comme auteur de bestsellers à sensation. Je te raconte tout ça parce que, bien sûr, je te portais dans mon ventre quand je faisais la tournée de promotion organisée à l'occasion de la sortie de la quinzième édition. Mais, comme dirait encore Moustache dans *Irma la Douce*, cela est une autre histoire, que je te raconterai un jour.

Hier, ma voisine Elena est passée pour te voir, et je lui ai raconté que j'étais allée à Marbella chez notre amie commune Nenuca, qui s'y adonne au farniente le plus absolu, car Nenuca ne travaille pas et n'en a pas besoin : sa famille est assez riche pour qu'elle n'ait même pas besoin de songer à travailler pour gagner son pain. Ou plutôt pour s'offrir son 4 × 4, sa villa de rêve, ses robes de couturier, et tous ses caprices divers et variés. Et Elena a fait ce commentaire : « Je ne comprends pas qu'elle puisse vivre ainsi, elle ne s'ennuie donc pas ? Je suis sûre qu'avec le temps elle va finir frustrée, personne ne peut vivre sans rien faire d'utile. » Je lui ai répondu : « Mais moi je pourrais, ce serait même mon rêve : savoir que, jusqu'à la fin de mes jours, je n'ai plus besoin de travailler. » Et Elena : « Je ne te crois pas, tu écrirais, forcément. »

Oui, forcément. J'écrirais, je lirais, je peindrais même... mais sans publier, sans me soumettre à l'examen incessant des critiques, des admirateurs, des détracteurs, des amis, des amis d'amis, des ennemis, des ex-amants, des ex-maîtresses des ex-amants. Je ferais éventuellement des tirés à part en nombre limité pour mes amis, ou alors j'exprimerais, comme Sebastian Venable dans *Soudain l'été dernier*, la volonté expresse que mes écrits ne soient publiés qu'après ma mort (ce que fit aussi la Violet Venable du film, Katharine Hepburn, avec ses Mémoires), quand je serai hors d'atteinte des flèches et des aiguilles de la médisance. Car j'avais assez souffert de tout le tintouin autour de *Droguées* (des critiques acerbes qui m'accusaient ni plus ni moins que d'incitation à la polytoxicomanie, et un scandale retentissant quand des photos de moi se sont retrouvées en couverture du magazine *Cita*, mais je t'en reparlerai plus tard), livre qui, somme toute, m'était passablement indifférent, et je ne veux donc même pas imaginer ce que je souffrirais si j'étais attaquée pour un livre plus personnel, un livre où j'aurais mis mes expériences, mes sentiments, ma vie. J'avais passé la moitié de celle-ci à faire des pieds et des mains pour être publiée, et quand finalement je l'ai été, j'ai compris qu'il fallait que je remercie le Tout Cosmique, ou la Divine Providence, ou quelque nom qu'on donne à celui qui gouverne ce monde de fous, que mes trois premiers romans ne soient jamais parus, car je n'aurais sans doute pas survécu au succès si je l'avais connu : je n'aurais pas supporté de les voir scrutés, disséqués, décortiqués de cette façon. C'est ainsi que je me console de ne pas avoir réalisé mon rêve, rêve qui pourrait encore, théoriquement, se réaliser, même si je commence à soupçonner que ce ne sera jamais le cas. Le malheur des rêves qui paraissent réalisables, c'est que la désillusion est d'autant plus forte. Car si j'avais rêvé, depuis toute petite, de quelque chose de démesuré, d'être reine, par exemple, ou astronaute, il m'aurait moins coûté, à l'âge adulte, de me résigner à ne pas l'être. Un rêve impossible nous dispense, en fait, de rechercher son accomplissement, tandis qu'un rêve accessible nous en intime l'ordre, et nous nous disons que, s'il ne s'accomplit pas, c'est notre faute, et non celle du hasard ou du destin. C'est pourquoi j'ai peur de mourir comme j'ai vécu, en tant que membre de l'éminente confrérie des ratés.

Pourquoi est-ce que je te raconte tout ça ? Parce que en même temps que je tape à la machine, il me faut accepter l'éventualité que ce que j'écris en ce moment même, ces mots destinés à toi seule, soient publiés un jour (ceci, en principe, est une lettre pour toi, mais tout ce qu'on écrit est, en réalité, adressé à soi-même, et donc à l'Autre qu'on porte en soi et aussi à cet Autre qu'est autrui, car « toute lettre, dit Derrida, est condamnée à voyager interminablement, tant par sa plurivocité que par l'indétermination inconsciente de son destin », bigre, voilà que la philologue reprend le dessus et que je me mets à devenir pédante), et parce que aussi bien mon agent que l'éditrice de *Droguées* n'arrêtent pas de me demander pourquoi je n'écris pas sur la maternité, anxieuses qu'elles sont de réitérer le succès maintenant que je suis connue (en revanche, elles n'ont pas retenu ma suggestion de profiter de ma notoriété récente pour publier l'un ou l'autre des trois romans qui, comme tu sais, dorment dans mon tiroir), et je ne suis pas certaine que cela vaille la peine de s'exposer autant, car je sais bien que tout livre que j'écrirais sur ce sujet finirait par parler de toi.

Mais nous avons un problème, toi et moi : nous avons besoin d'argent. (L'argent est un métal sans cœur qui n'achète pas ce que l'on veut, comme disent et le tango et tante Reme, mais au moins il paie les factures.) Et la seule façon dont ta mère, à ce jour, ait prouvé qu'elle savait gagner ce vil métal, c'est d'écrire. L'ennui, c'est qu'en ce moment ta mère, c'est-à-dire moi, est dans l'incapacité d'écrire sur autre chose que toi, les personnes qui t'entourent et les raisons qui ont fait que tu es arrivée, à travers mon corps, jusqu'ici. Et écrire sur toi, c'est prendre un grand risque, c'est livrer sa propre vie sur un plateau, à la merci de qui voudra la déchiqueter et la hacher menu. Naturellement, ces notes décousues seront expurgées comme il convient, en changeant les noms, en éliminant toute référence qui rendrait trop reconnaissables certains personnages, et en ajoutant l'habituel avertissement selon lequel toute ressemblance avec la réalité est pure coïncidence. D'ailleurs, qu'est-ce que la réalité, au fond ? Une chose si labile, si malléable, si insaisissable… Bref, je ne sais pas le moins du monde si ceci sera publié ou non. Il est possible que je te le remette quand tu auras dix-huit ans, et que ce soit à toi de décider. Ou que je me résolve à le publier avant, mais en faisant quelques coupes afin de te laisser le douteux honneur et le redoutable privilège d'accéder aux parties censurées, et de savoir sur quelle sorte de mère tu es tombée. Mais je crains que tu n'aies déjà, quand tu seras en situation de lire ceci, une idée passablement précise sur la question.

(Naturellement, pendant que je me demandais si je devais ou non accepter de faire *Droguées*, ta marraine Consuelo – l'une de tes nombreuses marraines, car tu es trop exceptionnelle pour n'en avoir qu'une –, qui a été la *doula* et la « sœur en Dieu » de ta mère – c'est ainsi qu'on appelle une femme qui en assiste une autre pour son accouchement –, m'a rappelé avec insistance, dans l'espoir de me persuader qu'il n'y a rien d'infamant à écrire pour de l'argent, que Dostoïevski a écrit *Le Joueur* à toute vitesse parce qu'il était criblé de dettes. Ce qui est dit est dit, ce qui est écrit reste.)

Je me rappelle quand tu étais depuis quatre mois dans mon ventre et que tu étais un fœtus mesurant à peu près dix-huit centimètres et pesant environ cent vingt grammes. Certaines parties de ton squelette étaient déjà durcies et ossifiées, les muscles du cou et de l'épaule pouvaient déjà soutenir ta petite tête. Tu étais déjà un vrai être humain, qui flottait recroquevillé dans le placenta où pendait et mûrissait le fruit de l'amour, avec ses dix petits doigts et ses dix petits orteils, chacun couronné de son petit ongle. Tu bougeais, et je savais que tu étais une fille. Et que tu t'appellerais Amanda. C'était l'époque où j'avais dû aller à Barcelone pour la promotion de *Droguées*, dont on venait de lancer, comme je te l'ai dit, la quinzième édition. En Catalogne, la tradition veut que les amoureux s'offrent, pour la Sant Jordi, une rose et/ou un épi de blé (selon la vraie tradition, le garçon devait offrir à la fille une rose et un épi de blé, symboles de l'amour et de la fertilité, et la fille offrir au garçon un livre, mais avec l'émergence du politiquement correct et l'essor du mouvement gay, chacun peut maintenant offrir soit une rose, soit un livre, soit les deux, sans que le genre du destinataire importe vraiment). Les rues, ce jour-là, sont pleines de stands et de kiosques où l'on vend des livres et des fleurs, et d'une foule énorme qui se déplace d'un bout à l'autre de la ville, rose ou livre en main, à la recherche de l'âme sœur ; ou les mains vides mais avides de se procurer le livre ou la rose qui, faute d'avoir trouvé l'être cher, échoira à la mère, ou bien à la tante, à l'amie d'enfance, à la voisine de palier… (À moi toute seule, il m'est arrivé de recevoir, en une journée, pas moins de quinze roses, chacune accompagnée de son épi de blé, mais il m'avait toujours manqué, infortunée que j'étais, le talisman qui donne la fertilité.) Ce qui compte, c'est de participer à la fête, d'offrir et de recevoir.

Comme il arrive à la plupart des traditions, celle-ci s'est commercialisée. Par conséquent les librairies catalanes font leur plus gros chiffre d'affaires le jour de la Sant Jordi, les éditeurs envoient ce jour-là leurs auteurs vedettes à Barcelone, et un tas d'auteurs, donc, se fâchent avec leur éditeur parce qu'il ne les a pas jugés assez importants pour leur payer un billet et une nuit d'hôtel afin de signer leur ouvrage, en ce jour si particulier, à un stand sur les Ramblas. Je ne comprends pas ce qu'ils ont, car s'ils avaient réussi à émouvoir leur éditeur, ils auraient fini épuisés à force d'aller de kiosque en stand et se seraient repentis de l'avoir ainsi supplié (comme disait sainte Thérèse, épargne-moi, Seigneur, les prières exaucées), vu que l'écrivain venu signer pour la Sant Jordi se réveille à 7 heures du matin, passe sa journée à dédicacer son livre aux quatre coins de la ville sans désemparer jusqu'à 21 heures (avec tout de même une pause pour déjeuner), au point d'en avoir les articulations toutes raidies. Mais seulement s'il fait partie des heureux qui signent, comme moi – touchons du bois –, car il y en a aussi qui passent la journée à se tourner les pouces, à regarder la foule défiler sans que personne vienne les aborder.

Il devait être 18 heures, et nous étions au stand du Corte Inglés, ta tante Paz (tante adoptive et non biolo-

gique), Bea (l'attachée de presse de la maison d'édition) et moi, hallucinées devant la vision qui s'offrait à
nous : une queue, je dis bien UNE QUEUE de gens
venus acheter un livre portant MA signature, celle de ta
mère. Ce n'était pas une queue bien longue, il ne devait
pas y avoir plus de cinq personnes (deux tables plus
loin, Arturo Pérez Reverte faisait face à des centaines
d'individus qui se pressaient, se bousculaient presque
pour avoir son paraphe sur son dernier roman), mais
c'était tout de même une queue, et c'était plus que
devant la table d'autres auteurs qui avaient la main
inerte et l'air de s'ennuyer. J'étais envahie par un sentiment ambigu : d'un côté j'étais flattée d'avoir des lecteurs, et j'étais certaine que, le jour où la roue tourne-
rait et que je n'en aurais plus, je serais plus déprimée
que Norma Desmond dans *Sunset Boulevard*, même si,
bien sûr, j'aurais préféré que le public me plébiscite
pour un roman que pour ce livre de commande (encore
que, comme disait fort bien ta presque marraine
Consuelo, la même qui dit qu'il n'y a rien d'infamant à
écrire pour de l'argent, *Droguées* soit en quelque sorte
à mi-chemin entre recueil de nouvelles et nouveau jour-
nalisme ; elle est même allée jusqu'à le comparer à *De
sang-froid* en ce sens que la réalité s'y confond avec la
fiction, de sorte qu'à défaut de m'adresser aux lecteurs
de romans, j'avais des lecteurs tout court, et c'était déjà
ça : avec une amie comme Consuelo, et sans mauvais
jeu de mots, il faut vraiment le vouloir pour ne pas se
laisser consoler). Mais, d'un autre côté, les inconnus
me font terriblement peur, sans parler de la peur de
l'engagement et des responsabilités qui caractérise ta
mère, et qui fait que, lorsqu'elle sent que quelqu'un
l'admire pour une raison quelconque – et incompréhensible pour elle –, elle est angoissée à la pensée qu'elle
ne sera pas à la hauteur de ce qu'on attend d'elle. C'est
pour cela que j'avais besoin d'avoir Paz et Bea près de
moi : sans elles j'aurais été absolument incapable de

rester assise à sourire affablement à chacun de mes
« clients ».

Nous étions donc là toutes les trois, Bea, Paz et moi,
quand nous avons vu émerger de la queue un jeune
homme très beau que j'avais déjà vu ce jour-là (et ce
jour-là, j'en avais vu un certain nombre), un adonis
blond avec un sourire comme sur les publicités et des
yeux d'un bleu électrique, qui se détachait au milieu de
la foule qui, le jour de la Sant Jordi, parcourt la ville,
comme une orchidée blanche dans un champ de coque-
licots. Eva donne un coup de coude à Paz et lui fait un
signe de la tête, Paz donne le même coup de coude à
Bea et lui fait le même signe de la tête. À bonne enten-
deuse, point n'est besoin de paroles. L'adonis se présente enfin devant moi, je lui souris, cette fois le plus
spontanément du monde. Il me demande de dédicacer
mon livre « à sa princesse », et je ne suis même pas
indisposée par ce que peut avoir de ridicule le fait
d'appeler « princesse » sa petite amie, tellement je
trouve qu'un mec comme ça est libre d'appeler sa
petite amie princesse, bonbon ou caramel, et l'inspiration me vient d'écrire sur la première page : *Princesse
Nuria, QUELLE CHANCE TU AS ! Puisses-tu aimer
ce livre, et plus encore ton fiancé. Avec mes meilleurs
vœux.* Le garçon disparaît, et nous restons toutes les
trois à faire nos petits commentaires : « Il y en a qui ont
de la chance », « Des hommes comme ça, à la fois
aussi beaux et aussi tendres, on n'en fait plus », « Il
doit bien avoir quand même des défauts… Tout ce qui
brille n'est pas or », « Oui, il doit avoir une mauvaise
orthographe », « Peut-être même qu'il est impuissant… » Et nous continuons sur ce ton, car nous avons
remarqué que l'auteur assis à la table voisine – un quadragénaire insipide avec bedaine et lunettes chicos qui
n'a rien de mieux à faire que d'écouter notre conversation parce que personne n'est venu se faire dédicacer
son livre – commence à me regarder d'un drôle d'air.

À un moment, arrive une fille blonde, assez jolie, qui me dit : « Je ne suis pas venue pour que tu me dédicaces ton livre, mais seulement pour te remettre ce petit mot. » Elle pose une feuille de papier bleu sur la table et disparaît. Je mets le mot dans mon sac, avec la saine intention de le lire plus tard, en priant la Déesse qu'il ne s'agisse pas d'une lettre d'amour enflammée sur le même ton délirant que celles que m'envoient certaines lectrices de *Droguées*, qui sont accro non seulement au livre, mais à toutes les drogues possibles et imaginables, et je n'en prends connaissance que le lendemain matin.

Je l'ai ici, je l'ai gardé pour que tu le lises quand tu seras grande, et pour que tu aies un souvenir du temps où tu étais dans mon ventre.

Le voici :

Chère Eva, je suis la « princesse » que tu as complimentée pour son fiancé. J'ai beaucoup aimé Droguées. *Moi aussi, j'ai été accro à la coke pendant longtemps, et je me suis absolument identifiée au chapitre sur Gloria... Mais je ne t'écris pas pour te raconter ma vie. Je t'écris pour te dire que le livre m'a tellement plu que je l'ai prêté à toutes mes amies et que l'une d'elles, c'est toujours comme ça, ne me l'a pas rendu et que, donc, je ne l'avais plus. Mais mon fiancé, qui me savait désolée de l'avoir perdu, a fini par me l'offrir pour la Sant Jordi, et en plus, dédicacé ! Cela m'a fait très plaisir.*

Je sais que tu es enceinte et je tiens à te féliciter de tout cœur. J'ai maintenant trente ans et je songe quelquefois à avoir un enfant, mais je suis assaillie par tout un tas de doutes : est-ce que mon corps sera déformé ? est-ce que je perdrai ma liberté ? est-ce que je saurai l'aimer ? C'est pour cela qu'il serait si important pour moi qu'une femme comme toi écrive un livre sur son expérience, car je sais que tu n'écriras pas quelque chose de ridicule ni de stéréotypé. Voilà le livre que tu devrais te mettre à écrire ! Et terminer, bien sûr. Nous serons nombreuses à te remercier.

Nuria

La première chose qui m'a étonnée, c'est cette inquiétude face à la déformation possible du corps. Elle m'a paru, à vrai dire, plutôt frivole. J'avais peine à imaginer que je finirais par partager, moi aussi, cette inquiétude que je jugeais si absurde. Et c'est vrai, mon corps s'est déformé, bien sûr, même s'il ne s'agissait pas d'un dommage irréparable, étant donné qu'avant ma grossesse je n'avais rien d'un top model.

Mais il y avait aussi cette requête : que j'écrive sur mon expérience.

Ce n'était pas la première fois, je te l'ai déjà dit, que quelqu'un me demandait d'écrire sur la grossesse, ou plutôt sur *ma* grossesse (en fait, je déteste dire grossesse, je préfère dire gestation, car le mot grossesse a quelque chose de honteux, de gênant, alors que gestation revendique le côté animal de la chose). En fait, c'est ce que me disaient tous les gens, connus et inconnus, qui m'appelaient pour me féliciter (que ce soit pour le succès du livre, pour mon état, ou pour les deux), tous les journalistes qui m'interviewaient, les passants qui m'abordaient dans la rue parce qu'ils m'avaient reconnue (je te l'ai dit, j'étais devenue très célèbre, surtout à cause des témoignages que comportait le livre sur ces adolescents accro à l'alcool ou à l'ecstasy, car on m'invitait sans arrêt à participer à des émissions ou à des débats télévisés sur ce sujet brûlant), et jusqu'au concierge de l'immeuble. Imagine un peu qu'Enrique Iglesias ait une éruption cutanée et que tout le monde se mette soudain à lui demander s'il n'a pas le projet d'écrire un livre sur la dermatite atopique. C'est plus ou moins l'impression que ça me faisait. Qu'est-ce que j'allais bien pouvoir écrire ? Et sur quoi d'autre est-ce que j'allais pouvoir écrire ? Comment éviter de raconter la réalité de ma grossesse, qui ne ressemblait en aucune façon à ces récits mièvres que les gens aiment tant associer à cet état qu'en espagnol on appelle « état de bonne espérance » ? Car aucune maison d'édition ne publierait une chose pareille.

Aujourd'hui je me suis levée avec une nausée visqueuse dans l'estomac, comme si j'avais mangé un kilo de caramels mous. En plus, j'avais tous les os qui me faisaient mal. Lorsque j'ai réussi tant bien que mal à me traîner jusqu'à la salle de bains, et que je me suis retrouvée devant mon reflet dans le miroir, j'ai bien failli ne pas me reconnaître, car je ne me rappelais pas avoir les seins qui pendent jusqu'au nombril. Pourtant, je ne sais pas comment j'aurais pu les oublier, tellement ils me font mal. Mais qu'il est beau d'être enceinte !

Le fait est que, loin de la sensation de plénitude et de sublime extase que j'étais censée éprouver, je vivais depuis quatre longs mois ce qui ressemblait à la grippe la plus tenace de ma vie, un mal-être physique continuel, pas suffisamment grave pour que je doive garder la chambre, mais assez insidieux pour que toute activité physique ou mentale me soit un supplice, et je ne parle pas des tournées de promotion du livre à travers toute l'Espagne, avec interviews et séances de signatures à la clé. Ni de tous ceux et celles qui, lectrices comprises, voulaient absolument que j'écrive sur cet état « intéressant », cet état de « bonne espérance ». Mon espérance, c'était qu'il finirait par finir.

Quand nous en avons fini avec les séances de dédicace, et en profitant de ce que, le jour de la Sant Jordi, les livres se vendent avec réduction, j'ai acheté, dans la même librairie où j'avais signé, à un stand, le livre pour Nuria la princesse, une sorte de journal-essai dont Elena m'avait recommandé la lecture avec ferveur : *Temps d'attente* de Carme Riera. Je l'ai lu – ou plutôt dévoré – en moins d'une heure et, lorsque je l'ai refermé, je suis restée avec la sensation qu'il y avait un abîme entre la perception de la grossesse par Carme Riera et la réalité que j'étais en train de vivre. Dans ces pages – merveilleusement écrites, certes – on décrivait une espèce de havre idyllique, des journées creuses et rondes, une paix née du lien mystique entre mère et bébé. Rien à voir avec moi : je me sentais comme la lieutenante Ripley devant manœuvrer un vaisseau spatial où s'était introduit un *alien*, avec cette différence que je n'avais ni le courage ni la résistance physique de l'héroïne intergalactique. Carme Riera n'avait-elle donc jamais vomi, jamais eu de nausées, jamais été fatiguée, jamais eu mal à chacun de ses os ?

Je me disais que mon mal-être physique n'était peut-être rien d'autre qu'une manifestation psychosomatique, qu'en réalité je ne voulais pas avoir de bébé, que mon corps faisait donc tout son possible pour le rejeter. Carme Riera était-elle vraiment une mère tout d'une pièce, stable et sereine, et moi une petite fille immature et hystérique ? J'ai fini par lui écrire à peu près ceci : « J'ai bien aimé ton livre, mais ce que tu décris ne ressemble en rien à ma propre expérience de la grossesse… » Elle m'a répondu très aimablement, par retour d'e-mail, qu'elle aussi, bien sûr, avait vomi pendant sa grossesse, mais que, le livre étant destiné à sa fille, elle avait voulu insister sur la partie la plus plaisante du processus, afin qu'elle pense que sa naissance résultait d'un acte d'amour et non d'une simple crise de vomissements.

Je ne veux pas te faire gober que la grossesse est un processus merveilleux. Et je ne veux pas non plus te persuader que tu as la chance d'avoir une mère exceptionnelle, ni essayer que tu m'idéalises quand tu seras grande en te cachant mes pires côtés. Attention, je ne vais pas non plus te raconter tout de A à Z, mais le problème, avec les gens distraits comme moi, c'est qu'ils ont du mal non seulement à mentir, mais même à économiser sur la vérité, tu vois ce que je veux dire, je finis toujours par oublier qu'il y a quelque chose qu'il ne faut pas que je dise et par mettre les pieds dans le plat. À quoi bon, donc, écrire que je n'ai jamais douté de vouloir t'avoir, ou que la grossesse est un état de plénitude et de bonheur, puisque je me connais, et que je sais qu'un jour, dans quelques années, je finirai par te dire la vérité pour peu que tu me le demandes ? J'espère que tu comprendras que je suis seulement le véhicule que la Providence, ou Dieu, ou la Déesse, ou l'Unique, ou le Tout Cosmique ou ce que tu voudras, a mis à ta disposition pour venir au monde, et qu'il ne faut pas que tu t'attendes à la mère parfaite que je suis loin d'être.

Tout cela me rappelle une phrase qu'une dame qui avait des enfants a prononcée un jour devant moi : « Les enfants apprennent plus par ce qu'on ne leur dit pas que par ce qu'on leur dit. » Elle entendait par là que la vérité qu'on prétend leur cacher restera gravée bien plus profondément dans leur esprit, quand ils s'en rendront compte, que tous les mensonges qu'on leur aura dits. C'est un peu comme ce que j'ai lu quelque part sur les enfants aux oreilles décollées : si leurs parents leur laissent pousser les cheveux dans l'espoir de cacher ce petit défaut, ils comprennent que leurs oreilles sont quelque chose d'obscène, de dégoûtant, qu'il faut dissimuler à tout prix, et sont bien plus complexés que si leur maman leur avait coupé les cheveux très court ou leur avait fait des couettes. La vérité est fuyante, elle joue à cache-cache, elle disparaît quand on la cherche et resurgit quand on s'y attend le moins, et si on essaie de l'ignorer, elle se plante devant vous en agitant les bras.

Je te raconte cette histoire de livres sur la grossesse parce que c'est un sujet qui, pendant neuf mois, m'a beaucoup intéressée. Je me demandais pourquoi, des deux événements qui marquent la limite de la vie humaine, c'est-à-dire la naissance et la mort, la littérature parle tant de la seconde et si peu de la première. On ne trouve, dans les classiques, presque aucune description d'accouchement ou de grossesse, et l'omission n'est pas surprenante puisque quatre-vingt-dix-neuf pour cent de la littérature universelle a été écrite par des hommes, d'où la description méticuleuse des modèles de bottines que portait Emma Bovary (Mario Vargas Llosa a même consacré des pages à la question), de sa quête anxieuse de rideaux élégants susceptibles de donner à son salon une touche de distinction, mais rien ou presque sur les neuf longs mois de sa grossesse ni sur les douze heures d'accouchement (sinon plus) qu'elle a subis ni sur le mois qu'elle a passé au lit pour cause de fièvre puerpérale (comme n'importe quelle petite-bourgeoise du XIXe siècle). Je ne me rappelle aucun paragraphe qui détaille ses vomissements matinaux ou sa difficulté à lacer son corset lorsque sa poitrine s'est mise à gonfler et sa taille à s'élargir. Et quand Emma a une fille, elle la fourgue à une nourrice et nous n'entendons pratiquement plus parler de la pauvre Berthe jusqu'à la mort de sa mère. Quant à Anna Karénine, elle passe tout le roman à répéter combien elle aime son enfant, mais elle a tout l'air, entre nous soit dit, d'aimer encore plus le lieutenant Vronsky, et que je sache, l'amour qu'elle a pour son fils ne la retient pas de se jeter sous le train.

Cela dit, je n'ai pas trouvé grand-chose non plus sur la grossesse et l'accouchement dans la littérature moderne, car il semble que, jusqu'à une date relativement récente, la femme qui écrivait n'accouchait pas, et vice versa. Rien d'étonnant à cela, puisqu'on trouvait normal que la femme mariée renonce à sa vie personnelle pour celle de son mari, et que la célibataire qui devenait mère vivait un tel calvaire qu'elle ne pouvait même pas projeter d'écrire, et si j'ai une telle gratitude pour le livre de Carme Riera, malgré son parti pris – ou ce que j'estime être un parti pris –, c'est parce qu'il est le seul que j'aie trouvé en espagnol sur le sujet, et qui ne soit pas un manuel de vulgarisation sur les aspects médicaux du processus.

Ces manuels sont extraordinaires. J'en ai lu un où l'on trouvait des phrases comme : « Au quatrième mois de grossesse, vous pourrez faire une amniocentèse et savoir le sexe du bébé. Vous pourrez ainsi téléphoner à la grand-mère et lui dire s'il faut qu'elle tricote des chaussons bleus ou roses. » Autrement dit, malgré toutes les choses qu'on répète sur la nécessité d'une éducation non sexiste, on continue à imposer des rôles et des couleurs avant même la naissance, et par-dessus le marché on renvoie la grand-mère à son tricot, car la pauvre n'a évidemment rien de mieux à faire, on sait bien que les grand-mères sont faites pour ça, tandis que les grands-pères, eux, lisent leur journal. Dans un autre manuel, on expliquait la position que la femme enceinte doit adopter quand elle se baisse pour ramasser quelque chose – le dos toujours bien droit, formant un angle de quatre-vingt-dix degrés avec le sol – avec deux illustrations à l'appui : sur l'une elle ramassait une bassine de linge, et sur l'autre un bébé, afin que nous ne puissions pas douter qu'une femme enceinte est forcément femme au foyer et non pas cadre supérieur. Presque partout, on évoquait le rôle du père, mais toujours en des termes d'une mièvrerie achevée, et toujours en recommandant au partenaire de la mère de s'impliquer dans le processus, comme si ça n'allait pas de soi en plein XXIe siècle. Presque jamais n'était envisagée la possibilité que la future mère soit célibataire, et jamais au grand jamais qu'elle ait une partenaire féminine.

L'un de ces livres montrait en couverture une rousse sculpturale et semi-dénudée au ventre énoooorme (huit mois au moins, selon mes estimations), cadrée juste au-dessus du pubis pour qu'on ne voie rien. Ses seins étaient un défi aux lois de la gravitation universelle. Rien à voir, pas même de loin, avec mes mamelles à moi, ni avec les seins d'aucune de mes amies enceintes, qui enflaient et retombaient avant même – ou presque – qu'elles fassent le test de grossesse, y compris lorsqu'en temps normal ils étaient des plus plats. Ces sobres turgescences, quasi adolescentes, me paraissaient incompatibles avec l'état de gestation... tellement incompatibles, d'ailleurs, qu'elles étaient retouchées à l'aérographe, ainsi que me l'a montré plus tard ma voisine Elena qui, en bonne graphiste, a l'œil plus exercé que le mien à repérer ce genre de détails. Retouchées comme les modèles du catalogue Prénatal, qui affichaient des ventres de femme enceinte mais des muscles et des seins de vierge prépubère, sans cellulite, sans rétention de liquides, sans flaccidité ni stries. Et il en va de même de la majorité des futures mères que l'on voit dans les livres médicaux, et qui ont l'air photographiées par David Hamilton (ce flou artistique si *seventies*), coiffées par Jean-Louis David et habillées comme par leur pire ennemi dans le style le plus conventionnel possible, quelque chose entre Cyrillus et *La Petite Maison dans la prairie*.

Et je ne parle pas des magazines. Je veux parler de *Mon bébé et moi*, de *Parents magazine* et autres *Ta grossesse*, dont les rédactrices en chef doivent penser que le quotient intellectuel baisse à mesure que le taux d'œstrogènes augmente.

Il y a, dans ce genre de publications, une rubrique où de prétendues lectrices écrivent pour raconter leur accouchement, et toutes, tiens-toi bien, ont eu des accouchements merveilleux, formidables, contrairement à la plupart de mes intimes et connaissances. Une de mes amies journalistes s'est présentée dans trois rédactions pour proposer un article sur les vrais risques et les séquelles de la césarienne, compte tenu de la malheureuse expérience qu'elle avait eue avec la sienne du fait d'un enchaînement de complications (des gaz, un point qui s'est défait quand elle a pris son bébé dans les bras, sa cicatrice qui s'est infectée...) qui ont transformé sa période puerpérale en un cauchemar en comparaison duquel une excursion nocturne dans les bois de Blair Witch fait figure de partie de plaisir. Mais partout on lui a dit que sa proposition ne convenait pas, car le ton éditorial se devait d'être « optimiste », et son récit était trop réaliste pour cela.

Et je passe sur leur manque de cohérence. Dans le même numéro, un article te dit qu'il faut nourrir le bébé toutes les quatre heures et essayer de l'habituer à dormir seul (« l'option du docteur Estevill »), et dix pages plus loin, dans une autre section, on préconise de dormir avec son bébé et de l'allaiter quand il le demande (« l'option du docteur González »).

Le problème, avec ces publications, est le même qu'avec les livres de développement personnel : il est facile d'établir avec elles une relation amour-haine, car d'un côté elles entretiennent des stéréotypes sexistes et vieillots, mais d'un autre côté, qui d'autre te parle de tes problèmes à toi ? Et une femme enceinte, ou une mère novice, se sent toujours seule et sans protection, et ressent un besoin désespéré d'information, d'une main secourable pour la guider à travers les arcanes de la maternité et de son propre corps. Si bien que j'ai fini, à contrecœur, par m'abonner à *Parents magazine*, car je préférais encore me farcir ces conneries que me trouver sans savoir que faire le jour où tu aurais une colique.

Et c'est ainsi, à force de lire des livres et des magazines, que j'ai commencé à comprendre pourquoi tout le monde me demandait d'écrire sur la maternité : parce qu'on a très peu écrit là-dessus, et très peu de choses acceptables. C'est ce qui justifie, d'une certaine façon, que je me sois assise à cette table et lancée dans cette longue lettre à l'Amanda future, dans ce journal de ta vie que j'écris pour toi parce que tu ne peux pas l'écrire encore et que, quand tu seras plus grande, tu ne t'en souviendras plus. Je te sers donc de mémoire en plus de te servir de mère nourricière. Cette lettre ne s'adresse pas seulement à toi. Elle s'adresse peut-être aussi à Nuria, la princesse. Et peut-être aussi à moi-même, peut-être est-elle destinée à m'expliquer des choses que je ne comprendrais jamais si je ne prenais pas le temps de les penser et de les écrire. Au fait, Derrida qui es aux cieux, que voulais-tu dire avec ton « indétermination aporétique du destin d'une lettre » ?

3 octobre

Quand tu es née, tu pesais 3,300 kilos. Dix jours après, tu en étais déjà à près de 4 kilos. Et nous allons te peser encore demain. Je suppose que tu auras beaucoup grossi car, même si tu restes un mignon bébé, tu as perdu déjà cette beauté préraphaélite, cet ovale parfait et langoureux, cette élégante minceur que tu avais à la clinique, et tu ressembles de plus en plus à un de ces bouddhas qu'on vend dans le magasin chinois « Tout à un euro » du coin de la rue, si l'on veut être gentil, ou au Monsieur Propre de la télé, si l'on veut être un peu plus taquin. Jusqu'ici je t'appelais toujours *nena*, c'est-à-dire « ma petite », mais sans m'en rendre compte je me suis mise à t'appeler *gordita*, « ma petite grosse ».

La première nuit que j'ai passée avec toi à la clinique, je n'ai presque pas dormi, mais ce n'était pas parce que tu pleurais : au contraire, tu dormais placidement, on pouvait te déplacer, te retourner, te bousculer ou te bercer sans que rien semble troubler ton sommeil. C'est seulement grâce à ta respiration régulière et à tes petites réactions de plaisir au toucher qu'on savait que tu dormais, que tu n'étais pas dans le coma ni inconsciente. J'en étais même venue à penser, en te voyant si calme, que tu étais sourde ou même pire.

Si je ne dormais pas, donc, ce n'était pas parce que j'avais hérité d'un bébé pleureur (comme l'était, par exemple, celui de la chambre voisine, qui hurlait toute la nuit sans qu'on arrive à le consoler), mais parce que j'étais complètement fascinée par toi. C'était une sensation identique à celle qu'il m'est arrivé déjà de res-

sentir au contact d'une personne dont j'étais amoureuse : je ne pouvais pas trouver le sommeil parce qu'il
me fallait rester éveillée pour le regarder, gagnée que
j'étais par une émotion incommunicable qui compri-
mait l'univers et le condensait en un point unique – sa
respiration posée, rythmée – pour qu'il soit à moi.
Alors je me suis mise à te chanter toutes les chansons
que je connaissais, depuis *Bateau sur l'eau* jusqu'à
Blowin'in the wind, et quand je me suis retrouvée, au
comble de l'émotion, à entonner *Un cavalier qui surgit
hors de la nuit,* je me suis rendu compte que j'étais
sous l'empire d'une drogue, que c'était exactement la
même chose que de prendre de l'ecstasy. Mais je
n'avais pas pris d'ecstasy. C'était une montée d'ocytocine. Une drogue dont personne ne parlait dans *Droguées.*

Je m'étais entendue avec l'obstétricien pour qu'il ne
recoure pas à l'ocytocine chimique, et c'est bien ce qui
s'est passé… jusqu'à l'accouchement. Mais ce qu'on
n'a pas pu éviter, c'est de me mettre une perfusion
après. On n'aurait pas dû, mais j'étais trop fatiguée et à
bout de forces pour protester quand la sage-femme est
venue me piquer, au motif qu'il était indispensable de
m'injecter de l'ocytocine si on voulait que l'utérus se
contracte, et j'étais encore moins à même d'exiger de
parler au médecin avant toute intervention non prévue
et non autorisée par moi. De sorte que je l'ai laissée me
mettre « le goutte-à-goutte » – ainsi qu'elle s'entêtait à
l'appeler – et que je me suis endormie avec une aiguille
plantée dans le bras. Et c'est peut-être le mélange de
l'ocytocine naturelle sécrétée pour pouvoir te mettre au
monde et de l'ocytocine synthétique que l'infirmière
m'a injectée dans le corps le responsable de cet amour
profond qui m'a envahie après cette première nuit à
l'hôpital.

Mais la montée d'ocytocine a dû prendre fin à
l'heure qu'il est, puisque je ne t'allaite pas et que l'hormone est censée disparaître en même temps que le lait.

Ce sont les paradoxes de la vie : je n'ai pas pu t'allaiter parce que j'avais trop de poitrine. Tu as bien lu. J'ai écrit « trop » et pas « trop peu ». Certains trouvent pourtant qu'on n'en a jamais assez.

Tu vois, la vie est comme une partie de cartes. On a la main qui vous est distribuée, et s'il est certain que le résultat final dépend de l'habileté du joueur et de sa capacité à bluffer, il est non moins certain qu'il n'est pas tout à fait indifférent d'avoir au départ une paire de deux ou un poker d'as. C'est pourquoi les féministes disaient que l'anatomie est un destin, que ce n'est pas la même chose de naître homme ou femme, blanc ou noir, grand et mince ou petit et gros.

Et ce n'est pas la même chose non plus de naître avec la poitrine plate ou fournie.

Je me suis rendu compte à douze ans de cette vérité première. J'avais été jusque-là une petite fille trop grosse et trop sérieuse, qui passait des heures sur la plage (à Santa Pola, un village au bord de la mer qui a dû être assez joli autrefois, mais qui est devenu un crime esthétique, un crime dans lequel ma famille est partie prenante car elle possède un appartement là-bas, j'y ai donc passé tous mes étés quand j'étais enfant, aussi loin que je m'en souvienne et jusqu'à l'âge de vingt ans) à lire un livre, sans rien faire d'autre. Mais cet été-là, à ma grande satisfaction et comme par magie, tout un tas de garçons découvraient mes charmes jusqu'alors inconnus, c'est tout juste s'ils ne se battaient pas pour me parler. Ou pour ne pas me parler, car ils restaient auprès de moi, accroupis au bord de ma serviette, bégayants et rougissants, et soudain, sans l'ombre d'une explication, ils partaient piquer une tête en me laissant en plan. Je me disais qu'ils étaient mal-polis, mais j'étais alors ignorante de l'embarras du mâle au moment de cacher son érection.

Le fait, pour une fille, d'avoir beaucoup de poitrine est quelque chose qui vous marque. Quand nous étions plus jeunes, que nous n'écoutions plus The Cure et pas encore Portishead (ce devait être notre intermède Lush), qu'un gourou du *streetwear* avait décrété que les bracelets cloutés étaient définitivement *out* et que je portais donc – abomination ! – des gilets à franges dans le style *country*, David Muñoz, qui n'était plus dans notre classe mais qui n'était jamais très loin et que nous continuions à retrouver de temps à autre au café avec toute la bande du collège, a dit un jour à Sonia que « le problème de ton amie Eva, c'est qu'elle croit que nous bavons tous d'admiration devant sa poitrine ». Ce crétin de David n'avait pas idée du complexe énorme que ça me donnait à l'époque, et je suppose que s'il croyait que je croyais que... c'est parce que c'était lui, en vérité, qui bavait devant ma poitrine. Comme devant n'importe quelle poitrine, soit dit en passant.

Et il ne s'agissait d'ailleurs pas seulement de complexe, il y avait aussi des raisons pratiques qui faisaient que mon rêve était de me réveiller un matin changée comme par enchantement en sosie de Jane Birkin : ne jamais trouver de vêtements à ma taille, devoir me faire faire des soutiens-gorge sur mesure (après l'apparition de la silicone il est devenu plus facile d'en trouver en taille 100, mais avant c'était impossible), ne pas pouvoir entrer seule dans certains bars à l'heure du pousse-café parce que mon arrivée était saluée par l'humiliante clameur des sifflements et des alléluias de toute l'équipe d'ouvriers venue faire la pause-déjeuner.

Et par-dessus le marché je voulais être punk, et une punk qui se piquait de ne pas ressembler à la fille du *centerfold* de *Playboy*, étant donné que la nature, pour comble de malheur, m'avait faite blonde. Et dans l'inconscient collectif, une blonde avec de la poitrine ne peut être qu'une idiote finie. Comme je te l'ai dit tout à l'heure, l'anatomie est un destin. Car je me figurais que si j'étais née plate, svelte et brune, comme ma sœur Laureta, qui ressemble à un clone de Linda Fiorentino par son air exotique et oriental de femme mystérieuse et délurée, j'aurais pu plaire à des intellectuels, à des artistes, à des hommes moins attirés par ce qui est montré que par ce qui est suggéré, à des êtres raffinés qui m'auraient ouvert une infinité de possibilités à explorer, au lieu d'être condamnée à me taper le genre de rustres qui s'intéressaient à moi. Ou tout simplement, sans aller jusque-là, David Muñoz, ce minet qui écoutait Los Secretos et décorait sa chambre de posters provenant tout droit de la page centrale d'un magazine de charme. Et le plus vexant, dans tout ça, est que Laureta, qui ne lisait jamais rien et avait autant de mystère qu'une publicité pour lessive, réussissait toujours à avoir des petits amis pleins aux as, des beaux gosses cosmopolites qui affichaient pour les mondanités ce mépris souverain que feignent de ressentir certains hommes du monde – hommes dont la présence à la maison me faisait me consumer secrètement d'envie.

Depuis l'âge de dix-huit ans à peu près, donc, je rêvais de me faire opérer, mais deux inconvénients me faisaient reculer : d'abord, les cicatrices inévitables ; ensuite, l'idée que si, dans un avenir proche ou lointain, je me décidais à avoir un enfant, j'aurais envie de l'allaiter. Comme tu le vois, c'est en pure perte que je me suis finalement résolue à laisser mes seins comme ils étaient, puisque je ne t'allaite pas, mais cela est moins le résultat d'une décision personnelle que de raisons étrangères à ma volonté, en l'occurrence un double avis médical : celui de la pédiatre, qui craignait que je ne t'asphyxie (n'importe lequel de mes deux seins – démesurément gonflés au terme de la grossesse – était largement plus gros que ta tête, et peut-être même plus lourd que tout ton corps, car de créature de Russ Meyer, je suis devenue matrone fellinienne), et celui du gynécologue, qui m'a assuré qu'avec une poitrine de cette taille, et compte tenu du fait que je n'avais toujours pas de lait deux jours après l'accouchement, je courais à une mastite certaine. En outre, ajoutait-il, d'avoir été nourris au biberon n'avait pas empêché ses trois enfants d'être les plus grands de leur classe.

Si bien qu'on m'a donné des comprimés inhibiteurs de la prolactine, qui ont fait disparaître définitivement le peu de lait qui me restait ainsi que tout risque de mastite, et sans doute aussi, au passage, toute sécrétion d'ocytocine.

Le plus pathétique, dans l'histoire, c'est que cette taille démesurée n'empêche pas les rustres en question de continuer de me gratifier, dans la rue, de toutes sortes de qualificatifs qui constituent, s'il en était besoin, la démonstration empirique de la Première Loi de la Rustrodynamique d'Eva Agulló : la taille des seins est inversement proportionnelle au quotient intellectuel des hommes qu'on attire grâce à eux.

Si je te dis ça dès maintenant, c'est pour qu'à quinze ans tu ne sois pas une de ces adolescentes qui demandent à leur maman résignée de leur offrir une paire de seins tout neufs comme récompense pour avoir réussi l'examen d'entrée au lycée parce que leur amie Susana, qui les a plus gros, séduit tous les garçons dans les discothèques (je n'invente rien, je te promets, je l'ai vu dans *Le Journal de Patricia*). Je t'avertis pour que tu ne sois pas prise en traître, et je parle d'expérience.

Si tu crois vraiment que l'amour d'un homme peut dépendre du périmètre de ta poitrine ou du fait qu'elle soit en pointe au lieu de pendre vers le sol, je peux te prédire une succession de catastrophes sentimentales qui te fera hausser les épaules devant les dix plaies d'Égypte ou même, plus banalement, devant la vie sentimentale de ta mère. Car s'évaluer uniquement en tant que corps, c'est ne pas s'évaluer en tant qu'essence, et il est bien connu, même s'il est bon de le rappeler, que ceux qui ne s'aiment guère attirent des gens qui les aimeront encore moins. C'est quelque chose que je voudrais t'enseigner dès ton plus jeune âge, car il m'a fallu bien des larmes pour l'assimiler (si tant est que je l'aie vraiment assimilé, ce qui reste à voir). Ce qui est certain, *nena*, c'est qu'avec un minimum d'estime de soi, on n'a pas besoin d'une bonne paire de seins.

Mais si je ne t'allaite pas et que, par conséquent, je ne sécrète pas d'ocytocine, il n'y a aucune excuse d'ordre chimique au fait que je t'aime tant, et nous devons nous raccrocher à l'explication de Desmond Morris selon qui le nourrisson, aussi bien chez l'homme que chez les autres mammifères – qu'il s'agisse donc de chiots, de chatons ou de bébés phoques –, a les traits du visage disposés d'une façon (un ovale arrondi, des yeux démesurément grands, un petit nez, une petite bouche) qui suscite immanquablement l'amour de ses géniteurs et, au passage, de tous les adultes de son espèce. C'est « l'effet Bambi ».

C'est pourquoi, chaque fois que tes innombrables oncles et tantes postiches passent à la maison pour te voir, ils ne peuvent s'empêcher de se répandre en *oooooh* et en *aaaaah*, tant ils sont fascinés par le bleu lagon de tes yeux, par l'incroyable douceur de ta peau, par les gazouillements inventifs dont tu salues leur présence et par ta façon désespérée de serrer leurs doigts dans ton petit poing à la première occasion, et je ne sais pas s'il y a derrière tout cela une programmation génétique ou un plan divin, mais le fait est qu'ils sont incapables de résister à la séduction d'une créature telle que toi, d'une merveille qui est le fruit ultime d'un stratagème évolutif, éprouvé des millénaires durant pour assurer la survie de l'espèce

Avant de connaître ton père, j'avais entretenu pendant près de quatre ans une relation avec un autre homme, relation dont il sortait et où il rentrait comme par une porte à tambour. Son image était si obsédante que je la portais toujours sur moi, comme un cilice. C'était une sorte de montagne russe émotionnelle : un jour j'étais au sommet de l'extase et de la félicité, le lendemain je plongeais en piqué vers les abîmes les plus noirs du désamour et du malheur. J'avais fini par accueillir sa présence dans ma vie avec la même résignation fataliste qu'une tempête de grêle ou toute autre catastrophe naturelle, sans me demander pourquoi ni chercher mon salut dans la fuite. Et au cours de ces quatre années, je me suis perdue corps et biens, renonçant jusqu'à mon apparence pour la remplacer par une pâle photocopie de celle que j'avais été. La nouvelle Eva passait ses journées à pleurer et à se plaindre, sans rien vouloir ni désirer, prise au piège entre les quatre murs de sa propre impuissance. Étant donné que le présent est le prélude à l'avenir, le fait que je n'aie pas d'idée de ce que serait l'avenir, de ce que je pourrais vouloir ou désirer faisait que je ne vivais ni par ni pour quoi que ce soit, et j'aurais pu rester ainsi prise dans les rets du laisser-aller, comme une barque exposée aux tempêtes, sans la moindre idée d'un port où trouver refuge.

Jusqu'au jour où Consuelo, passant chez moi sans prévenir, m'a trouvée en train de pleurer à chaudes larmes, et où je me suis décidée à lui dire ce que jusquelà je n'avais dit à personne, moins parce que j'avais confiance en elle, même si c'était le cas, que parce que je sentais que j'allais finir par craquer si je ne me débarrassais pas de ce fardeau qui me pesait. Elle m'a dit : « Ce que tu es en train de me raconter là s'appelle de la maltraitance. » Je lui ai répondu, entre deux sanglots : « Quelle maltraitance, puisqu'il ne m'a jamais battue ? » Et elle a insisté : « Il y a de nombreuses formes de maltraitance. Et celle dont tu me parles s'appelle du harcèlement psychologique. » Je ne pouvais ni ne voulais croire ce qu'elle était en train de me dire, mais j'ai quand même suivi son conseil d'aller consulter un spécialiste, un grand professeur qui avait écrit beaucoup de livres sur le sujet et qu'elle connaissait parce que c'était un cousin de sa mère ou quelque chose comme ça.

Il se trouvait que le professeur était un homme assez jeune, un peu plus âgé que moi tout de même, mais pas le cinquantenaire barbichu que j'avais imaginé. Il m'a dit la même chose que mon amie, à savoir qu'il fallait que je rompe immédiatement cette relation. Il m'a même suggéré de m'inscrire, si je pouvais, à un groupe de soutien aux femmes maltraitées. Mais je ne me considérais pas comme maltraitée, je n'étais même pas sûre que la responsabilité de tout ce qui m'arrivait ne soit pas exclusivement la mienne, et un sentiment de culpabilité m'entraînait dans des fleuves de remords, de larmes, de nostalgie d'un passé partagé que j'idéalisais. Mais après tout, qui vit sans culpabilité meurt sans histoire, la culpabilité est chose subjective, ce qu'on en perçoit n'est pas sa réalité mais le sentiment qu'on en a, et à quoi bon chercher des responsables ou des coupables, m'a dit le professeur, puisque l'important, l'évident, l'indéniable était que cette relation menait à l'impasse, qu'elle était même morte, que toute possibilité de la faire revivre était épuisée depuis longtemps, et qu'il ne me restait qu'à signer une fois pour toutes le certificat de décès au lieu d'égratigner le cadavre avec tendresse en tentant de sauver les restes de ce qui avait été – ou qui n'avait même pas été mais aurait pu être. Et j'ai fini par lui donner raison.

4 octobre

Je n'arrive pas à comprendre pourquoi la nature et l'évolution, après avoir déployé tant d'efforts pour te rendre si attrayante (une telle quantité d'ocytocine, d'effet Bambi, une précision aussi millimétrique dans le dessin des traits du visage...), ont assorti cette belle invention d'une contrepartie empoisonnante qui veut que toutes les trois heures il faut te nourrir, te faire faire ton rot et te changer ta couche. Sans doute les démiurges sont-ils au-dessus de ces petites contingences.

Au début, ton père et moi étions convenus d'un système simple de tours de garde, que nous n'avons pas respecté parce que le sens de l'organisation n'est pas notre principale vertu (ainsi que tu auras l'occasion de le découvrir en grandissant), et aussi parce qu'il est apparu impossible, en pratique, que l'un de nous s'occupe de toi pendant que l'autre dormait, le démiurge évolutif qui t'a si bien (?) conçue ayant attribué à tes pleurs une fréquence suffisamment haute pour qu'une oreille humaine ne puisse les ignorer, à la manière de ces sifflets à ultrasons qu'on utilise pour le dressage des chiens, si bien qu'à chaque fois que tu pleures nous sommes réveillés tous les deux, et que le matin nous sommes tous les deux recrus de fatigue et irritables au dernier degré. Car tu as beau être le plus adorable des bébés, demander bien poliment ton biberon d'un *gueeeeé ?* interrogatif presque inaudible, le boire en totalité sans rechigner et t'endormir presque tout de suite après, tu as besoin d'une bonne demi-heure pour prendre tes soixante millilitres obligatoires, demi-heure qui dure parfois une heure entière, ou même davantage s'il apparaît qu'il faut, en plus, te changer ta couche.

Je me sens parfois si épuisée que tout l'amour que j'ai pour toi – qu'il soit l'effet de la programmation génétique, d'une montée d'ocytocine ou de quoi que ce soit d'autre – semble se dissiper comme par enchantement, et que je me surprends à me demander qui diable m'a ordonné de me fourrer dans un pareil guêpier, quand disparaîtra cette bedaine flasque et volumineuse que je conserve en souvenir de ma grossesse, et si je recommencerai un jour à sortir, à avoir une vie privée quelconque ou à disposer de temps pour écrire. Et je me demande si, de la même façon que tu es faite pour être aimée, je ne serai pas un jour faite pour mener une vie normale, car depuis quelque temps j'ai tendance à me noyer dans un verre d'eau, j'ai même l'impression de n'avoir fait que ça toute ma vie. Mais si je suis à peine capable de m'occuper de moi-même, comment serai-je capable de m'occuper d'un bébé ?

Ma voisine Elena, cette jeune femme qui t'a apporté les kilos de vêtements que tu as hérités de sa fille Anita (celle-là même dont la naissance résulte à la fois d'une nuit d'amour et d'une indigestion), dit que si on aime les bébés, c'est pour une raison purement marxiste : le temps et l'argent investis en eux sont si grands qu'ensuite on ne peut plus se permettre de déprécier le résultat. Même nos affects répondent aux lois du marché.

Deux semaines environ avaient passé depuis ma visite au professeur quand un journaliste est venu chez moi pour que je lui accorde une de mes toutes premières interviews sur *Droguées*, qui venait de paraître et n'était pas encore un grand succès éditorial – personne ne soupçonnait d'ailleurs, même de loin, qu'il le serait un jour. J'ai fini par lui proposer un café, parce que je me rendais compte qu'il n'avait pas plus envie, le pauvre, de me poser des questions que moi de lui répondre. Il le faisait pour l'argent, moi par éducation. Quand il a arrêté son magnétophone et qu'il s'est détendu, il m'a expliqué qu'en plus de l'hebdomadaire qui devait publier notre entretien, il travaillait aussi pour une revue de parapsychologie, et cela, non pas pour l'argent, mais par réel intérêt pour l'ésotérisme. C'est ainsi qu'il en est venu, avant même la troisième gorgée de café, à me dire qu'il savait tirer les cartes et à me proposer de me les tirer. Comme j'avais toujours entendu dire que, pour que les cartes disent vrai, il ne faut jamais demander qu'on vous les tire, et encore moins payer car le cartomancien doit vous le proposer de lui-même et de façon désintéressée, j'ai accepté, plus par curiosité que par crédulité, la proposition du journaliste, et l'ai écouté m'annoncer que, selon les cartes, je vivais une relation qui ne me convenait pas, mais qu'au mois de septembre je serais à la croisée des chemins, car une femme brune allait interférer dans cette liaison. Et que c'était à partir du mois de septembre, toujours selon les cartes – ou selon celui qui les lisait ou prétendait les lire –, que j'aurais à décider de continuer ou non. Et si je décidais de ne pas continuer, il faudrait que j'écrive le nom de mon partenaire à l'encre noire sur un papier blanc, que j'enroule ensuite le papier pour le mettre dans une bouteille, que je scelle la bouteille à la cire noire et que je l'enterre à un endroit où je sache ne plus devoir jamais retourner. De cette façon, m'expliquait-il, liaison et amour passeraient à la femme brune car il n'y avait pas de meilleur sortilège, pour qui veut se libérer d'une relation qui lui pèse, que de la transférer à un tiers.

À ma grande surprise, il m'avait dit, naturellement avec d'autres mots et d'autres métaphores, la même chose que le professeur cousin ou quelque chose comme ça de la mère de Consuelo, quand il m'avait assurée que les maltraitants sont des codépendants, qui ont besoin d'une victime, de quelqu'un à humilier pour se sentir plus forts et compenser leur complexe d'infériorité. C'est pourquoi ils ne peuvent rester seuls. Et c'est pourquoi ils ne lâchent jamais leur proie avant d'en avoir trouvé une autre. Ils appellent amour ce besoin qui s'embrase entre leurs jambes et met le feu à leur raison, et ils disent mourir d'amour quand en fait ils meurent d'avoir urgemment besoin de la peau d'autrui, de voir leur reflet dans ses yeux. Mais cet amour qu'ils invoquent, avec de tristes accents entrecoupés de soupirs et de sanglots, est un amour créé à leur propre image, ils disent et répètent à qui veut les entendre à quel point ils aiment et à quel point ils souffrent à force d'espionner risiblement les faits et gestes de l'autre, de le condamner implacablement et sans preuves, car ce n'est pas pour rien que l'on dit que l'amour est aveugle, on le disait déjà au temps de Tirso de Molina, l'amour voit ce qu'il veut voir, voit ce qu'il invente, et ce qu'on appelle amour n est parfois que démence. Démence et chaînes.

Et en effet, la femme brune a fait son apparition avant l'été, et l'homme m'a quittée. Il m'avait déjà quittée à de nombreuses reprises, mais à chaque fois je lui avais couru après pour qu'il revienne, convaincue que s'il revenait, si je réussissais à l'avoir pour moi toute seule et à vivre avec lui une relation « normale », je me rachèterais à mes propres yeux comme aux siens et à ceux du monde, et cesserais d'être la méchante femme qu'il m'accusait d'être, que je croyais être et pour laquelle me prenaient beaucoup de nos amis communs, qui croyaient toujours ce qu'il leur racontait, transformé en un océan de larmes, lorsqu'il les rencontrait devant un verre. Et si ces amis prenaient résolument parti pour l'offenseur, c'était pour se convaincre eux-mêmes qu'en réalité, il n'y avait dans cette affaire ni offenseur ni offensée, mais beaucoup de cinéma, et qu'ils n'avaient donc pas à intervenir. Et je m'étais à ce point pénétrée de cette image de moi-même que j'en avais oublié qui j'étais vraiment, et qu'il ne me restait rien d'autre à faire, étant donné que je ne m'aimais plus, que de me saborder. Une fois de plus, je perpétuais le même vieux schéma : deux personnes en une, et qui se font face.

5 octobre

Oublie cette histoire d'ocytocine et d'effet Bambi et tout ça. Il y a une minute, j'ai sérieusement pensé à te faire placer en famille d'accueil ou à te faire boire une décoction de bourgeons du pied de marijuana qui est sur la terrasse (il a poussé presque par hasard, sans que personne s'en occupe, et maintenant nous ne savons qu'en faire, car je n'ai pas la moindre idée de la façon dont il faut cueillir et traiter les feuilles ou les bourgeons, et ton père encore moins). Tu as passé toute la matinée à pleurer, et quand il s'est avéré que ce n'était ni parce que tu voulais manger (tu m'as recraché le lait à la figure avec indignation), ni parce que tu avais besoin de ta tétine (que tu as recrachée aussi), ni parce que tu avais sali ta couche, j'ai compris que la seule chose que tu voulais, ma petite emmerdeuse gâtée pourrie, c'était que je te prenne dans les bras, si bien que je suis en train d'écrire en te tenant dans mes bras, position extrêmement inconfortable pour moi mais qui semble t'enchanter, car maintenant tu es sage comme une image, tu regardes alternativement ta mère et le clavier, avec la plus grande attention, comme si tu envisageais sérieusement la possibilité de suivre, quand tu seras grande, les traces de celle qui t'a mise au monde (vu la façon dont ça s'est passé pour moi, je te le déconseille de tout cœur).

J'ai un livre qu'on m'a offert quand j'étais enceinte, et qui affirme que dans un cas comme celui-là je n'aurais absolument pas dû te prendre dans les bras, que j'aurais dû te laisser pleurer jusqu'à ce que, d'épuisement, tu finisses par te taire. Et ma mère dit la même chose. Bon. Mais moi, je suis sûre que ce n'est pas en s'occupant de bébés que le médecin qui a écrit ce manuel sadique a fait sa brillante carrière, et quant à ses enfants, je suis certaine aussi que c'est soit son épouse soit la nounou qui s'en est occupée, car je serais curieuse qu'on me montre quelqu'un qui a le cœur ou l'estomac de laisser pleurer un bébé de seize jours sans le consoler.

Pas moi, évidemment. D'abord parce que, quand tu pleures, tes mugissements me crèvent les tympans et menacent de me causer la pire migraine de mon existence. Ensuite parce que je suis assaillie de doutes à l'idée que je pourrais te causer un terrible trauma infantile et que tu deviennes par ma faute, quand tu seras grande, une skinhead, une tueuse en série ou une spéculatrice immobilière. Je dis ça parce que j'ai lu dans d'autres livres, écrits par des médecins qui n'ont rien à voir avec celui-là, que les enfants qu'on laisse pleurer sans les consoler apprennent qu'ils ne peuvent pas obtenir de réaction de leur environnement, que tout le monde se fiche de savoir ce dont ils ont besoin, bref, qu'ils sont seuls au monde. Il semble, selon les études réalisées par je ne sais quelle université yankee (ces études sont toujours réalisées par des universités yankee, car elles seules ont des budgets à dépenser pour martyriser des bébés), que les enfants présentant un niveau supérieur de développement cognitif et socio-émotionnel ont une maman très réactive, c'est-à-dire une maman qui répond aux moindres signaux par lesquels ils tentent de capter son attention.

Autrement dit, ce qui pour ma mère ou pour certains docteurs qui croient tout savoir de l'éducation des bébés s'appelle être excessive ou hystérique, s'appelle pour d'autres être réactive. Et, s'il est certain que l'opinion de ma mère compte plus pour moi que celle d'un toubib qui n'a jamais dû s'occuper de ses propres enfants – non seulement parce qu'on n'a qu'une mère, mais aussi parce que la mienne a élevé quatre rejetons, et ce toute seule, sans l'aide d'une nounou ni d'un mari –, je suis tout aussi certaine qu'elle a beau me dire qu'il ne faut pas que je te prenne dans les bras, elle-même n'a pas appliqué sa théorie à ses propres bébés, en tout cas avec moi, qui étais selon les chroniques familiales un bébé criailleur qui a passé les premières années de sa vie à se faire bercer, par sa mère en priorité, et le cas échéant par les oncles, tantes, amies ou voisines qui passaient par là. Ce bébé a grandi, et il est devenu ta mère, ta mère qui t'écrit maintenant, en profitant de cette demi-heure bénie où, enfin, tu dors comme le bébé que tu es.

Une nuit de septembre, donc, cet amant, sous l'influence, comme je devais l'apprendre plus tard, d'une femme brune avec laquelle il flirtait à l'époque, m'avait téléphoné pour me dire que notre histoire était finie et qu'il ne voulait plus me revoir, et ce sur le même ton et avec les mêmes mots, ou presque, qu'il avait employés pour me dire la même chose à peu près une fois par mois au cours de ces quatre années. De sorte que, à peu près comme une fois par mois au cours des quatre années précédentes, je me trouvais au comptoir d'un bar du quartier Lavapiés qui portait et porte encore le nom prophétique de La Ventura, à noyer dans l'alcool mon chagrin solitaire lorsque, ainsi que cela arrivait presque toujours, c'est-à-dire à peu près une fois par mois au cours desdites quatre années, j'ai été abordée par un de ces types qui accourent comme des mouches vers le miel lorsqu'ils voient une nana non accompagnée en train de boire, même si ladite nana leur fait on ne peut plus clairement comprendre qu'elle n'a envie que d'une chose, rester seule.

Le type en question avait une dégaine qui attirait l'attention, même dans ce bar où le plus extravagant accoutrement vestimentaire serait passé quasi inaperçu étant donné l'infinie variété de crêtes, de teintures de cheveux, de piercings, de dreadlocks, de minijupes ceinture, de maxijupes hippies, de pantalons de treillis et de combinaisons de peintre qu'on pouvait y croiser. Il était vêtu d'une espèce de tunique bordeaux et portait une très longue barbe qui amenait à se demander comment diable il faisait pour manger, disons, des spaghettis, même s'il avait l'air, en vérité, de se nourrir exclusivement de jus de carotte et de l'air du temps, tellement il était maigre. Il s'est planté à côté de moi, puis, interprétant comme une invitation à entrer en conversation un grognement que j'avais émis et qui signifiait seulement « fiche-moi la paix », il m'a sorti une tirade incompréhensible sur le sens de la vie, tirade dont je n'ai réussi à supporter l'écoute qu'en me disant qu'il avait l'air trop préoccupé par le divin pour avoir brusquement la lubie de passer au terrestre, et qu'outre le fait, donc, qu'il n'avait probablement pas l'intention de jeter son dévolu sur moi, sa présence avait le mérite de dissuader ceux qui seraient tentés d'essayer. Nous étions donc là tous les deux, lui à pérorer sur quelque chose comme « le Tout Cosmique qui est Tout ce qui est réellement et dont personne sauf le Tout lui-même ne peut comprendre ce qu'il est », et moi à écluser godet sur godet sans même me donner la peine de faire semblant de m'intéresser le moins du monde au Tout Cosmique en question ou à quoi que ce soit de ce genre, quand voilà que, sans crier gare, le type fouille dans une espèce de sac qu'il avait en bandoulière et qui ressemblait à la cape de Frodon dans *Le Seigneur des Anneaux*, en extrait une espèce de petite boîte ronde qui brille, me prend la main, me l'ouvre bien en grand, y met la boîte et me dit : « Prends, c'est pour toi. » Sur ce, il s'en va sans un mot, sans même me laisser le temps de lui demander de payer son jus de carotte (car il buvait du jus de carotte, évidemment, qu'est-ce que tu crois ?), et c'est alors que j'ouvre la boîte, et qu'en l'ouvrant je m'aperçois que ce qu'il m'a offert est une boussole.

Le lendemain matin, j'appelle le même journaliste qui m'avait tiré les cartes pour savoir quand l'interview paraîtrait, et je ne sais comment j'en viens à lui raconter l'histoire de la boussole. Il me dit que c'est sans doute un signe qui veut dire que j'ai perdu le nord et que je dois le retrouver, et ses paroles me donnent à penser que je ferais peut-être bien de bifurquer au lieu de suivre le sentier tracé à mon intention par les pas de cet homme à qui j'étais restée enchaînée.

Évidemment, je suis retournée des centaines de fois à La Ventura depuis, mais je n'ai jamais revu le type bizarre à la barbe et à la tunique. Je ne serais pas loin de croire que j'ai rêvé cette rencontre, qu'il s'agit d'une simple hallucination de poivrote, mais la boussole est bien là, sur mon bureau, pour confirmer par sa seule présence la réalité de l'épisode.

Et j'ai pris la décision de ne pas courir après cet homme, de ne pas lui téléphoner, de ne pas aller chez lui, de ne pas lui envoyer de lettres, de ne pas lui écrire de poèmes, de ne pas regretter la chaleur de ses mains, l'odeur de son corps, le reflet de mon regard dans le sien. Chaque fois que, par le passé, j'avais recouru à l'une de ces tactiques, il était revenu vers moi avec cette attitude de l'homme qui te fait une faveur, qui te sauve la vie parce que tu lui fais de la peine et que tu resteras toute seule s'il ne revient pas, car qui d'autre pourrait te supporter, folle et méchante comme tu es ? Mais cette fois, je n'ai rien fait pour le récupérer, bien au contraire. Comment dit-on, déjà, dans le tango ? *Debout sur la marche la plus noire, sur la dernière marche de la vie, je te regarde me quitter et je te laisse t'en aller...* Et donc, j'ai écrit son nom à l'encre noire sur un morceau de parchemin que j'ai roulé dans une bouteille que j'ai scellée avec la cire d'une chandelle noire fondue pour l'occasion, j'ai mis la bouteille dans mon sac avec une cuiller à soupe, mon porte-monnaie et mes clés, *j'ai lavé mes mains sales dans les eaux paisibles de la bonne espérance*, j'ai pris le métro, *je suis partie, tel don Quichotte pour l'absurde croisade*, je suis descendue à Cuatro Vientos – où je ne suis jamais retournée depuis –, j'ai cherché un terrain vague, *nous traînions tous les deux notre passé de ruines,* j'ai creusé un trou profond avec la cuiller, j'y ai enterré la bouteille, *ton esprit était submergé d'obscurs désirs*, et je suis rentrée à la maison bien décidée à ne plus jamais mentionner, même par écrit, le nom de cet homme, ce nom que personne ne peut plus lire sur le papier enfermé dans une bouteille enterrée dans un terrain vague du quartier de Cuatro Vientos, *et je te laisse t'en aller, et je te laisse t'en aller...*

6 octobre

Ma voisine Elena (celle qui a vomi son Ovoplex et qui détecte dans les catalogues les ventres retouchés à l'aérographe) m'a raconté que, quand elle voulait balayer la maison, elle n'avait pas d'autre solution que de prendre Anita dans son kangourou, car si elle la laissait dans son berceau ou dans son couffin, elle n'arrêtait pas de pleurer. Mais en ce moment, tu as les yeux fermés et tu ébauches un sourire de profond contentement, sans te soucier le moins du monde de la scoliose que tu es en train de me causer (ou d'aggraver, car je me la suis causée moi-même bien avant ma grossesse et mon passage subséquent de l'état de fille à grosse poitrine à celui de monstre de foire). Car tu souris, oui, tu souris depuis que tu es née.

Tu souris en dépit du fait que les gens s'obstinent à répéter – sans doute avec quelque raison – qu'un bébé ne peut sourire qu'à six semaines, aux dires des médecins et des psychologues.

Tu souris quand tu es calme, ou quand tu te réveilles et que tu me vois, moment où tu m'adresses un festival de clins d'œil et de gazouillis, je suppose que c'est pour te faire pardonner d'avance les pleurs par lesquels tu m'agresseras tout à l'heure. Tu as l'air ravie, et si soulagée de constater que je n'ai pas disparu pendant la nuit. Tu dois avoir très peur de me perdre, car ton père m'assure que, quand nous dormons, tu es toujours agrippée à une boucle de mes cheveux ou en train de toucher mon visage pour vérifier que je suis toujours là. (Oui, tu dors dans mon lit, pratique radicalement déconseillée par l'inévitable médecin qui écrit des livres, mais tu t'es réveillée à 3 heures du matin et tu refuses carrément de retourner dans ton berceau, et ce n'est pas moi qui essaierai de faire entendre raison à un bébé à une heure pareille, donc je t'ai recouchée dans mon lit, seule façon de m'assurer que nous resterons tranquilles toutes les deux jusqu'à 7 heures.)

À ceux qui disent qu'il est impossible que tu souries (voir plus haut), j'oppose les deux arguments suivants : premièrement, si tu es capable de pleurer et de faire la moue, je ne vois pas pourquoi tu ne pourrais pas sourire, l'effort étant le même pour courber les commissures des lèvres vers le haut et vers le bas. Et deuxièmement, un scientifique anglais a prouvé récemment, grâce aux échographies de dernière génération, que les bébés sourient déjà dans le ventre de leur mère, ce qui signifie à l'évidence que le sourire est un geste inné et non un réflexe appris, ce que du reste on savait déjà, étant donné que les bébés avcugles sourient. En outre, des Japonais viennent de démontrer que le fœtus, à quatre semaines, a déjà une activité cérébrale et répond aux stimuli externes (je l'ai vu au journal télévisé il y a quelques jours). De même, la médecine a fini par reconnaître que le fœtus peut communiquer avec la mère depuis l'utérus, après avoir passé des siècles à ignorer toutes les mères qui affirmaient cette chose pourtant évidente : que le bébé réagit en se calmant quand elles lui parlent et en donnant des coups de pied quand elles pleurent. Cet aveuglement médical est le fait d'une société machiste qui préfère croire des médecins hommes n'ayant jamais été enceints que des femmes sachant de quoi elles parlent. Le silence des secondes apporte de l'eau au moulin des premiers.

C'est ainsi que j'ai mis fin à une relation qui avait duré quatre ans, et dont il ne me reste rien. Avec le recul, j'ai aujourd'hui l'impression qu'il s'agit de l'histoire de quelqu'un d'autre, d'une intrigue aussi stupide et prévisible, avec son héroïne docile et naïve, que celles des téléfilms de première partie de soirée.

Je mens, il m'est tout de même resté quelque chose de cette histoire : la peur panique de me remettre à aimer, poison indélébile des expériences passées.

Ce problème particulier, celui du mâle, était réglé, mais cela ne voulait pas dire que ma vie était exempte d'autres problèmes. Je ne suis allée qu'une fois au groupe de soutien aux femmes maltraitées que le professeur m'avait recommandé. Je n'ai pas eu le courage d'y dire ce qui m'amenait : une fois de plus, j'ai donné comme prétexte un prétendu travail de documentation pour un livre à écrire (*Femmes battues : le retour*). Les

histoires que j'y ai entendues étaient tellement semblables à la mienne qu'elles me faisaient presque peur.
Des hommes qui buvaient beaucoup, qui niaient effron-
tément les agressions, au point que leur femme, comme
dans *Gaslight* de Cukor, finissait par croire que c'était
elle qui était folle ; des hommes qui attribuaient à leur
femme la responsabilité de leur propre conduite ; des
hommes qui n'écoutaient jamais, qui ne s'expliquaient
jamais, qui ne répondaient pas aux questions, qui mani-
pulaient les paroles de leur femme pour les utiliser
contre elle, pour les lui jeter à la figure comme des
pierres lorsqu'ils se disputaient ; des hommes qui
jamais n'exprimaient de sentiments ni ne respectaient
ceux d'autrui ; des hommes qui n'étaient d'aucun soutien dans les moments de crise ; des hommes qui, en
cas de conflit, recouraient aux commentaires désobli-
geants, aux insultes, aux moqueries, aux humiliations ;
des hommes avec qui toute discussion dégénérait en
dispute violente car ils ne toléraient pas la contradic-
tion ; des hommes qui ne cessaient de répéter que leurs
femmes étaient déséquilibrées, stupides ou inutiles, et
qui, lorsqu'elles étaient sur le point de les quitter, semblaient oublier en quelle piètre estime ils les tenaient ;
des hommes qui un jour regardaient leurs femmes avec
mépris et les accusaient de tous les maux, et qui, le lendemain, les considéraient comme leur unique raison de
vivre, et ainsi de suite, les adorant et les détestant tour
à tour, par un perpétuel jeu de bascule émotionnel qui
les laissait déconcertées et sans défense, incapables de
réagir devant les insultes et les menaces ; des hommes
toujours jaloux, qui jamais ne rendaient compte de
leurs propres actes et qui, en public, se posaient en vic-
times et prétendaient que c'étaient leurs femmes qui
étaient jalouses, possessives, agressives, hystériques ;
des hommes qui invoquaient toujours les meilleures
intentions pour justifier le contrôle qu'ils exerçaient sur
leurs femmes, lesquelles finissaient toujours par les
excuser et par assurer qu'elles les aimaient encore,

malgré tout. Exactement comme moi. Mais non, moi je n'étais pas une femme maltraitée, puisqu'on ne m'avait jamais battue.

7 octobre

Ce matin, l'effet sédatif de l'ocytocine a brillé par son absence, et j'ai été au bord de la crise de nerfs. Et cela par orgueil. Quand Elena, ma voisine, est venue m'apporter le paquet de vêtements que tu as hérités d'Anita, j'étais en train de feuilleter le livre *Nous allons être parents*, qui est l'un des douze (oui, douze) ouvrages sur la grossesse que j'ai dévorés pendant que je te portais en moi, et je lui ai donc lu à voix haute un paragraphe selon lequel presque toutes les femmes connaissent une dépression post-partum, même si chez les unes ça dure une journée et chez les autres une semaine. Et j'ai été assez stupide pour me pavaner en disant que je n'avais pas eu de dépression post-partum et que je n'en aurais sûrement pas. Ce matin, donc, au moment même où j'étais en train de ranger les vêtements qu'Elena avait apportés, je me suis surprise à crier après ton père pour un motif aussi considérable que de ne pas retrouver le chargeur du téléphone (que mon amie avait emporté par erreur, comme je devais m'en apercevoir plus tard), et soudain je me suis mise à pleurer à chaudes larmes, en hurlant, parce que tout est sale autour de moi, parce que je suis incapable de mettre de l'ordre à la fois dans l'appartement, dans tes horaires, dans le courrier et dans les factures qui s'empilent sur mon bureau, parce que je dois un tas d'argent au Trésor public et que tu finiras par hériter de mes dettes car je ne sais fichtre pas comment je vais faire pour les payer, parce que je suis fatiguée, que j'ai très mal partout, que je veux une fille qui ne demande pas toute la journée qu'on la prenne dans les bras, et un compagnon qui ait un travail et des revenus, et qui ne me laisse pas seule avec toi tous les matins parce qu'il va à son cours d'espagnol, et parce qu'en me voyant pleurer tu t'es mise à brailler toi aussi, et que tout ça a fini par dégénérer en un pandémonium assourdissant. Je t'ai donc laissée dans les bras de ton père pour aller pleurer dans ma chambre. Et ce que j'ai honte d'avouer ici, c'est que j'étais jalouse de toi parce que ton père s'est occupé de sécher tes larmes et pas les miennes. Il avait déjà agi de la même façon à la maternité : quand, après la bonne vingtaine d'heures que j'avais passé à me dilater, tu es enfin sortie, il avait immédiatement filé derrière toi avec le pédiatre et la sage-femme, sans plus me prêter la moindre attention. Ni félicitations ni louanges pour le courage dont j'avais fait preuve, pas même un sourire de soutien et de compréhension. Il avait disparu dans ton sillage, ensorcelé comme les rats par le joueur de flûte de Hamelin.

Je suis restée allongée sur mon lit, plongée dans le plus noir des marécages d'autoapitoiement, dont je ne suis sortie qu'en recourant à un livre que j'avais lu au moins cinq fois pendant que j'étais enceinte, et en y recherchant les symptômes censés décrire la dépression post-partum et qui sont, selon la femme qui a écrit le livre :

— Je suis toujours irritable.
— Je n'arrive pas à dormir.
— J'ai du mal à réfléchir.
— Je suis toujours nerveuse.
— J'ai des nausées.
— Je me sens coupable.
— Je me sens laide.
— Ma vie est un échec.
— Le sexe ne m'intéresse plus.
— Je pleure sans raison.
— Je n'arrive pas à m'empêcher de manger.
— Je suis toujours fatiguée.
— J'ai peur de tout.
— Je me sens seule.

— J'ai honte.

— Je ne sens rien.

(Profitant de ce que tu sembles t'être enfin endormie, je t'ai laissée dans ton couffin et je me suis levée pour prendre mon petit-déjeuner – il est 13 h 10 et je n'ai pas pu le prendre avant parce que je ne savais pas comment me débrouiller avec toi dans les bras – et préparer le déjeuner. Au bout de dix minutes, tu t'es mise à hurler comme une hystérique parce que, je ne sais comment, sans doute grâce à quelque étrange radar interne, tu t'es rendu compte que j'étais partie et tu ne t'es arrêtée de crier que quand tu m'as vue qui arrivais pour te prendre dans les bras, ma petite maîtresse chanteuse adorée.)

En vérité, ces symptômes censés décrire la dépression post-partum, j'aurais pu les appliquer aussi à la dépression ante-partum, car pendant toute ma grossesse ou presque, je me suis sentie laide, grosse, confuse, peureuse, nerveuse, seule, ratée, pleurnicharde, nauséeuse, irritable, fatiguée, honteuse… Sauf que je n'avais pas de mal à dormir, au contraire, je ne désirais rien d'autre que dormir, rêver peut-être, comme dirait Hamlet, et je m'assoupissais n'importe quand, n'importe où, dans le train, dans l'autobus, dans les salles d'attente des aéroports, devant la télé ou au milieu de la lecture d'un livre qui finissait par me tomber des mains.

J'irais même jusqu'à dire que ces symptômes s'appliquaient tout à fait à ce que j'avais éprouvé presque toute ma vie : je m'étais toujours sentie laide, grosse, confuse, peureuse, nerveuse, seule, ratée, pleurnicharde, irritable, fatiguée, honteuse… et cela sans même être enceinte ni avoir accouché récemment.

La raison en était que l'autre Eva qui était en moi n'arrêtait pas de m'asticoter toute la journée : « Pourquoi est-ce que tu ne manges pas, Eva ? Pour maigrir. Mais pourquoi veux-tu maigrir, Eva ? Merde, là tu m'as eue. Pourquoi maigrir ? Pour être belle ? Non, car avec le complexe que j'ai à cause de mes gros seins, je ne me sentirai jamais belle. Pour me plaire à moi-même ? Non, car de toute façon je me déteste. Pour plaire aux autres ? Non, car de toute façon je ne leur plairai pas. Je ne sais pas pourquoi je veux maigrir. Alors, est-ce que tu veux vraiment maigrir, Eva ? Je crois que je ne veux pas maigrir, je veux simplement ne pas manger. Tu veux mourir, Eva ? Quelquefois. Et en ce moment, tu veux mourir ? En ce moment non, parce que je suis en train d'écrire. Quand tu arrêteras d'écrire, tu voudras mourir ? Peut-être. Jusqu'où veux-tu aller, Eva ? Je ne sais pas. Tu veux disparaître ? Quelquefois seulement. Tu crois que ces questions que je te pose servent à quelque chose ? Sûrement pas. Alors pourquoi est-ce que tu fais attention à moi, au lieu de fermer tout simplement les yeux, de penser à autre chose et de me faire disparaître ? Parce que je ne peux pas contrôler cette partie de moi qui me parle, qui m'interroge, qui me juge... C'est-à-dire parce que je ne peux pas te contrôler toi. Tu veux que je disparaisse ? Non, car tu me laisserais seule. Tu crois qu'un psychiatre pourrait t'aider ? Non, en tout cas pas si je n'y mets pas du mien. Parfait, c'est donc que tu es disposée à y mettre du tien, Eva ? Non. »

C'est ainsi que l'autre Eva que je porte en moi, car je t'ai dit que j'étais deux en une, m'accablait et continue de m'accabler, rien d'étonnant par conséquent à ce que je me sois sentie comme je me sens aujourd'hui : laide, grosse, confuse, peureuse, nerveuse, seule, ratée, pleureuse, irritable, fatiguée, honteuse. Pourquoi ? Parce que je le mérite. Parce que je le vaux. Parce que aujourd'hui est aujourd'hui.

Est-ce que c'est une dépression post-partum ?

Extrait du livre : « La dépression post-partum affecte entre cinquante et quatre-vingts pour cent des femmes des pays développés et se traduit par un terrible syndrome d'abstinence car il se produit, après la naissance du bébé, une forte réduction hormonale. Le taux d'œstrogènes dans le sang, qui a pu atteindre jusqu'à mille pour cent durant la grossesse, retombe, au lendemain de la délivrance, à un niveau normal. »

L'effet d'un changement aussi radical (c'est moi qui te l'explique, car le livre ne le dit pas) est le même que celui d'un syndrome prémenstruel, mais multiplié par mille. D'autre part, le placenta a stimulé, neuf mois durant, la production d'endorphines, qui sont des opiacés naturels, c'est-à-dire un Prozac de luxe, non reproductible en laboratoire. Ainsi s'explique pourquoi tant de femmes toxicomanes peuvent cesser, sans effort apparent, de prendre des drogues durant la grossesse (phénomène dont j'ai appris l'existence en interviewant les filles de *Droguées*), ou pourquoi les anorexiques et les boulimiques se remettent à s'alimenter normalement pendant les neuf mois de la gestation. Ou comment j'ai pu, moi qui avais essayé sans succès toutes les méthodes possibles pour arrêter de boire, depuis l'hypnose jusqu'à l'autoenfermement, ne pas boire une goutte d'alcool à partir du jour où j'ai bu deux verres de vin avec Consuelo pour fêter mon état et où j'ai vomi tripes et boyaux. Mais en expulsant le bébé, on expulse aussi le placenta, de sorte qu'après l'accouchement, adieu la production d'endorphines et retour à l'ancienne vie.

Il ressort de tout cela que la dépression post-partum n'est rien d'autre que l'effet combiné des endorphines et des œstrogènes, aggravé par des facteurs tels que le manque de sommeil, la variation hormonale, l'isolement, la fatigue, ainsi que la peur naturelle devant le changement de vie radical qui s'annonce, et qu'en revanche les événements extérieurs et le milieu environnant n'ont rien à voir avec la tristesse.

Conclusion (applicable au genre humain dans son ensemble) : la tristesse est une sensation avant d'être une réaction. Le raisonnable n'a rien à voir avec le sensible.

On dit que le sage véritable est celui qui apprend à être heureux, ou du moins à être serein, car il ordonne sa vie et la fortifie par la raison, de façon que les affronts et les catastrophes l'affectent le moins possible. Mais ce sont moins les événements que la perception que nous en avons qui nous rend heureux ou malheureux, et ce qui compte, dans cette perception, ce n'est pas tant la raison que la sensation. Nous ne sommes pas heureux parce que nous savons avoir des raisons de l'être, mais parce que nous sentons que nous avons des raisons de l'être, et nous le sentons à partir de facteurs qui nous échappent, qui ont bien plus à voir avec la biologie ou avec le plan divin qu'avec nos pauvres armes de la raison. Faudrait-il donc guetter l'instant propice, être heureux dès qu'on le peut, emprisonner la pensée dans la sensation à l'exclusion de toute autre aspiration ? Je ne le crois pas. L'unique façon de surmonter la sensation est de recourir à la raison, de se dire : « Cette sensation n'est pas réelle, elle ne repose pas sur un motif sérieux, et pourtant je dois m'y soumettre. » Ce qui, dans tout cela, me fait peur, c'est, lorsqu'il m'arrive d'être heureuse, de penser la même chose, de te regarder et de me dire : « Cet amour n'est pas réel, ce n'est qu'un stratagème biologique. » Car cela voudrait dire que toute la vie, toute MA vie, pour le meilleur et pour le pire, n'est qu'une illusion ou un fantasme. Si nous répudions la souffrance, nous renonçons aussi au bonheur : c'est la théorie du yin et du yang.

Laisse-moi te dire, en tout cas, que la dépression, ce qu'on appelle la dépression aiguë, je l'avais déjà vécue avant de te porter en moi, et que si nous retenons comme indices ceux que j'ai cités plus haut, j'ai été déprimée la moitié de ma vie. Et je crois sincèrement, la main sur le cœur, bien que je sois irritable et irascible et qu'il y ait des moments où tu me tapes sur les nerfs, je crois que je me préfère comme je suis maintenant que comme j'étais avant de t'avoir conçue, et je trouve incroyable de me dire que je ne désire pas de vie meilleure que ces heures lentes passées à tes côtés, que cette existence au ralenti, cloîtrée, accro au clavier et à tes braillements, que cet abandon des anciens projets que j'avais conçus et qui sont impensables depuis que tu existes. Que ce déclin de la volonté, autrefois dispersée entre tant de vains efforts et maintenant centrée sur ta présence et sur le fait que j'écris sur ta présence.

Quand tu liras ceci, tu connaîtras par cœur l'histoire de Blanche-Neige (car je me serai chargée de te la raconter le soir) et tu sauras que sa marâtre avait un miroir magique dans lequel elle se regardait chaque matin (*It was a mirror framed in brass, a magic talking looking glass...*) et auquel elle demandait quelle était la plus belle du royaume. Et, invariablement, une voix lui répondait de derrière le tain du miroir : « C'est toi, ô reine. » Jusqu'au jour où le petit miroir, las de se répéter, finit par lui dire que sa belle-fille était plus belle. Et c'est à cet instant que commence la déchéance de la reine.

Toutes les sorcières avaient un miroir. Elles avaient aussi une baguette, un pentagramme, une cloche et un poignard. Et un balai ? Non, le balai n'est pas nécessaire, c'était en fait une façon de dissimuler la baguette de coudrier, au cas où passerait un inquisiteur, tu comprends.

Maintenant tout le monde a un miroir, mais en ce temps-là, au temps de Blanche-Neige, les miroirs étaient rares et chers. Beaucoup de gens mouraient sans avoir jamais vu leur propre reflet, sans savoir à quoi ressemblait leur visage.

Et pourquoi les sorcières avaient-elles un miroir ? Parce que la première épreuve imposée à une sorcière consiste à se charmer elle-même, aux deux sens du terme. Elle doit se regarder dans le miroir tous les matins et se répéter sept fois (tu sais que sept est un chiffre magique, ce n'est pas pour rien que tu es née à

7 heures précises) : tu es belle, tu es adorable, tu fais partie de l'univers. Et ce premier charme lui donnera la force suffisante pour accomplir ensuite n'importe quel autre sortilège.

Beaucoup de thérapeutes qui ne savent rien des sorcières ni de la magie recommandent la même chose à leurs patients. Je le sais depuis que je suis allée à cette thérapie pour femmes maltraitées et que j'ai entendu la psychologue qui animait le groupe. Il fallait, quand on se levait le matin, se mettre nue devant son miroir et se dire « je t'aime » à soi-même. Je n'invente rien.

J'ai essayé, mais je n'ai pas pu. Comment aimer cet être difforme, aux hanches larges comme le canal de Panamá, aux mamelles pendantes et aux bourrelets de graisse flasque qui débordaient là où auraient dû se trouver des abdominaux ? Mon miroir me disait que je n'étais pas la plus belle, j'étais incapable de me dire « je t'aime » parce que je m'entendais mal avec la fille qui vivait de l'autre côté du miroir, j'avais perdu tout pouvoir sur moi-même, pour la bonne raison que je l'avais cédé au premier qui me l'avait réclamé.

Et c'est pour cela que je m'étais embarquée dans cette histoire inepte, qui était pour moi un soulagement en même temps qu'une menace, car les yeux dans lesquels je me contemplais reflétaient tantôt la tendresse et tantôt la haine. Avoir à ce point besoin d'affection quand je doutais si fort de la réalité de cette affection m'était devenu un supplice, et j'acceptais stoïquement les insultes et les cris en pensant, à tort, que la rancune fait moins mal que l'oubli. Mais les rares délices que m'offrait le désir me parvenaient empoisonnées par le goût amer de la défiance. Je vivais accablée, prête à mourir de mon propre gré pour garder toujours présent le souvenir de l'autre comme l'aveugle celui de la lumière. Comme l'aveugle, exactement : je n'avais pas d'yeux car je ne voyais qu'à travers les siens, et j'étais condamnée à répéter dans un labyrinthe de miroirs le même dédale sanglant et angoissant qu'avaient parcouru avant moi, sans jamais trouver la sortie, tant d'autres maîtresses dociles, soumises, patientes, dévouées, qui se sentaient comme des ombres vides, comme si leur présence n'avait été qu'une vibration légère dans l'air immobile, un portrait, une copie, un calque, un reflet, une réfraction de cristal, une silhouette projetée, un double, un écho… mais pas elles, pas moi.

Pour me voir moi-même, il fallait que je rejette toutes ces images, et que je conserve celle dessinée dans la solitude ultime, la plus intime, sans fusions ni doubles. Celle où l'autre n'aurait aucune part.

8 octobre

Comment peut-on exiger de moi que j'écrive si je dois te tenir tout le temps dans les bras ? J'ai essayé de poser ton couffin sur la table, à côté de l'ordinateur, de sorte que tu puisses me voir, mais ce n'est pas la même chose. Comme pour paraphraser André Breton, tu as décidé que « la matinée sera dans les bras, ou ne sera pas », et n'est-il pas héroïque de ma part de taper sur le clavier tout en pressant contre ma poitrine une petite fille qui pèse 4,200 kilos, sans même pouvoir me lever pour aller aux toilettes, pour grignoter quelque chose ou pour téléphoner sans m'exposer à une de tes colères ? Tu restes parfaitement calme jusqu'à ce que tu aies remarqué que j'ai disparu de ton champ visuel, peut-être devrais-je écrire champ auditif ou olfactif, car je sais bien que tu ne peux pas encore voir grand-chose, juste quelques taches de couleur. Alors, tu te mets à pleurer : d'abord quelques légers gémissements en guise d'avertissement, puis, si je n'en ai pas tenu compte, un hurlement inconsolable et hystérique. Je sais que vers 14 heures, quand ton père arrivera, il te trouvera en train de dormir paisiblement dans ton berceau, toute mignonne, et qu'il ne me croira donc pas quand je lui dirai que tu as passé quatre heures éveillée, à martyriser impitoyablement ta pauvre mère. Tu as de la chance d'être si jolie (et je ne dis pas ça par aveuglement maternel, tu es vraiment un joli bébé : quand nous sommes allés te peser à la pharmacie, toutes les dames en étaient bouche bée, y compris la pharmacienne), car si tu avais le même visage que ta cousine Laura au même âge (qui était, je te le jure, le sosie d'E.T.), il est certain que je ne t'aurais pas laissée faire ça. Je le dis, je le répète pour la troisième fois : l'anatomie est un destin.

Nous sommes nombreuses à devoir regarder au-dehors pour oser regarder en nous-mêmes, et à attendre des autres qu'ils nous valorisent pour pouvoir nous valoriser nous-mêmes, ce qui nous laisse, forcément, le sentiment amer d'être utilisées et envahies. Et si nous nous laissons envahir, c'est par peur et par culpabilité : peur d'être rejetées, peur de ne pas plaire, de n'être pas à la hauteur des attentes de l'autre, et culpabilité lorsque nous ne le sommes pas. Parce que nous craignons que les autres nous rejettent, nous leur permettons de violer notre espace intime et nos limites émotionnelles. C'est ainsi que nous confondons amour et soumission, intimité et possession, affect et culpabilité, chantage et devoir, sexe et violence, contrôle et appartenance.

Car de l'amour à la haine, il n'y a qu'un pas, ou une cloison. Comme dit Chrissie Hynde : *There's a thin line between love and hate*. C'est une ligne tout aussi ténue qui marque la limite entre harcèlement et incompatibilité d'humeur, et il est parfois très difficile de faire la différence, surtout quand cette différence vous affecte très directement.

Je te donne un exemple : dans les années quatre-vingt, quand je me promenais encore dans Madrid en tunique noire et bracelets cloutés, j'étais fan, mais ce qui s'appelle fan, de Prince (avant qu'il n'abandonne ce nom et ne se fasse témoin de Jéhovah, et en bravant l'opinion de Sonia et Tania qui le trouvaient nul), et j'ai vu je ne sais combien de fois *Purple Rain*, qui n'est pas précisément un joyau du septième art, mais où, que diable, on voit Prince pendant les trois quarts de la projection. Et je me rappelle cette scène où Apollonia Kotero, la toute nouvelle petite amie d'*El Chico* (Prince, donc), se présente chez son amour, toute contente et guillerette, pour lui offrir une guitare et, au passage, lui annoncer la bonne nouvelle : elle est engagée comme soliste dans un groupe de chanteuses. Or, il se trouve que le factotum du groupe n'est autre que Morris, l'ennemi juré d'*El Chico*, de sorte que, sans prononcer un mot, *El Chico* flanque à Apollonia une torgnole qui la jette littéralement par terre. Gros plan sur une Apollonia stupéfaite qui se caresse la mâchoire sans qu'on sache très bien si c'est parce qu'elle a mal ou pour vérifier qu'elle n'est pas déboîtée. Elle finit par se remettre tant bien que mal debout sur ses talons aiguilles et par s'en aller furieuse, retrouvant un semblant de contenance et le peu de dignité qui lui reste. Crois-tu qu'elle aille tout droit à la police, pour porter plainte contre *El Chico* ? Mais non, elle file sans hésiter au club où elle chante, légèrement vêtue, son grand succès, *You are my sex shooter*. Et à la fin du film, Apollonia et *El Chico* se sont remis ensemble et se font les yeux doux, comme on le sentait venir (elle n'allait tout de même pas laisser Prince tout seul, voyons, il ne manquerait plus que ça), alors même qu'il l'a jetée à terre encore une fois entre-temps. Et que jamais, jamais il ne lui a demandé pardon.

Et nous, ceux que nous étions alors, et qui ne sommes plus les mêmes parce qu'il y en a une qui vit à New York et un à qui je ne parle plus, nous ne trouvions pas qu'il y ait quoi que ce soit d'étrange dans cette relation. Ni moi, ni Sonia, ni Tania (que j'avais traînées au ciné malgré leurs objurgations, et qui n'ont accepté d'entrer qu'après s'être assurées que personne du quartier ne les avait vues), ni même David Muñoz, qui est venu voir le film avec nous (il aimait bien Prince lui aussi, car pour aimer Prince il n'y avait qu'une tarée comme moi et qu'un minet à la gomme qui écoutait Los Secretos, disait Tania), étant donné que nous étions tous plus ou moins habitués à voir des histoires semblables, qu'il s'agisse des amours bien réelles de nos parents, oncles ou voisins, des *telenovelas* vénézuéliennes ou de nos propres romances de vacances. Et nous ne parlions pas de harcèlement, mais d'amour, de passion, de conflits.

Quelques années plus tard, il y a eu à la télévision une émission qui s'appelait *Nous avons tous besoin d'amour*. Le principe était que ton partenaire t'avait quittée, que tu allais à l'émission et que, depuis le plateau, tu implorais en public une possible réconciliation. Alors, sur fond de violons, ton amour surgissait de derrière un rideau et, devant toute l'Espagne réunie, te disait oui ou non, généralement oui, car on est tout de même à la télé, avec un animateur si séduisant, et tellement content que les couples se réconcilient. Je ne sais plus le nombre de fois où le monsieur reconnaissait certes avoir trompé sa légitime, mais assurait que c'était à cause de l'alcool et des mauvaises fréquentations et qu'il ne recommencerait plus. Crois-tu qu'il y ait eu quelqu'un pour dire à sa douce et patiente épouse : « Attention, madame, un maltraitant récidive toujours, ce qu'il vous a fait il vous le refera, il dit qu'il vous aime mais il ne vous aime pas, ce n'est qu'un salaud pour ne pas dire un psychopathe » ? Mais non, ils se réconciliaient presque toujours, car à l'époque personne n'utilisait le mot maltraitance, encore moins ce terme anglais de *gender violence*, et comme la pauvre épouse, après toutes les avanies que lui avait fait subir le salaud en question pendant tant d'années, n'avait plus une once de courage ni d'estime de soi, il ne lui restait qu'une seule chose à faire : jouer les ingénues ou les ignorantes ou les deux à la fois, et croire pour de bon que si son

Paco lui avait déclaré à la télé devant toute l'Espagne qu'il l'aimait, c'était la vérité, la vérité vraie, et qu'il était disposé à changer.

À cette époque j'avais jeté ma tunique à la poubelle et perdu mon bracelet dans un de ces bars aux murs peints tout en noir, j'avais lu plusieurs livres féministes sur la nécessité de redéfinir les relations de couple, et j'étais tellement indignée après avoir vu trois fois l'émission que j'ai écrit des lettres furibardes à Antena 3 pour exiger sa suppression. Quand j'expliquais ça à mes camarades à la fac ou au café, ils me disaient que j'étais folle, ou que j'exagérais, et je me rappelle très bien que l'un d'eux (qui n'était autre, si je ne m'abuse, que David Muñoz) m'a même dit : « Une jolie fille comme toi, qu'as-tu besoin de jouer les féministes ? » Et attention, c'était en 1995. Avant-hier, pour ainsi dire.

Encore une chose sur la télé. Cette même année, dans *Big Brother*. Je ne regarde jamais cette émission, ce n'est pas la peine puisque les meilleurs moments sont rediffusés à satiété dans les programmes de zapping, et l'un de ces grands moments était le suivant : une fille en poursuit une autre dans la cuisine en l'agressant verbalement, et même en l'insultant : « Tu es une mal élevée et une orgueilleuse et une vaniteuse et une… Mais ne reste pas à te taire comme ça ! Réagis ! Réponds-moi ! » L'autre essaie de l'ignorer, de la fustiger du fouet de son indifférence, mais la première la suit comme un chien de chasse jusqu'à ce que la mal élevée, orgueilleuse et vaniteuse se verse avec le plus grand flegme un verre d'eau du frigidaire et, soudain, se retourne et vlan ! le jette à la figure de celle qui exigeait d'elle à grands cris une réponse, comme pour lui dire : « Tiens, la voilà. » À peine réchappée de sa frayeur, la harceleuse, arrosée et indignée, poursuit l'arroseuse dans le couloir en hurlant : « Salope ! Si tu me refais ça, je te massacre ! » Y avait-il agression verbale de la part de la première ? La réaction de l'autre était-elle aussi une agression ? Les vociférations dans le couloir pouvaient-elles être qualifiées de menaces ? Je n'en sais rien, et personne ne s'est prononcé là-dessus, mais ce que je peux te dire, c'est que pour quelque chose d'approchant, dans une précédente saison de l'émission, un concurrent masculin s'est fait exclure pour avoir poussé violemment une fille, en l'occurrence sa fiancée. En revanche, après l'histoire de l'arroseuse et l'arrosée, la direction de l'émission n'a renvoyé personne et n'a pas reçu de lettres à ce sujet. On peut en déduire que, quand il s'agit de deux filles et non pas d'un garçon et d'une fille, personne n'exige l'intervention de l'autorité supérieure.

Qu'est-ce que je veux te dire par là ? Qu'il est parfois très difficile de trouver les coupables, d'identifier les responsabilités, de faire la part de l'amour, du masochisme et des années de conditionnement culturel et/ou familial, car les êtres humains que nous sommes sont condamnés, dans leur grande majorité, à reproduire, consciemment ou non, ce qu'ils ont vu ou appris dans leur enfance.

Et aussi que je n'ai jamais voulu me considérer comme une victime, et que je crois qu'une telle attitude ne m'aurait pas aidée davantage.

Pourquoi est-ce que je te raconte cette histoire ? Parce que, comme tu le verras tout à l'heure, le fait que j'aie touché le fond de la piscine et que je sois remontée à la surface a influé très directement sur ta conception. Mais nous n'en sommes pas encore là. Prends patience, ma chérie, car l'immensité est présente dans chaque instant, car chaque instant contient en germe autre chose à venir, qui à son tour est l'anti-chambre de l'infini, car chaque chose en amène inévi-tablement une autre, et chaque instant l'instant suivant, nous sommes tous le résultat d'actes – d'amour ou non, dans ton cas c'est oui – qui nous précèdent. Tu ne peux pas comprendre ton histoire si tu ne comprends pas d'abord la mienne, quand bien même ces lignes que j'écris ne semblent pas, *a priori*, avoir grand-chose à voir avec ta vie

9 octobre

« Octobre est le mois des belles pommes/octobre est le mois des vieux souvenirs/toutes les bonnes choses viennent en octobre. »

Ces vers, je les ai écrits à treize ans, et je les cite de mémoire, car il y a belle lurette que j'ai jeté le cahier où j'écrivais mes poèmes, je ne sais pas si j'ai eu tort ou raison (plutôt raison, tout de même). Mais ce matin, je me suis levée avec un nuage noir au-dessus de ma tête et l'impression que ce mois d'octobre était pour moi le début prophétique d'un hiver morose qu'aucun soleil, de Madrid ni des Caraïbes, ne serait capable d'égayer.

Je me rappelle que Sonia l'actrice (dite *Sweet* Sonia tellement elle est affectueuse, à ne pas confondre avec mon ancienne camarade de classe Sonia la photographe, dite *Slender* Sonia en raison de son extrême minceur, ni avec Sonia la scénariste, dite *Suicide* Sonia pour sa conduite téméraire, ni avec Sonia la DJ, dite *Senseless* Sonia à cause de son penchant pour l'ecstasy…) m'a écrit, quand j'ai été enceinte, un *e-mail* dans lequel elle me disait :

Commence à te préparer pour les premiers mois. Ce qu'on appelle dépression post-partum n'est qu'une réaction parfaitement logique et rationnelle au fait de se voir soudain transformée, du jour au lendemain, en vache laitière d'un être qui ne sait même pas sourire pour te remercier.

Ce qu'elle me disait m'a été confirmé par une inconnue quelques jours avant ta naissance. J'avais plusieurs jours de retard par rapport à la date prévue pour l'accouchement, j'avais mal partout, je ne pouvais pas marcher à cause de la symphyse pubienne et des contractions inefficaces (je t'expliquerai plus tard ce que signifient ces termes), et j'avais désespérément besoin de distractions, de sorte que cette semaine-là je suis allée au cinéma presque tous les jours. Et par hasard, dans la queue du cinéma Ideal, j'ai rencontré mon agent, qui heureusement ne s'appelle pas Sonia, et qui a un garçon d'un an à peu près. Je lui ai demandé, anxieuse : « Est-ce que les premiers mois sont aussi durs qu'on le dit ? » Elle commençait à me répondre, avec son plus beau sourire : « Oh non, pas tellement... », quand la fille qui l'accompagnait, et que je n'avais pas remarquée jusqu'alors, a coupé court au louable effort qu'elle faisait pour me rassurer. « Ne l'écoute pas, c'est affreux ! Affreux, vraiment ! Il y a des moments où on a envie de se suicider, vraiment... » Le contraste était si saisissant entre les intonations ultra-snobs de l'inconnue – intonations que j'associe d'habitude à l'hypocrisie et au conformisme – et la sincérité crue avec laquelle elle m'avertissait, que je n'ai pu m'empêcher de croire sa version à elle de préférence à celle de mon agent trop bien intentionnée, et que je suis rentrée à la maison terrifiée, en m'attendant au pire.

Bon, dans l'absolu ça n'a pas été si terrible, mais il n'empêche que parfois, comme aujourd'hui, je me lève avec la conviction que je ne vais pas pouvoir m'en sortir, ni avec toi ni avec la vie en général. Ton père a attrapé la grippe, il me l'a passée, et j'ai bien peur que nous te l'ayons passée à toi aussi, car toute la journée d'hier tu t'es plainte sans qu'on sache de quoi et je suis épuisée, en plus j'ai mal à la gorge et à chacune de mes articulations, sans parler des hémorroïdes, sujet dont il est de bon ton de ne pas parler et de souffrir en silence. Il est écrit dans *Nous allons être parents* (oui, ce livre qui me conseillait de prévenir ta grand-mère après l'amniocentèse pour qu'elle se mette à tricoter des chaussons de la bonne couleur) que les hémorroïdes « peuvent être très douloureuses », mais pas que la douleur peut être paralysante et dépasser de beaucoup celle des contractions de l'accouchement, avec cette différence supplémentaire que les contractions servent à quelque chose. Sauf les contractions inefficaces.

La psychologue qui dirigeait le groupe de soutien a été très aimable avec moi et m'a remis une brochure éditée par la Communauté de Madrid, qui décrivait les séquelles de la maltraitance et précisait que, chez beaucoup de femmes, ces séquelles perduraient des années après la fin de la relation :
— Estime de soi intermittente.
— Peur.
— Stress.
— Commotion psychique aiguë.
— Crises d'angoisse.
— Dépression.
— Désorientation.
— Absence de communication et isolement.
— Blocages émotionnels.
— Complexe de culpabilité et tendance à s'attribuer la responsabilité des événements.
— Démotivation, absence d'espoir.
— Troubles alimentaires sévères.
— Troubles du sommeil.
— Irritabilité et réactions d'indignation hors contexte.
Cette description me correspondait point par point : à cette époque, je me haïssais et nourrissais pour un oui ou pour un non des envies de suicide, à force de me dire que ma vie n'était d'aucune utilité, ni pour moi ni pour personne de mon entourage ; j'avais le cœur qui battait chaque fois que le téléphone sonnait passé 22 heures, et pire encore quand c'était l'interphone de l'immeuble ; je pleurais pour n'importe quoi : si mon autobus était en retard, si je devais retravailler un texte, ou si je faisais brûler une casserole de lait ; je ne pouvais pas prendre le

métro car une crise soudaine de claustrophobie aiguë m'empêchait de respirer, comme si quelque chose bloquait mes voies respiratoires, et en plus je me perdais toujours dans les couloirs, au point de finir par ne plus me rappeler où je voulais aller ni même d'où je venais (le voyage à Cuatro Vientos avait été l'heureuse exception) ; je n'avais plus d'amis parce que je n'avais plus rien à dire à tous ces gens qui s'obstinaient à plaindre le pauvre chou que j'avais traité comme je l'avais traité, si bien que j'avais cessé de téléphoner à la plupart d'entre eux, et même de répondre à leurs saluts, ce qui m'a valu une réputation, au demeurant méritée, de sauvage et de mal élevée que je te laisse imaginer ; j'étais de temps à autre en proie à des crises de rage injustifiée, qui me faisaient crier après n'importe qui : les amis, le chien, le concierge, ou le monsieur qui m'avait bousculée dans l'autobus. Et tout cela était dû à la haine profonde que j'éprouvais envers moi-même, car je me sentais responsable de tout ce qui m'arrivait et de tout ce qui m'était arrivé, et je retournais cette haine contre l'extérieur, avec agressivité, en roulant sur les autres comme une goudronneuse, pour me remettre ensuite à me haïr de plus belle. Je me sentais incapable d'aimer à nouveau qui que ce soit, et si par hasard je sortais avec quelqu'un, je faisais tout ce qu'il fallait pour que la relation ne dure pas plus d'une nuit, ou tout simplement je la fichais en l'air en me rendant insupportable ; je me disais que tout ce qui m'arrivait était ma faute, que je n'étais pas quelqu'un qu'on puisse aimer, que j'étais folle, que je n'avais pas le moindre talent pour écrire et que la meilleure chose que je puisse faire était de ne pas recommencer, et qu'en plus j'étais trop grosse. Et c'était vrai : à force d'essayer de calmer mes angoisses en me gavant de chocolat, j'avais pris 7 kilos en quatre ans et je me dégoûtais quand je me regardais dans la glace. Et à tout cela s'ajoutait un problème supplémentaire : je buvais comme un trou.

L'homme qu'une boussole avait éliminé de mon paysage buvait beaucoup, ce qui s'appelle beaucoup, il sortait tous les soirs et s'enfilait un minimum de trois ou quatre verres. Mais il buvait aussi dans la journée, entre les bières à l'apéritif, le pousse-café après le déjeuner et les whiskies en fin d'après-midi. Et à force de suivre son rythme, j'étais moi-même devenue, sinon une alcoolique anonyme, du moins une ivrogne notoire, connue dans tous les bars de Malasaña et de Lavapiés.

Tout n'était pas noir pour autant. J'avais perdu beaucoup d'amis, c'est vrai, mais j'en avais gardé beaucoup d'autres, qui m'avaient témoigné une loyauté inébranlable et m'avaient soutenue dans les pires moments, lorsque je me mettais à hurler pour des bricoles ou à pleurer parce que ma tasse de thé s'était renversée ; j'étais ronde mais pas obèse, j'avais gardé un joli visage et n'avais donc pas de mal à draguer ; j'avais écrit un livre dont j'avais honte, mais au moins j'avais réussi à me faire publier ; je n'avais plus d'amant, mais j'y avais gagné en tranquillité ; j'avais mon appartement à moi (ou qui serait un jour à moi, car pour l'instant il appartenait à ma banque), un chien que j'adorais, plusieurs boulots (même s'ils étaient mal payés), et surtout, j'avais envie de vivre, une envie qui, sans être débordante, était bien plus grande qu'avant, car pour chaque moment où il me venait des pensées suicidaires, il y en avait deux autres où je me disais : « Tout va s'arranger, les choses s'arrangent toujours, tout va aller mieux. » Car, comme je te l'ai déjà dit, nous n'avons d'autre arme que la raison pour combattre nos sensations.

10 octobre

Je t'explique ce que sont les « contractions inefficaces ». Ce sont celles que j'ai eues pendant près d'un mois juste avant ta naissance. Elles sont très fortes et se différencient par leur intensité des « contractions de

Braxton-Hicks », qui sont, pour ainsi dire, des contractions « test », peu douloureuses, par lesquelles l'utérus s'exerce en vue de l'accouchement, et que l'on observe à partir du huitième mois de grossesse. Mais celles que je subissais étaient sévères, à se tordre de douleur, et si elles étaient inefficaces, c'était parce que la capacité de contraction de l'utérus était réduite et que les mouvements étaient trop faibles pour dilater le col de la matrice. Je crois que c'est ce qu'on appelle la dystocie utérine. Bref, j'ai passé plusieurs jours courbée en deux sous l'effet de la douleur avant de réussir à accoucher. Quand j'ai raconté ça à Miguel Hermoso, il a eu cette jolie métaphore : il m'a dit qu'il connaissait un autre type de contractions inefficaces, celles qu'on éprouve quand on écrit un scénario la nuit avec la conviction d'être en train de donner naissance à la scène du siècle, et qu'en la relisant le lendemain matin sous une autre lumière (celle du jour) et après avoir dormi, on s'aperçoit que ce qu'on a créé n'a ni intérêt ni originalité et ne fait pas avancer l'action, et que ce qu'on avait pris pour l'accouchement n'avait été qu'une crise de contractions inefficaces… C'étaient, je le crains, ces mêmes contractions artistiques qui m'avaient fait ébaucher ces romans que je garde dans mon tiroir, et qu'un jour je te ferai lire pour que tu voies comme ta mère était pédante quand elle n'avait pas encore formé le projet de te concevoir, et à plus forte raison de t'écrire ces pages.

Six mois à peine avaient passé depuis l'histoire de la boussole quand j'ai été invitée à une fête où j'ai fait la connaissance d'une fille apparemment normale et banale (trente ans et quelques, blonde, les yeux très clairs, sans tatouage 666 ni pentagramme pendu au cou, ni chevelure tombant au-dessous de la ceinture, ni le moindre signe extérieur dénotant quelque intérêt pour l'ésotérisme ou le paranormal). Je ne sais pas comment nous en sommes venues à parler de cartomancie, mais quand je lui ai dit que la seule fois qu'on m'avait tiré les cartes, la prédiction s'était accomplie, elle m'a dit qu'elle ne sortait jamais sans ses cartes et qu'elle aimerait bien me les tirer. J'ai accepté, ravie, et l'inconnue m'a emmenée dans une pièce à l'écart du salon où la fête battait son plein, pour extraire de son sac, loin des bruits du monde, deux jeux de cartes, un de tarot et un classique, les mélanger consciencieusement, étaler plusieurs cartes sur la table et me faire les prédictions suivantes :

La première carte qu'elle a retournée était l'Impératrice, carte de la fécondité.

— Tu vas être mère. C'est certain. Et bientôt. Dans un an environ.

« Allons bon ! » me suis-je dit. J'avais fait peu de temps avant un check-up gynécologique et le médecin m'avait appris que, même si l'on ne pouvait pas me définir comme stérile à proprement parler, j'avais un problème d'infertilité dû à une endométriose et à un déséquilibre hormonal. Ce problème pouvait être résolu, selon lui, par une intervention et un traitement à base d'hormones, très coûteux en temps comme en douleur et en argent, mais étant donné que la maternité, en tant que fonction biologique, ne m'intéressait que médiocrement, j'avais décidé de n'en rien faire, si bien que la prédiction de la sorcière me paraissait, sinon irréalisable, du moins des plus improbables.

La deuxième carte était le valet de cœur.

— Le père de ton bébé est plus jeune que toi.

Dis donc, ma belle, tu ferais mieux d'aller suivre une formation en informatique, car je ne te prédis pas un grand avenir dans la sorcellerie, ai-je pensé dans mon for intérieur. Car jamais je n'avais eu de liaison avec un homme plus jeune que moi (ou presque jamais, à l'exception d'un flirt avec David Muñoz, et encore n'avait-il qu'un mois de moins, quand nous étions tous les deux dans la classe de José Merlo, et c'était seulement pour faire bisquer toutes ces pimbêches qui le buvaient des yeux et qui nous regardaient de haut, Sonia, Tania et moi, parce que nous ne portions pas de loden). Bien au contraire, j'avais tendance à être attirée par des hommes qui avaient dix ans de plus, comme c'était le cas, tu l'as deviné, du type dont le nom est écrit sur un parchemin enfermé dans une bouteille enterrée dans un terrain vague du côté de Cuatro Vientos.

Puis elle a retourné la troisième carte, celle du Pendu, mais la carte était à l'envers, de sorte que le Pendu n'était pas pendu, mais reposait sur ses pieds.

— N'aie pas peur, m'a-t-elle dit pour me rassurer – mais je n'avais pas peur, car à ce stade je croyais à peu près autant aux prédictions des cartes qu'aux boniments du télé-achat. Cette carte réunit, selon la Kabbale, Hod (l'esprit) et Geburah (la crainte). Dans Geburah se trouvent tous les ordres et les lois qui régissent l'univers, et l'une de ces lois est celle du Karma, qui a trait aux causes et aux effets. La lettre de l'alphabet hébreu qui correspond à ce sentier est Mem, qui signifie l'eau. Les significations secondaires de la lettre Mem sont la Mère Génitrice et la Fécondité... Tu me suis ?

J'ai fait oui de la tête, même si je n'en pensais pas un mot.

— Pour toutes ces raisons, je peux te dire que le père de ton enfant vit près de l'eau et qu'une mer vous sépare.

Ensuite est apparue la carte du Mage.

— C'est lui. Cette carte représente le père de ton enfant. Son travail consiste à faire des transformations. Je crois qu'il travaille dans un laboratoire, c'est sans doute un scientifique.

Mon scepticisme était en train de virer à la franche incrédulité, car j'étais toujours sortie avec des artistes ou des gens qui aspiraient à l'être (trois musiciens, un cinéaste, deux aspirants écrivains et un artiste conceptuel), mais jamais avec un scientifique. Jamais je n'avais été attirée par les hommes de sciences, encore moins de sciences exactes. Le mot laboratoire évoquait pour moi le formol, la vivisection, les rats à qui on ouvre le ventre de haut en bas et les créatures de Frankenstein. Je commençais donc à mettre sérieusement en doute la fiabilité des prédictions dont était en train de me gratifier cette apprentie sorcière.

La carte d'après était l'as de cœur.

— C'est le Foyer, m'a annoncé la sorcière.

Suivait la Tempérance :

— C'est un changement positif. Des travaux chez toi.

« Sûrement pas », me suis-je récriée intérieurement. Quand j'avais acheté mon appartement, j'avais dû le faire refaire de fond en comble, et ces travaux, comme de bien entendu, avaient duré plusieurs mois de plus que prévu et fini par dépasser de beaucoup le budget que je m'étais fixé au départ – et j'en avais tellement assez des ouvriers, des échafaudages et de la peinture que je n'envisageais même pas d'ajouter une cloison ou de repeindre un mur avant un bon bout de temps.

C'est alors que sont apparus plusieurs trèfles à la suite, puis la Justice, à l'envers.

— Je vois des ennemis, une situation très très mauvaise. Tu vas devoir aller en justice. Et tu vas perdre.

« Tiens donc. »

Puis est apparue la Force.

— C'est le signe du triomphe, et je ne saurais pas te dire si tu vas perdre ou gagner ton procès. Peut-être que ça veut dire les deux. Que tu gagneras en appel, ou quelque chose comme ça. Ou que de le perdre t'apportera finalement quelque chose de bon.

La chose ne me paraissait pas impossible à proprement parler, mais pas vraiment plausible non plus, étant donné que de toute ma vie je n'avais jamais eu affaire à la justice, sauf une fois, à quinze ans, quand ma prof d'histoire avait emmené toute la classe assister à une audience, dans l'espoir de faire de nous, de ce seul fait, des citoyens conscients de leurs responsabilités envers la société. Étant donné que la moitié des élèves de la classe ont fini soit polytoxicomanes soit alcooliques (catégorie qui nous inclut, Sonia, Tania, David Muñoz et moi), et l'autre moitié narcotrafiquants, je crains que l'infortunée Mlle Esperanza n'ait placé des espoirs excessifs dans l'influence des activités extrascolaires sur la formation des esprits préadolescents.

Et la sorcière blonde d'ajouter que, bien que je sois en train de traverser une très mauvaise passe et qu'il me reste encore quelques coups durs à avaler, avec le temps tout s'arrangerait, et ma vie redeviendrait très heureuse, même si je ne devais pas m'attendre à ce que ça arrive du jour au lendemain.

Elle a conclu ses prédictions en m'affirmant, au vu d'une longue suite de carreaux, qu'il fallait surtout que je garde espoir et confiance dans mon travail, car il ne me ferait jamais défaut, et me vaudrait même quelques triomphes de mon vivant.

Tu te doutes bien qu'au début je n'ai pas cru un seul mot de ce que m'avait dit cette fille, et que je l'ai prise pour une fumiste sachant mentir avec beaucoup de conviction. Mais j'ai dû manger mon chapeau, car ses prédictions se sont accomplies une à une, ainsi que tu vas le voir. Sauf en ce qui concerne le travail, au moins pour le moment, car si le succès de *Droguées* mérite le qualificatif de triomphe, j'aime presque mieux rester toute ma vie une ratée.

Bien plus tard, une fois mon scepticisme en grande partie dissipé, je me suis mise à rechercher activement la trace de la sorcière. J'ai demandé aux personnes qui étaient ce soir-là à la fête si elles la connaissaient, ou si elles pouvaient me donner les coordonnées de quelqu'un qui la connaissait, mais personne ne se souvenait de cette fille blonde ni ne savait qui avait bien pu l'amener. La pythonisse était repartie comme elle était venue, emportant avec elle ses forces invincibles et ses constellations éparses. Elle était venue et repartie de façon aussi inattendue que le destin lui-même, cette loi mystérieuse qui un jour s'incarne et se fait réalité. Elle avait disparu comme si la terre l'avait avalée, et sans doute se trouve-t-elle aujourd'hui dans quelque univers parallèle, tenant compagnie, qui sait, à l'homme qui m'a offert la boussole.

11 octobre

Tu n'as ni grippe, ni pharyngite, ni fièvre, ni rien. Tu te plains par pur vice.

Je ne sais pas où j'ai lu qu'il y a deux sortes de mères : celles qui sont dépassées et qui le savent, et celles qui le sont sans le savoir. Hier, le médecin a habillé mon nuage noir d'un terme technique : « pharyngite virale aiguë ». Je peux te dire qu'en rentrant de la consultation, j'étais sérieusement dépressive, je ne pensais plus qu'à toutes les fêtes où je ne pourrais plus aller, à tous les hommes que je ne pourrais plus séduire, à tous les pays où je ne pourrais plus voyager… De là à décider que je suis triplement ratée, comme amante, comme mère et comme écrivain, il n'y avait qu'un pas. J'ai essayé de toutes mes forces de me répéter le mantra qui en pareil cas fonctionne généralement : « Concentre-toi sur ce que tu as et pas sur ce que tu n'as pas. » Mais quand ce que tu as s'appelle de la fièvre, des courbatures, le nez bouché, des barbelés dans la gorge et l'impression bizarre d'avoir avalé une douzaine de crapauds vivants, mieux vaut encore penser à ce que tu n'as pas. En fait, j'aurais pu me concentrer sur ce que j'ai : une petite fille adorable, en très bonne santé, et qui sait sourire bien que la médecine s'obstine à prétendre que c'est impossible, mais, comme tu le découvriras quand tu seras plus grande, ta mère a tendance, au moindre incident, à se noyer dans un puits d'autoapitoiement, surtout quand elle est malade ou fatiguée. Elle est, en cela, très masculine.

91

Je t'ai dit que les prédictions de la sorcière qui devait ensuite se volatiliser se sont accomplies une à une, il me reste à t'expliquer comment.

S'agissant des travaux dans mon appartement, il se trouve que pendant près de deux semaines il est tombé des trombes d'eau sur Madrid, au point que la pluie a fini par s'infiltrer à travers le sol de la terrasse et par orner le plafond de mon voisin du dessous d'une large tache d'humidité. Il a donc fallu soulever le plancher pour changer les antédiluviennes conduites en plomb, et les réparations, qui au départ devaient durer deux semaines, se sont, comme toujours ou presque, éternisées pour des raisons diverses, menaçant de battre le record détenu par les travaux de l'Escurial.

L'histoire du procès est longue et mériterait à elle seule un roman, en un sens c'en est d'ailleurs un par sa longueur et ses rebondissements, et je me demande comment je vais pouvoir te la résumer en quelques pages. Mais bon, je vais essayer.

Je venais de me séparer de mon harceleur moral présumé, *Droguées* était paru quelques semaines avant et le premier tirage n'était pas encore épuisé, personne n'imaginait d'ailleurs un tel triomphe, qui ne devait venir que bien plus tard, au bout d'un an et demi au moins, quand je serais déjà enceinte de toi. C'est alors, à une époque où, donc, j'étais encore anonyme et libre, que David Muñoz m'a téléphoné. Mais d'abord, il faut peut-être que je te raconte ce qu'il était devenu : il avait laissé tomber ses études de gestion en troisième année après avoir été recalé à cinq matières sur six (et je crois bien que s'il a eu la sixième, c'est uniquement grâce à un prof qui en pinçait pour lui autant que José Merlo autrefois) et ne savait plus très bien quoi faire de sa peau, de sorte que pour gagner un peu d'argent il était allé se présenter dans une agence de figurants, une de celles qui recrutent le public pour les émissions de télé, et s'était retrouvé sur un plateau où il servait de faire-valoir à Penelope Cruz débutante. Et comme il était vraiment beau gosse, le réalisateur de l'émission (victime à son tour du même coup de foudre que José Merlo et que le prof de gestion financière) l'avait remarqué, lui avait donné un petit rôle dans la série pour ados *L'Heure de la sortie* et l'avait même envoyé, séduit qu'il était par ce gamin naturellement photogénique, prendre des cours de théâtre chez Cristina Rota. C'est ainsi qu'il avait fini, bien que l'Argentine n'ait cessé de lui dire qu'il n'avait pas et n'aurait jamais l'étoffe d'un acteur, par faire son trou à la télé, et donc, quand il m'a appelée, il jouait depuis deux ans déjà dans *Sables mouvants*, une série qui tournait autour des prévisibles et niaises péripéties de la vie d'une famille heureuse et sans histoires qui habitait dans une villa sur laquelle un ministre n'aurait pas craché, et dont les personnages passaient leurs journées dans la cuisine, notamment pour que les spectateurs aient une vue imprenable sur les Tétrabriks de lait, les paquets de céréales et les boîtes de cacao en poudre portant la marque du sponsor de cette sitcom bien propre sur elle, familiale et tous publics, conçue et contrôlée par une productrice ultra-conservatrice. Tous les acteurs de la série étaient censés donner d'eux une image irréprochable, à plus forte raison David, qui malgré sa trentaine bien sonnée interprétait le rôle du fils de vingt ans, ce qui lui valait une popularité dévastatrice et un fan-club plus que nourri, outre le fait qu'il était devenu la véritable vedette de la série et son acteur le mieux payé. Aussi bien la productrice que son agent lui avaient signifié on ne peut plus clairement, lors du renouvellement de son contrat, qu'on attendait de lui qu'il reste digne de la philosophie familialiste de l'émission et *ne se trouve jamais mêlé à quelque scandale que ce soit*.

Scandale il y a eu pourtant, et quel scandale, lorsque sa photo est apparue en couverture du magazine *Cita*. Ou plutôt dans un coin de la couverture, car au centre se trouve, depuis le tout premier numéro, une créature de rêve plus que légèrement vêtue (généralement une actrice débutante ou une participante à une émission de téléréalité), promettant en pages intérieures une autre photo, celle-là carrément dévêtue, de ladite starlette. Dans un coin de la couverture, donc, il y avait la photo de mon ex-camarade de classe, avec cette légende : « David Muñoz, accro ! »

Mais sur la photo, David n'était pas seul.

12 octobre

Cette nuit, comme si tu avais voulu me dédommager de mes malheurs, tu as été un amour et tu as à peine pleuré. Et ce matin, tu consens même à dormir à côté de moi dans ton couffin, sans éprouver le besoin que je te prenne dans mes bras ni rien, tu as la tête appuyée sur ta petite main comme si tu pensais à quelque chose de très sérieux. Mais il faut que je sois là. C'est impa-rable : si je te fais dormir quelque part, que ce soit dans ton couffin, dans ton lit, dans ta poussette ou même dans le fauteuil, tu peux rester imperturbable pendant des heures, mais à condition que je sois là, tout près. Supposons maintenant que je m'éloigne plus de cinq minutes pour aller grignoter quelque chose dans la cui-sine. Tu t'aperçois alors, je ne sais pas comment, que je ne suis pas là, et tu te mets à pleurer selon le schéma habituel : d'abord un geignement interrogatif, à valeur d'avertissement, qui va *crescendo* et dégénère, si je ne réapparais pas pour te consoler, en hurlements qui lais-sent craindre que les voisins ne me dénoncent pour mauvais traitements à enfant. Mais pourquoi pleures-tu ? Parce que tu ouvres les yeux et que tu ne me vois pas ? De toute façon tu ne peux pas me voir, du moins pas à cette distance, car tu es censée ne distinguer les objets que s'ils sont à moins de trente centimètres de toi. Alors, est-ce parce que tu ne m'entends pas ? Il est possible que ce soit le bruit du clavier qui te manque, mais il arrive aussi que je sois là en train de lire sans faire le moindre bruit, et sans que tu te plaignes. Peut-être disposes-tu tout simplement d'un odorat surdéveloppé, ou d'un radar de chauve-souris grâce auquel tu captes mes ondes... En tout cas, tu ne peux dormir que si je suis près de toi. Une question de survie, je suppose, car un bébé qui n'a même pas un mois n'a guère de chances de s'en tirer si on le laisse seul et qu'on ne s'occupe pas de lui.

Je regrette de ne pas avoir sous la main l'un de mes livres favoris pour y chercher l'explication rationnelle ou scientifique de tes chouinements incessants. Ce sont des choses qui arrivent quand on déménage quinze fois en dix ans : on se convertit par nécessité au bouddhisme zen et on apprend à se passer de l'accessoire. Ce n'est pas que les livres soient accessoires, mais je ne pouvais pas me permettre d'avoir des centaines de volumes à trimbaler partout comme un escargot sa coquille, et donc je les offrais autour de moi en me disant qu'au moins je ferais des heureux, autosuggestion qui atténuait passablement la douleur de la perte. Le livre en question, qui me manque particulièrement en ce moment, est un livre de l'éthologue Konrad Lorenz, prix Nobel de médecine 1973, qui s'appelle *Les Oies cendrées.* Je l'ai lu et relu d'innombrables fois depuis l'âge de neuf ans jusqu'à vingt et quelques, quand je l'ai offert à je ne sais plus quel heureux mortel. (Ne va pas me traiter de bas-bleu parce que je lisais des livres de vulgarisation scientifique à un âge si précoce – précoce ne voulant pas dire tendre. Je dois dire à ma décharge que les illustrations étaient très belles et le texte très amusant, mais il est vrai que mes frère et sœurs, déconcertés par cette petite fille qui ne sortait jamais jouer dehors parce qu'elle préférait rester à la maison à lire tout ce qui lui tombait sous la main, me traitaient de pédante et bien pire encore, Laureta s'inquiétait même sérieusement pour ma santé mentale, ainsi qu'elle devait me l'avouer, ou plutôt me le jeter à la figure, des années plus tard.) Je crois que le livre est épuisé en Espagne, mais j'ai vu sur Amazon qu'il existe un tas d'éditions sud-américaines, et j'ai donc décidé de te l'acheter pour quand tu seras grande, même s'il est probable qu'à la longue tu sois rebutée par mes velléités de te faire lire des choses, car les enfants, ainsi que m'en a averti Miguel Hermoso, font toujours ce qu'on ne veut pas qu'ils fassent, et s'intéressent justement à ce qui vous contrarie le plus. C'est ce que les psychologues appellent « se définir en s'opposant », et j'ai donc tout lieu de supposer que, quand tu seras grande, tu seras torera, fan du Real Madrid, skinhead, spéculatrice immobilière ou prévaricatrice.

Le livre décrivait un comportement identique au tien : d'abord un appel interrogatif, puis un gémissement d'intensité croissante, qui dégénère enfin, lorsque le bébé constate l'absence de sa mère, en une crise de larmes incontrôlable. Les bébés dont il s'agissait étaient des bébés oies – des oisons, plus précisément. Un oison qui a perdu ses parents ne se lamente pas en silence : il pleure de toutes ses forces, il est absolument incapable de se consacrer à une autre activité. Il ne mange pas, il ne boit pas, il ne fait qu'errer en pleurant, inconsolable, car il sait que ses chances de survie sont inexistantes s'il ne retrouve pas ses parents, et il est donc tout à fait sensé de sa part de consacrer toute son énergie à les retrouver.

Je présume que c'est le même réflexe instinctif de survie qui est inscrit dans l'un de tes gènes. Tu vérifies ce postulat de la science selon lequel tout individu est soumis à des lois implacables, auxquelles il réagit de façon inconsciente, du fait même que cette réaction est provoquée, postulat qui s'ajoute à celui, plus ancien, du Plan Divin. Mais peu importe que tu sois guidée par le Créateur ou par tes gènes, tu sais que tu es perdue sans un adulte, que tu as très peu de chances de survivre si tu ne peux pas compter sur quelqu'un qui t'aide, et c'est pourquoi tu cries si désespérément dès que tu t'aperçois que tu es seule. C'est le gémissement de l'enfant abandonné que nous avons tous en nous. C'est pour cela qu'il nous est si pénible de faire face à l'absence ou la désertion de ceux que nous aimons, et pas seulement quand nous sommes bébés.

Le texte de l'article paru dans les pages centrales de *Cita* et qui avait réduit en pièces l'image de gendre idéal de David Muñoz était le suivant :

L'occasion fait le fêtard. C'est ce qu'ont dû se dire David Muñoz et ses amis, parmi lesquels son amie très intime, la journaliste Eva Agulló, quand il s'est agi de fêter l'anniversaire du héros de Sables mouvants. *Une fête des plus effrénées, pour laquelle, ainsi que le montrent nos photos, tous les ingrédients étaient réunis.*

David Muñoz, le protagoniste de la célèbre série télé, s'est pour le moins éclaté lors de la fête donnée pour son tout dernier anniversaire. Le bourreau des cœurs avait choisi une discothèque on ne peut plus à la mode pour donner libre cours à ses instincts les plus débridés. Une noce en bonne et due forme, à laquelle David avait convié son amie la journaliste Eva Agulló, qui s'est révélée ce soir-là sa complice la plus décidée.

Beaucoup d'excitation, donc, au cours de cette folle nuit où tout était réuni pour que la fête soit complète, malgré quelques absences notables, dont celle de l'épouse de David, la comédienne Verónica Luengo, qui jouait le lendemain, à Valence, De l'importance d'être constant, *pièce qu'elle emmène en ce moment dans une grande tournée à travers toute l'Espagne, ce qui la tient éloignée de son foyer une bonne partie de l'année. Mais peut-être Verónica, après avoir vu ces images, reconsidérera-t-elle « l'importance d'être en tournée », et se demandera-t-elle s'il faut vraiment laisser un tel bourreau des cœurs affronter seul les tentations de la grande ville.*

Nos photos montrent un David séducteur, plus désinhibé que jamais, ignorant les regards indiscrets des nombreux clients de l'établissement qu'il a choisi pour célébrer son anniversaire. Une soirée des plus festives, au cours de laquelle il semble fondre sous les tendres câlins de son accompagnatrice, sans songer aux conséquences possibles d'une telle incartade sur sa relation avec Verónica, avec qui, cet été encore, il se faisait photographier dans sa maison de Majorque, le couple annonçant à cette occasion son intention d'avoir leur premier enfant dans un avenir proche.

Il y avait ce soir-là de l'alcool, beaucoup d'alcool, ainsi que d'autres substances, sans compter les tendres caresses prodiguées par David à celle qui semblait bien, ce soir-là, être la destinataire privilégiée de ses démonstrations d'affection, ainsi que l'on peut le constater sur ce cliché qui montre nos deux tourtereaux surexcités par la tournure que prend une soirée décidément de plus en plus chaude.

Il y avait du champagne, des rires, des cris et bien d'autres choses encore, au point que, par moments, David et sa compagne étaient, ainsi que le suggèrent nos photos, au bord de l'étourdissement, voire en état apparent de quasi-inconscience.

Ce n'est pas la première fois que la vedette de Sables mouvants *(où il incarne le charismatique Rubén) finit la soirée dans cet état, ou même pire. À deux reprises, en effet, David avait été admis à la clinique de la Conception de Madrid, pour y suivre une cure de désintoxication, suite à des épisodes répétés de consommation abusive de stupéfiants, dont certains lui avaient valu de finir la soirée aux urgences de l'hôpital Ramón y Cajal. Quant à sa partenaire de la soirée, elle n'est pas non plus sans expérience dans ce domaine, car elle vient de publier son premier livre,* Droguées, *où elle fait montre d'une grande connaissance du monde de la toxicomanie. En tout cas, que David soit encore accro à la cocaïne ou non, il semble surtout accro à sa nouvelle cavalière.*

David et Eva étaient-ils vraiment, ce soir-là, dans un état d'ébriété plus qu'avancé, dû à une importante absorption d'alcool ainsi que d'autres substances moins autorisées ? Toujours est-il qu'ils se sont vite ressaisis, ainsi que le montre cette image, prise après une étreinte à réveiller les morts, concluant en beauté cette soirée mémorable qui s'est achevée au petit matin, plus précisément vers les 6 h 30, alors que l'aube commençait à poindre. Ainsi qu'on peut le voir sur la photo de la page suivante, le couple a quitté l'établissement tendrement enlacé, au terme d'une nuit très chaude que ni David ni Eva, on peut en être certain, n'oublieront de sitôt.

Les photos qui accompagnaient le reportage étaient éloquentes. La première nous montrait, David et moi, nous étreignant comme deux tourtereaux. Sur la deuxième, j'étais vautrée dans un fauteuil aux côtés de David. Sur la troisième, on nous voyait tous deux sortir de la boîte et partir bras dessus bras dessous.

La dernière photo portait cette légende : « David et Eva, accro ».

13 octobre

Hier, Sonia l'actrice est venue me voir (je dis bien . Sonia l'actrice, dite *Sweet* Sonia tellement elle est affectueuse, à ne pas confondre avec mon ancienne camarade de classe, Sonia la photographe, dite *Slender* Sonia à cause de son extrême minceur, ni avec Sonia la scénariste, dite *Suicide* Sonia en raison de sa conduite téméraire, ni avec Sonia la DJ, dite *Senseless* Sonia du fait de son penchant pour l'ecstasy… C'est bien clair pour toi, maintenant ?), non, en fait c'est surtout toi qu'elle venait voir, et j'étais à ramasser à la petite cuiller, plus cafardeuse qu'un enterrement par temps de pluie, sous le double effet du manque de sommeil et de l'incubation du virus. Il est loin, le moment où je m'étais dit, en lisant le mot que m'avait envoyé la « princesse » Nuria, qu'elle devait être bien frivole pour s'inquiéter à ce point d'avoir le corps tout déformé, car j'ai assailli Sonia de questions pour savoir quand je retrouverais ma silhouette d'avant, comme si elle était spécialiste de fitness, d'endocrinologie ou de diététique, ce qu'elle n'est pas : sa seule compétence lui vient de ce qu'elle-même a eu un enfant. Elle m'a répondu : « Jamais. On ne la retrouve jamais. » J'allais écrire qu'elle s'y est dite « résignée », mais non, c'était plutôt « satisfaite », comme si elle était ravie de la perte définitive de sa taille de guêpe et de son petit cul retroussé, et de la perspective illusoire qu'elle ne serait plus harcelée sur les tournages et lors des premières par des producteurs libidineux.

Je le vois bien chez mes sœurs : l'une comme l'autre ont plus ou moins fière allure selon qu'elles prennent plus ou moins soin d'elles et font plus ou moins d'exercice (Laureta campe pratiquement à son club de gym et Asun y va trois fois par semaine), mais, bien sûr, aucune n'a retrouvé la ligne qu'elle avait avant d'accoucher, pas même la Divine Laureta (ainsi surnommée par ses amis depuis l'adolescence, en hommage à son élégance, à sa haute stature et à sa silhouette élancée), à qui je trouve cependant que la maternité sied fort bien, car elle était trop maigre avant, il faut dire qu'elle n'a plus mangé un seul pain au chocolat depuis l'âge de quinze ans, depuis que notre frère Vicente l'avait traitée de « gros-cul » à l'occasion d'une dispute à propos d'un pull-over que je ne sais plus lequel des deux avait chipé à l'autre. C'est typiquement la sœur faite pour donner des complexes à son entourage. Elle vient d'avoir quarante ans et a gardé une allure que je n'ai jamais eue et que je n'aurai jamais, avec de longs cheveux noirs et lisses, presque asiatiques, de publicité pour shampooing, qui lui tombent jusque sous les épaules. (Les cheveux, elle les entretient, bien sûr, de même qu'Asun, toutes deux ont toujours l'air de sortir de chez le coiffeur – et peut-être pas que l'air, d'ailleurs –, ce qui rend plus criante encore la différence avec leur petite sœur, dont les cheveux blonds et frisés sont généralement ébouriffés comme une serpillière.) Les gens qui ne nous connaissent pas bien croient souvent que Laureta est plus jeune que moi, et tout le monde dit qu'elle est le portrait craché de ma mère, mais moi qui suis née quand ma mère était déjà assez âgée, je l'ai toujours connue avec les cheveux blancs coupés court, ou du moins je ne me rappelle pas l'avoir vue autrement. Sur les photos de mariage, bien sûr, on est frappé par la ressemblance : les mêmes yeux noirs, le même air de statue baroque, ce visage de jeune vierge pensive qui n'a jamais cassé une assiette. Ceux qui l'ont connue dans sa jeunesse disent que c'était une beauté, que la moitié d'Alicante se retournait sur son passage, et j'ai même entendu une fois tante Eugenia dire, après une des disputes les plus retentissantes que mes parents aient jamais eues, et à la suite de laquelle ma mère était retournée passer trois jours dans sa famille, qu'elle n'avait jamais compris comment son Eva avait fini par épouser ce moins que rien, belle comme elle était, elle n'avait qu'à choisir entre les meilleurs partis d'Alicante, ce n'étaient pas les propositions qui manquaient.

À ta mère non plus les propositions n'ont pas manqué, je peux te l'assurer. Le problème, c'est qu'elle choisissait presque toujours les pires.

En réalité, David et moi ne nous sommes même pas embrassés ce soir-là, et n'avons même pas sniffé un seul rail de coke. En tout cas pas moi. Ce qui était vrai, en revanche, c'est que c'était son anniversaire et que je faisais partie des invités. Je ne suis pas certaine pour autant que notre amitié ait mérité d'être appelée intime (en tout cas pas dans le sens que suggérait le magazine), ni qu'à un moment quelconque de la soirée je me sois retrouvée dans un état semi-inconscient.

La photo sur laquelle s'appuyait l'article pour parler de « tendres câlins » illustrait en réalité un moment passablement innocent où je parlais à l'oreille du « bourreau des cœurs » sans y être poussée par un quelconque élan amoureux ou lascif, mais simplement par le fait que le tintamarre assourdissant de la discothèque ne permettait pas d'avoir une conversation à plus de quinze centimètres de son interlocuteur. Et David avait certes passé son bras derrière mon épaule, mais il ne s'agissait nullement d'un traitement de faveur, car ce soir-là il avait gratifié d'attentions identiques la moitié de ses amis des deux sexes.

L'autre photo qu'invoquait le magazine pour parler de mon « état semi-inconscient » avait été prise en réalité à un moment où j'avais juste trop bu et avais dû m'asseoir dans un fauteuil pour ne pas m'évanouir. David, tout plein de sollicitude, s'était assis à côté de moi et tenait une de mes mains entre les siennes, mais c'était moins une « démonstration d'affection » qu'une façon de me dire qu'il ne me laisserait pas tomber, qu'il était prêt à m'accompagner pour prendre l'air dehors si j'en avais besoin.

C'est d'ailleurs ce qu'il a fait, mais vers 1 heure du matin, et non pas à 6 h 30. Encore un moment immortalisé par le photographe. De sorte que le cliché dont excipait l'article pour écrire que « le couple a quitté l'établissement tendrement enlacé » ne montrait en réalité que ma sortie du Pachá, accrochée à David pour ne pas tomber.

Nous sommes restés à peine cinq minutes dehors à prendre le frais, jusqu'à ce qu'apparaisse Consuelo, que nous n'avions pas réussi à trouver au milieu de la foule de la discothèque, mais qui, dûment prévenue par SMS, s'est empressée de venir prendre la relève de David, lequel a pu ainsi retourner à l'intérieur pour la suite de sa soirée d'anniversaire. Je ne sais pas si elle a fini à 6 h 30 du matin. Ce que je sais, c'est qu'à 2 heures j'étais chez moi, seule.

Je ne savais même pas que David était marié, et pour cause, il ne me l'avait jamais dit. En fait, il s'était marié à Bali selon l'un de ces rites exotiques qui te permettent d'être marié aux yeux de Vishnou, Brama ou Shiva ainsi qu'à ceux des lecteurs du magazine qui a payé pour l'exclusivité, mais pas à ceux du Trésor public ni de l'état civil espagnol, car on n'est jamais trop prudent, David aurait pu ensuite vouloir divorcer et sa partenaire essayer de s'arroger la moitié de ses biens ou réclamer une pension. Il n'avait donc invité aucun de ses anciens camarades de classe, et comme nous ne lisions pas la presse du cœur, nous n'étions même pas au courant. Nous savions qu'il appréciait fort la compagnie féminine, car à l'époque nous fréquentions encore les mêmes cafés, et organisions tous les trente-six du mois une réunion nostalgique des anciens du collège, où il venait toujours accompagné de filles très jeunes, évidemment toutes fières d'être vues avec lui. Il nous avait même invités un soir à boire un dernier verre chez lui, où il n'y avait pas la moindre trace, pas le moindre indice trahissant une présence féminine : son appartement était neutre et lisse comme une chambre d'hôtel. Et ce, d'autant plus qu'il n'y habitait pas. Après son mariage (ou ce qui en tenait lieu), et bien qu'ayant emménagé avec sa compagne dans une petite villa d'un lotissement de luxe dans les montagnes autour de Madrid, il avait conservé sa garçonnière en ville, faisant valoir qu'il avait besoin d'un pied-à-terre pour pouvoir aller aux premières des films et des pièces, afin d'y nouer des contacts ou tout simplement de se faire voir, de montrer qu'il était toujours dans le circuit, car il envisageait difficilement, après les quelques verres qu'on buvait inévitablement dans ces circonstances, de reprendre sa voiture pour faire soixante kilomètres en pleine nuit. Naturellement, sa femme l'accompagnait aux premières aussi souvent qu'elle pouvait, mais elle pouvait rarement, étant donné que, comme nous l'avons vu, elle était souvent en tournée. Car les productions dans lesquelles jouait Verónica n'étaient pas de celles qui avaient les honneurs des scènes de la capitale, et en disant cela, je pense que tu auras compris qu'elle devait davantage sa notoriété à son statut de femme de bourreau des cœurs qu'à son talent d'actrice. Mais tout cela, je ne l'ai su que bien plus tard.

14 octobre

Je faisais partie de ces irréfléchies qui croient que la maternité, loin d'altérer leur corps le moins du monde, va les métamorphoser en une quadragénaire ébouriffante, une quinquagénaire époustouflante, une sexagénaire magnétique et une septuagénaire incendiaire (Ángela Molina, Marisa Paredes, Pilar Bardem et Julieta Serranos, pour qu'on se comprenne bien). J'avais oublié que la plupart des modèles féminins que nous offrent les médias sont en réalité des reconstructions (aussi bien pré que post-partum), et que toute ressemblance entre ces clones de femmes et la triste réalité est pure coïncidence.

Sonia m'a raconté (Sonia l'actrice, précision qu'il me faut toujours ajouter si je ne veux pas qu'on la confonde avec les autres Sonia) que, lorsqu'elle a accouché à la clinique Nuevo Parque, une infirmière est venue lui demander si elle voulait en profiter pour se faire faire une liposuccion. Il paraît que c'est un usage répandu chez les modèles : césarienne et lipo, d'une pierre deux coups, et tu ressors de la clinique avec le même jeans serré que tu avais le jour de ton test de grossesse. Mais ce que j'ai trouvé le plus incroyable, c'est que d'après Sonia, il est très courant à Hollywood de pratiquer une césarienne au début du huitième mois pour parer à l'élargissement redouté de l'os de la hanche, qui se produit juste en fin de grossesse, et garantir ainsi à la future mère qu'elle ne dépassera jamais la taille 38. Ça a presque l'air d'une expérience de médecins nazis, et je n'ai pas la preuve que ça se fasse vraiment, mais ce serait bien la seule chose qui puisse expliquer qu'on voie dans les émissions *people* tant de reportages sur des mères de deux ou trois enfants qui arborent à Ibiza un maillot de bain miniature cachant à peine un corps que ta cousine Laurita (la fille de Laura, que ce diminutif castillan permet de distinguer de sa mère qu'aujourd'hui encore beaucoup de gens continuent d'appeler Laureta) aurait rêvé d'avoir à dix-sept ans (et pourtant, le physique de ta cousine Laurita est toujours cité en modèle).

Cette obsession de conserver à tout prix un corps prépubère est sans doute lamentable et tout ce que tu voudras, mais le fait est qu'elle est devenue une pandémie. J'ai lu avant-hier dans le journal qu'au Brésil, pays où soixante pour cent des opérations pratiquées sont de chirurgie esthétique, une majorité de mères n'allaitent pas leurs enfants. Les femmes interrogées n'invoquent pas des raisons de commodité, ni le fait qu'elles doivent reprendre leur travail, ni la prescription de leur pédiatre ou de leur gynécologue, mais simplement la peur de la flaccidité mammaire. Sans commentaire. J'essaie de me dire que le corps n'est pas une chose si importante et de me laisser contaminer par la sérénité de Sonia, mais je crains d'être trop conditionnée par le matraquage médiatique et par toutes ces années où j'avais bien conscience que l'attrait que j'exerçais sur les hommes était davantage lié à ma poitrine qu'à mon esprit ou à mon charme, de sorte que j'ai du mal à admettre qu'une de mes principales monnaies d'échange sur le marché de l'interaction sociale se trouve dévaluée du jour au lendemain.

La Bourse a chuté le jour même où le test de grossesse a été positif.

Évidemment, si j'avais été une lectrice de la presse du cœur ou une spectatrice assidue des émissions *people*, j'aurais su que David s'était marié (ou avait fait semblant) avec une actrice de faible prestige mais d'une certaine notoriété, et que leur couple était un sujet permanent de reportages, tant il offrait l'image du couple idéal, c'est-à-dire jeune, beau, célèbre, et amoureux. Telle était l'image qu'ils avaient à vendre, l'un et l'autre.

Et lorsque cette image s'est déchirée, David l'a payé très cher, car Nutrespan, la firme de produits alimentaires qui sponsorisait la série, et dont le président de droit divin était un self-made-man numéraire de l'Opus Dei dans la plus rance tradition Ruíz Mateos, a exigé de la productrice qu'elle résilie le contrat de l'ex-étoile montante afin qu'elle ne nuise pas à l'image de la marque. Les scénaristes se sont donc empressés d'inventer à Rubén, le personnage qu'il interprétait, un MBA et une fiancée aux États-Unis, mettant le point final à sa fulgurante carrière télévisuelle.

Le scandale a été énorme. Toutes les émissions de potins et les magazines sur papier glacé en parlaient, la moitié de l'Espagne connaissait mon nom, et pendant quelques semaines je suis devenue plus célèbre que la fiancée de l'infant Felipe.

Et j'ai bien failli me trouver prise au même piège que David, car la radio à laquelle je collaborais appartenait à un groupe de presse catholique, de sorte que mon contrat ne tenait qu'à un fil. Si je n'ai pas été chassée avec pertes et fracas, c'est uniquement parce que l'animateur de l'émission, un sexagénaire catholique et sentimental que je soupçonnais d'être un peu amoureux de moi, a refusé tout net de signer ma lettre de licenciement, et leur a dit que, s'ils me licenciaient, ils devraient le licencier aussi, et comme cet animateur était très populaire, travaillait depuis quarante ans pour cette vénérable maison et avait un contrat en béton, se passer de mes services aurait pu leur coûter très cher, si bien qu'ils y ont réfléchi à deux fois.

Ma mère en a presque fait un infarctus, je n'exagère pas, car elle est cardiaque et il a fallu l'emmener aux urgences pour tachycardie. Mon père est resté très longtemps sans m'adresser la parole, et deux maisons d'édition ont cessé de faire appel à moi. La directrice de collection de l'une des deux m'a expliqué, en petit comité et fort aimablement, que ses patrons ne voulaient plus voir mon nom associé au leur, afin de préserver leur image de « sérieux littéraire ». En clair, je pouvais dire adieu à mes traductions, *rewritings* et autres travaux de correction. (Les patrons de la maison en question avaient demandé à chaque candidate à la direction de la collection de littérature enfantine, lors de l'entretien d'embauche, si elle pouvait se considérer comme « quelqu'un de respectable ». Ainsi que l'heureuse élue me l'a elle-même raconté après coup, elle avait eu l'inspiration bienvenue de répondre d'un oui sans appel et sans l'ombre d'une hésitation, moins parce qu'elle se considérait effectivement « respectable » que parce qu'elle avait besoin du job.) De l'autre éditeur, je n'ai pas eu de nouvelles directes. Et ailleurs, c'était la même chose : à la banque, où j'avais toujours eu droit à un traitement des plus courtois, on me battait désormais on ne peut plus froid, ce qui est très déplaisant quand on est en pleine procédure de renégociation de son prêt, qu'en plus on n'a pas de caution et que les revenus fixes dont on peut se prévaloir sont des plus limités. J'avais certes publié un livre sous mon nom, mais il venait à peine de sortir et je ne m'étais pas encore installée aux premiers rangs du box-office (je crains que ce ne soit le scandale de *Cita* qui ait contribué à doper les ventes, avant que le bouche-à-oreille fasse le reste), de sorte que j'étais obligée de conserver mon émission hebdomadaire à la radio, de faire le siège téléphonique des éditeurs pour leur proposer un nouveau livre dans la lignée de *Droguées* et, bien sûr, d'accepter tout et n'importe quoi pour payer les mensualités de mon appartement. Quant à mes voisins, ils détournaient le regard quand ils me croisaient en sortant de l'ascenseur. Et même le portier du bar-karaoké de l'immeuble d'à côté me tirait une tronche de six pieds de long quand je passais devant son établissement.

En revanche, j'ai dû mettre sur répondeur mes deux téléphones, le fixe et le mobile, qui n'arrêtaient pas de sonner, et ma messagerie électronique était engorgée. Le pays tout entier semblait avoir mes coordonnées, jusques et y compris les moindres pigistes des plus obscures feuilles de chou de sous-préfecture, la vice-présidente et la trésorière-adjointe du fan-club de David, et même plusieurs de ses ex-petites amies qui voulaient me témoigner leur solidarité. Pendant des semaines, j'ai eu des paparazzi postés en bas de chez moi, et je ne pouvais pas sortir sans tomber sur un reporter qui me posait, micro en main, la même et sempiternelle question : « Qu'en est-il de ta relation avec David Muñoz ? »

J'ai aussi reçu des appels de *Cita*, qui me proposait plusieurs millions pour une photo nue. Ainsi que des responsables de deux émissions de télé qui étaient en cheville avec le magazine, et avaient d'ailleurs en partie les mêmes collaborateurs. Je les ai envoyés paître sans ménagement en les avertissant que j'allais déposer plainte. Je me souviens encore de la réponse que m'a faite l'un d'eux au bout du fil : « Si tu es assez intelligente pour comprendre où est ton intérêt, ne le fais pas. »

Et j'ai reçu des propositions de toutes les émissions à sensation possibles et imaginables, qui sollicitaient des interviews en échange de chèques à six zéros qui m'auraient permis de rembourser mon prêt et de m'acheter au passage une villa dans une résidence haut de gamme. Et plus j'en refusais, plus on m'en proposait, et plus les sommes augmentaient. J'ai calculé qu'en faisant la tournée de tous les plateaux télé, je me serais fait quelque chose comme cent millions de pesetas de l'époque.

Mais je ne l'ai pas fait, pour trois raisons de principe.

La première, c'est que ma mère, qui s'en était toujours tenue à l'idée qu'une dame comme il faut n'a son nom cité dans les journaux que deux fois, la première au moment de sa naissance et la seconde à l'occasion de son mariage, en serait morte d'écœurement.

La deuxième, c'est que, même en sachant que mes chances de percer comme écrivain « sérieux » étaient des plus réduites, il allait de soi qu'elles deviendraient franchement nulles si je me prêtais à ce genre d'exhibitions.

La troisième, c'est que j'avais été élevée dans le respect de notions telles que la morale et la dignité, et que c'est un conditionnement dont j'étais incapable de me libérer. J'aurais donc dépensé ensuite en psychiatres tout ce que j'y aurais gagné, car je n'aurais jamais pu me pardonner à moi-même.

Si bien que j'ai opté pour une tout autre solution : mettre à exécution la menace faite au connard que j'avais eu au téléphone. J'ai donc appelé Paz pour lui dire que je voulais poursuivre l'hebdomadaire *Cita*.

15 octobre

J'ai dû interrompre ma frénésie dactylographe, car à midi tu as ouvert les yeux et tu as réclamé, une fois de plus, que je te prenne dans les bras. Et j'ai passé le reste de la matinée à te chanter des berceuses de ma voix de fausset. Jusqu'à 14 heures, heure à laquelle ton père est arrivé et où tu t'es endormie. C'est le schéma habituel. Je commence en effet à me rendre compte que tu fais la même chose tous les jours. À midi et à 20 heures, tu ouvres les yeux et tu gémis. Tu ne veux pas de biberon, pas de tétine, ni qu'on te change ta couche. Tu veux juste qu'on te prenne dans les bras. Ce sont tes heures maudites.

Le soir, nous avons plus de temps à te consacrer (car dans la journée je reçois toujours des coups de fil importants au moment même où tu te mets à réclamer. C'est presque mathématique, une preuve empirique de la foutue loi de Murphy) et nous en profitons pour te baigner. Ou plutôt ton père en profite pour te baigner parce que tu n'aimes pas qu'on te passe l'éponge sur le corps et à chaque fois tu pousses des hurlements de tous les diables, et soit ton papa a les tympans moins sensibles que moi, soit sa patience est plus développée (ce qui n'est pas très difficile). Il va de soi que je te pardonne toutes ces avanies, tellement tu es mignonne et rigolote (et je ne dis pas ça par aveuglement maternel). Par exemple, tu souris si je te fais des chatouilles, et tu prends un air de profonde concentration chaque fois que je te chante quelque chose, comme si tu essayais d'identifier la mélodie (tâche impossible, et pas seulement parce que tu es un bébé : quand tu seras grande, tu auras tout autant de mal, car je chante horriblement faux, même si je suis la Callas à côté de ton père). Ton père t'appelle « l'éponge d'amour » tellement tu es faite pour être aimée. Je me rappelle qu'un jour où j'étais encore en train de me plaindre de quelque chose, il m'a dit : « Allons, tu ne vas tout de même pas nous faire une dépression ? Regarde plutôt ta fille : c'est un Prozac naturel. » Et c'est la vérité, soit parce que vous autres bébés êtes tous comme ça, soit parce que le jour de ta naissance Vénus était en Balance, ce qui signifierait que les astres t'ont dotée d'une beauté et d'un talent artistique tels qu'il sera très difficile d'échapper à ton charme. Dans ce roman que j'ai abandonné en plein milieu et dont l'action se déroulait à Santa Pola, l'héroïne (qui porte le même nom que toi) était née sous la même conjonction des planètes. Et c'est ce qui la rendait irrésistible.

Il y avait une chance sur deux que Vénus soit en Balance le jour de ta naissance.

C'est le hasard.

Ou pas.

Paz travaillait alors dans un des plus prestigieux cabinets de Barcelone, et bien qu'étant l'une des plus jeunes avocates, elle y était considérée comme un élément de grand avenir. Une affaire comme celle que je lui apportais était une chance à ne pas manquer, car si elle gagnait, ce serait un immense triomphe pour le cabinet, et encore plus pour elle, peut-être même serait-ce le coup de pouce décisif qui convaincrait ses patrons de faire d'elle leur associée. Mais elle savait que ce serait très difficile, pour de nombreuses raisons. La principale était que *Cita* pouvait se prévaloir du douteux honneur d'être la publication espagnole accumulant le plus grand nombre de procès en diffamation. Je crois qu'en vingt-cinq ans d'existence, on lui en avait fait cent dix-huit. Mais seul un sur dix allait jusqu'à son terme, étant donné que l'hebdomadaire vivait du scandale, et avait en conséquence mis au point une méthode bien rodée, qui est à peu près la suivante.

Tout d'abord, le journal publie une information de nature à faire vendre, même si elle risque aussi, à l'évidence, de lui valoir un procès. Car, tout bien considéré, l'affaire est rentable : d'éventuels dommages et intérêts ne coûteront jamais plus cher que les bénéfices rapportés par le surcroît de ventes et, surtout, de publicité. Pour prendre un exemple on ne peut plus concret, une information comme l'infidélité présumée de David est reprise par des centaines de médias, dont chacun cite au passage le nom du magazine, et cette notoriété accrue lui permet d'augmenter ses tarifs de publicité. En réalité, *Cita* vend moins d'exemplaires qu'on ne pourrait le penser, car la plupart de ses lecteurs le lisent sur l'Internet, et ses recettes lui viennent principalement des annonceurs, que ce soit sur l'édition papier ou sur le site web.

Deuxièmement, un procès est somme toute relativement peu probable, car un particulier ne peut s'offrir un avocat qui fasse le poids face aux huit, je dis bien huit, qu'emploie le magazine, lequel appartient à un groupe de presse aussi important que puissant ; des avocats payés un salaire de ministre, et plus que rompus à toutes les techniques légales permettant de contrer les plaintes pour calomnie, diffamation ou atteinte à l'honneur.

Quand bien même le procès a finalement lieu, lesdits avocats forment recours sur recours pour décourager la partie adverse, qui ne peut se permettre de dépenser une fortune en heures de consultation juridique. Et si d'aventure la partie adverse en question est assez riche pour ne pas s'avouer vaincue (comme Isabel Preysler ou Ana Obregón), le jugement définitif peut intervenir jusqu'à dix ans après la première instance, quand la réparation du dommage n'avait plus de sens.

— Tu vois, m'a expliqué Paz, il est aussi bon marché de diffamer que de polluer. Il est plus rentable pour une entreprise de jeter ses déchets à la rivière que de modifier sa chaîne de production, car les amendes sont ridiculement faibles. De la même façon, il ne coûte presque rien, à n'importe quel média, de diffuser de fausses nouvelles, car ils sont très rarement condamnés à payer, et quand par hasard ça leur arrive, le montant est dérisoire par rapport aux millions gagnés. Comme, en général, un particulier qui fait un procès dépense plus en frais d'avocat qu'il ne peut espérer recevoir de dommages et intérêts, la plupart des personnes diffamées n'osent tout simplement pas porter plainte, faute d'en avoir les moyens. La justice est chère, mais l'injustice est bon marché pour celui qui la commet. Tout ça pour te dire que si tu les poursuis, tu t'exposes à de terribles ennuis, car le groupe de presse est très puissant et peut te rendre la vie impossible. Dis-toi bien que tu seras sur la liste noire d'un tas de médias pour lesquels tu ne pourras plus travailler et qui feront tout pour démolir n'importe quel livre que tu sortiras. David, lui, n'a pas l'intention de les poursuivre, je me suis renseignée.

— Et pourquoi ça ?

— Son avocat n'a pas voulu me le dire, mais j'ai eu accès à d'autres sources. Il semble que *Cita* ait tout un dossier sur ses cures de désintoxication ainsi que sur toutes les fois où il a été admis aux urgences pour overdose, et qu'ils menacent de tout publier. Cela signerait la fin de sa carrière, et pour toujours.

— Dans ces conditions, il a peut-être raison… Et quant à moi, après tout, tant mieux si on parle de moi, même en mal.

— Non, ne dis pas ça, personne n'a intérêt à traîner une réputation de junkie, surtout dans le cinéma. Prends Guillaume Depardieu, par exemple : personne ne voulait l'assurer à cause de la réputation qu'il avait. Et quelle société de production se risquerait à faire un contrat à un acteur qui n'est pas assuré ? Je crois que ce serait très difficile pour David, sauf bien sûr s'il acceptait d'aller à *Tombola* ou à une émission comme ça pour raconter ce que la drogue a fait de lui. Et puis il paraît qu'il doit tourner un film avec un assez gros budget, et s'il se mettait dans le circuit de la télé-poubelle, le réalisateur renoncerait sûrement à le faire jouer.

— Mais comment sais-tu tout ça ?

— Tu sais, il n'y a pas que *Cita* qui soit bien informée… Je sais aussi, figure-toi, comment ils se sont procuré les dossiers de l'hôpital Ramón y Cajal et de la clinique de la Conception, qui sont pourtant censés être confidentiels. En général, ils les obtiennent en soudoyant un infirmier qui travaille dans le service, mais pour le coup, ils avaient une source d'information privilégiée. Devine qui les a mis sur la piste ?

— Pas idée.

— Je te le donne en mille… Sa femme !

Ce matin, je t'ai emmenée chez le pédiatre : tu pèses 4,950 kilos. C'est-à-dire presque 5 kilos. Tu es énooooorme ! Il paraît que les enfants nourris au biberon grossissent plus car ils ne restent jamais sur leur faim.

Je suis encore malade, car ma pharyngite est guérie mais la trachéite redoutée a fait son apparition (je ne m'étendrai pas sur les antécédents médicaux de ta mère : sache seulement qu'elle souffre d'une trachéite chronique d'origine allergique, réactivée par la moindre grippe ou le moindre refroidissement), et beaucoup de gens, quand j'éternue ou que je me mouche, me demandent si je t'allaite. Ils partent du principe que le lait maternel immunise et pas le biberon, et que je ne risque pas de te contaminer si je t'allaite. Mais même sans lait maternel, tu restes en parfaite santé. Quand je réponds que non, que je te nourris au biberon, on me regarde avec méfiance, comme si j'étais une mère dénaturée. La tête de la dame de l'herboristerie, par exemple, était tout un poème : comment moi, qui suis pour l'alimentation naturelle, qui suis végétarienne, qui fréquente assidûment sa boutique, ai-je pu manquer au commandement numéro un de la parfaite maman bio ? Au début je me répandais en explications sur mes problèmes médicaux, mais à la longue j'en ai eu ras-le-bol et j'ai décidé de ne plus me justifier. Et si j'avais choisi de ne pas t'allaiter parce que je suis tout simplement une femme frivole qui a envie de continuer à profiter de la vie ? N'ai-je donc pas le droit de décider moi-même si je veux être une vache à lait ou un mammifère en liberté ? Le vieux slogan « C'est nous qui accouchons, c'est nous qui décidons » serait-il passé de mode ? Oui, je sais bien que le lait maternel est meilleur, plus sain, et patati et patata, mais ta courbe de poids est parfaite et le pédiatre dit que tu te portes comme un charme.

Et puis, ces derniers temps, je n'ai pas arrêté d'entendre des femmes me raconter que leur enfant pleurait tout le temps, jusqu'à ce qu'au troisième mois elles l'aient mis au biberon et qu'il se soit tout de suite calmé, et elles se sont alors rendu compte de ce qui se passait : leur bébé était en train de mourir de faim. À ce qu'affirment le docteur Carlos González et ses disciples, à savoir que le lait maternel est toujours fourni en quantité suffisante, j'oppose le simple sens commun : avec cette vie moderne faite de stress, de tabac, d'alcool, de mauvaise alimentation, etc., il n'y a rien d'extraordinaire à ce que la production de lait soit insuffisante chez certaines femmes, de la même façon qu'est en train de chuter la production de spermatozoïdes du mâle occidental moyen. À Elche, où est née ma mère, beaucoup de femmes recouraient autrefois à des nourrices parce qu'elles n'avaient pas assez de lait pour nourrir leurs nouveau-nés. Et comme à l'époque il n'y avait pas d'*executive women* et que la haute bourgeoisie était inexistante à Elche (il n'y avait donc pas de femmes pour considérer, à l'instar d'Emma Bovary, qu'une femme de leur condition ne devait pas s'abaisser à une tâche aussi ingrate, qui lui esquinterait de surcroît la poitrine), on peut supposer qu'elles ne recouraient à ces mères de substitution qu'en toute dernière extrémité, par nécessité et non par frivolité ou caprice.

Et quand bien même une femme aurait décidé qu'elle n'a pas envie de passer six mois avec un bébé collé contre son sein, à qui elle doit donner la tétée toutes les trois heures sans pouvoir aller au cinéma, ni au café, ni à son travail, ni chez le coiffeur, faut-il la culpabiliser pour ça ? Me connaissant, je remercie sincèrement le Tout Cosmique de m'avoir frappée d'inaptitude à l'allaitement, car ces six mois auraient été une torture pour une femme hyperactive comme moi. Oui, j'entends bien qu'on peut emmener bébé partout et lui donner le sein n'importe où, dans l'autobus, chez le coiffeur, dans la queue aux guichets de la Sécurité sociale (où il faut d'ailleurs que j'aille lundi pour faire valoir mes droits au congé de maternité), mais ceux qui disent ça n'ont pas pensé que porter un bébé de presque 5 kilos n'est pas si commode, et je ne suis pas non plus certaine qu'ils verraient d'un très bon œil que je dégrafe mon sein au beau milieu d'un lieu public (surtout avec une poitrine aussi voyante que la mienne, peu compatible avec la pudeur et la discrétion requises). Et puis, après t'avoir donné le sein, où te changer ? Sur place, par terre ? Ou dans des toilettes aussi sales qu'exiguës, où il n'y a généralement qu'une cuvette et un lavabo, et aucune surface plane ?

En outre, le bon docteur González oublie l'existence de toutes ces mères qui sont seules, ou dont le compagnon est au chômage, ou dont le patron exige qu'elles ne prennent pas la totalité de leur congé de maternité sous peine de mettre fin à leur contrat de travail, de toutes ces mères qui ne peuvent pas rester au foyer pour jouer le rôle traditionnel d'épouse soumise et dévouée, appendice du mâle dominateur. Peut-être d'ailleurs ne le voudraient-elles pas, même si elles le pouvaient.

J'ai parfois l'impression que ces plaidoyers forcenés pour l'allaitement maternel cachent en fait une propagande en faveur du retour aux valeurs traditionnelles. Certes, donner le sein est tout ce qu'il y a de plus naturel, mais aller vêtu d'un pagne et forniquer en plein air aussi. Et ce qui a achevé de me conforter dans mon opinion est une information que je viens de trouver sur l'Internet : sais-tu qui préside au Texas la Ligue pour l'allaitement maternel ? Laura Bush. Tu vois, tout se tient !

Apparemment, la fameuse Verónica Luengo (dont l'air d'oie blanche évanescente cache en réalité une femme qui sait ce qu'elle veut et qui n'a pas froid aux yeux) devait en avoir plus qu'assez que son époux (ou non-époux, selon qu'on croie ou non qu'un rite balinais suffise à authentifier un mariage) la trompe. Et donc, quand elle a vu se présenter l'occasion de faire d'une pierre deux coups, elle a dû se dire qu'il fallait la saisir au bond, et par les poils des aisselles s'il le fallait. C'est ainsi que non seulement elle s'est vengée de lui, mais encore elle a empoché au passage quelques millions de pesetas en accordant une interview exclusive à *Hola* (c'était la première fois qu'elle se retrouvait en couverture d'un magazine), où elle jouait les épouses meurtries et éplorées, racontant ses dures années aux côtés de ce play-boy qui s'était révélé être un loup sous son doux pelage d'agneau.

— Tu sais, a ajouté Paz, tout ce qui brille n'est pas or, c'est tout le drame de la femme maltraitée..

— Maltraitée ?

— Elle assure à qui veut l'entendre que David la battait quand il était drogué.

— Je n'en crois absolument rien. Je connais David depuis toujours, et...

— C'est ce qu'elle raconte, que veux-tu que je te dise. Et ça se vend du feu de Dieu. Fini les tournées miteuses, je crois même qu'on lui a proposé d'animer une émission à la télé. Tout ça pour te dire que, du côté de David, tu ne peux compter sur aucun soutien. Et que si même David, qui est pourtant la première et la principale victime de *Cita,* ne les poursuit pas et ne te soutient pas, les choses seront encore plus difficiles pour toi.

— Si je comprends bien, tu me conseilles de laisser tomber.

— Non, au contraire : je te conseille de les poursuivre, même si je suis sûre que tu vas perdre. Pas seulement parce que je considère que c'est une atteinte inadmissible à la vie privée, ni parce que je sais de bonne source qu'ils savaient depuis le début que toute cette histoire de liaison avec David était fausse et qu'ils ont fait tout ce montage bidon pour vendre, en profitant du fait, qui tombait bien pour eux, que tu venais de publier un livre comme *Droguées.* Si je te conseille de les poursuivre, c'est pour leur donner une leçon, pour qu'ils voient que tu n'es pas quelqu'un qui se laisse faire et pour qu'ils réfléchissent avant de continuer leur battage, sinon ils vont te pourchasser jusque sur la plage, publier une photo de toi *topless* prise au téléobjectif, ou à la piscine quand tu avais quinze ans, est-ce que je sais ? Et puis en les poursuivant, tu laveras ton honneur, car les gens verront ainsi que tu n'es pas complice de ce qu'on écrit sur toi, et ce sera déjà un résultat. Si tu ne les poursuivais pas, tu aurais l'air d'admettre, d'une certaine façon, que ce qu'ils écrivent est vrai.

— Oui, mais tu m'as dit toi-même que ça allait me coûter très cher.

— Avec moi, non. C'est à ça que servent les amies d'enfance. Mais, bien sûr, cette question d'honoraires doit rester entre nous.

Si bien que j'ai porté plainte.

17 octobre

Je revenais de chez la pédiatre en traînant ta poussette où tu dormais placidement (car tu t'endors toujours quand je te promène dans ta poussette, et la meilleure façon de te faire passer ta crise de larmes vespérale est de te faire faire des allers-retours en poussette dans le couloir) quand je suis tombée en arrêt, rue Carretas, devant la vitrine d'un magasin de vêtements pour enfants. Attirée par la layette comme les mites par la lumière, je me suis retrouvée, presque sans m'en rendre compte, à fouiner dans les rayons, impatiente de t'acheter des affaires dont, à la vérité, tu n'as aucun besoin. Les vêtements taille un mois étaient séparés en deux lots, rose bonbon et bleu ciel, et j'ai donc demandé bien poliment à la vendeuse :

— Auriez-vous, s'il vous plaît, pour un bébé, quelque chose qui ne soit ni rose ni bleu ?

— Oui, là.

Et elle m'a indiqué toute une série de présentoirs avec des vêtements de toutes les couleurs.

— Oui, mais c'est pour à partir de six mois, et ma petite fille a vingt jours – lui ai-je répondu en lui montrant mon bébé, c'est-à-dire toi, qui étais habillée tout ce qu'il y a de plus moderne avec ta grenouillère mauve et ta petite veste verte, une véritable plaidoirie vestimentaire contre les stéréotypes sexistes, même si, j'en ai peur, ta grand-mère m'aurait fortement désapprouvée et aurait presque fait un infarctus (un de plus) si elle t'avait vue. (C'est bien pourquoi, quand nous allons déjeuner chez mes parents, je t'habille en rose et blanc, car, comme m'a dit la pédiatre en me recommandant l'allaitement artificiel, je suis assez stressée comme ça dans ma vie pour ne pas en rajouter.)

— Je suis désolée, madame. En taille un mois, c'est tout ce que nous avons, m'a répondu l'employée avec la plus grande componction, comme si prétendre habiller un bébé en jaune ou en mauve était aussi incongru que de napper un hamburger de sauce au chocolat.

Je suis donc ressortie très digne, sans rien acheter, en grommelant intérieurement et en méditant sur une phrase que j'ai lue je ne sais plus où : on peut parfaitement habiller une petite fille en bleu, mais jamais on ne verra un petit garçon en rose. Et sur l'idée d'ouvrir, si c'était comme ça, mon propre magasin... Mais quelque chose me disait que je risquerais d'y laisser toutes mes maigres économies.

Avant d'engager des poursuites, j'ai tout de même essayé de joindre David par tous les moyens, car je savais que ma cause serait encore plus difficile à défendre s'il ne me soutenait pas. Il ne m'a jamais répondu. Chaque fois que je l'appelais, chez lui ou sur son mobile, je tombais systématiquement sur le répondeur, où j'ai laissé des messages qui sont tous restés sans réponse. Et c'est ainsi que s'est achevée, d'un seul coup d'un seul, une amitié qui remontait à près de vingt ans, à nos années de collège, à l'époque où j'éprouvais pour José Merlo un amour que je savais impossible non seulement parce qu'il avait vingt ans de plus que moi et n'était pas porté sur les femmes, mais surtout à cause du sentiment oppressant d'infériorité qui s'emparait de moi chaque fois que nous prenions un café ensemble – il faisait partie de ces enseignants progressistes qui organisaient des discussions littéraires et des activités culturelles en dehors des heures de cours et étaient toujours prêts à bavarder avec leurs élèves après la classe – et que, tout à sa passion pour la littérature, il oubliait mon ignorance et mon incapacité à suivre ses vaticinations, et se lançait dans d'interminables monologues qu'il émaillait de noms d'auteurs et de titres de livres dont je n'avais jamais entendu parler, en ménageant, qui plus est, des pauses qui semblaient m'inviter à participer silencieusement à ses pensées, invitation que j'étais bien obligée de décliner, faute d'avoir la moindre idée, justement, de ce qu'il pouvait bien être en train de penser. Et si, à cette époque, je suis sortie un moment avec David, ce n'était pas tant pour narguer les pimbêches qui le buvaient des yeux et qui nous toisaient, Sonia, Tania et moi, parce que nous ne portions pas de loden, que pour brandir mon trophée sous le nez de ce professeur qui brûlait secrètement de désir pour lui, et peut-être même pour me sentir plus proche de lui, pour me dire que j'aurais en moi quelque chose de José Merlo si j'embrassais le garçon que lui-même embrassait dans ses rêves nocturnes, que je goûterais ainsi, d'une certaine façon, sa salive mêlée à celle de David. Mais avec David, justement, je suis toujours restée prudente, feignant obstinément d'ignorer que les pelles que nous nous roulions n'étaient pas seulement le fruit de la curiosité sexuelle propre à notre âge, qu'il y avait derrière nos jeux apparemment anodins autre chose qu'un simple accord technique en vue d'explorations mutuelles sans engagement pour la suite, ou qu'une conception extensive, voire particulière de l'amitié : à savoir le désir, chez David, d'un contact plus profond, désir qu'il était trop fier pour exprimer verbalement, tandis que je demeurais dédaigneuse, indifférente à ses offensives sournoises, et aujourd'hui encore je ne saurais pas dire exactement si mon attitude de fermeté m'était dictée par un orgueil farouche (plutôt mourir que de pousser les choses plus loin avec un minet qui écoute Los Secretos), si je me réservais pour un avenir plus brillant, ou si, tout simplement, je refusais de m'engager parce que, comme Groucho Marx, je ne voulais pas adhérer à un club où l'on accepte des gens comme moi.

Toujours est-il que David n'a pas décroché une seule fois quand j'appelais, ni n'a jamais daigné répondre à un seul de mes messages, ni pris le temps de m'expliquer ce que je savais déjà : qu'il ne voulait pas m'aider, qu'il ne pouvait pas m'aider, qu'il n'en était même pas question. Et quand j'ai compris qu'il avait fait une croix sur moi, qu'il plaçait sa carrière tellement au-dessus de ses plus vieilles amitiés, j'en ai ressenti une peine très profonde et n'ai trouvé aucune consolation dans l'idée que, si profondément que je le méprise désormais, j'étais quasi certaine qu'il se méprisait lui-même avec bien plus de virulence encore.

18 octobre

Au rez-de-chaussée de l'immeuble voisin du nôtre, il y a un bar-karaoké dont la clientèle est des plus disparates : à 19 heures viennent beaucoup de vieux qui doivent y claquer l'essentiel de leur retraite, et après 22 heures pullulent les ploucs qui donnent l'impression d'avoir la carte de supporter de l'Atlético dans leur portefeuille, ainsi que pas mal d'étrangers, notamment des hooligans anglais. J'en ai vu plus d'un poser fièrement devant l'entrée aux côtés d'une des nanas qui travaillent là, sans doute pour pouvoir se vanter ensuite auprès des copains restés à Manchester. Se vanter de quoi ? me demanderas-tu. Mais de ladite nana, voyons, dont ils ont fait la connaissance dans ce prétendu karaoké qui n'est en vérité qu'un club de rencontres plus connu que réputé, et dont le standing est des plus moyens. L'« établissement » a embauché un portier, posté à l'entrée de 22 heures à 6 heures du matin. C'est un malabar noir foncé, tirant plus sur l'ébène que sur le chocolat, taillé en armoire à glace, quelque chose comme deux mètres de haut sur un mètre de large. Pour moi, c'est comme un don du ciel : je peux enfin rentrer chez moi à l'heure que je veux sans être prise d'une angoisse terrible au moment d'ouvrir la porte de l'immeuble et sans avoir à regarder par-dessus mon épaule chaque fois que je vois un type avec une tête un peu louche sur le même trottoir que moi, car le fait est que le quartier regorge d'individus à l'allure suspecte – trafiquants marocains ou colombiens, camés, junkies et poivrots, crânes rasés et supporters du Real Madrid. Assurée désormais, donc, de ne pas me faire attaquer devant chez moi – comme cela m'est arrivé une fois – dès lors que le cerbère noir monte la garde à la porte du tripot, je le salue le plus aimablement du monde à chaque fois que j'entre ou sors, en lui adressant un sourire de gratitude. Au début, il m'ignorait souverainement, il faisait comme s'il n'entendait pas mon salut, et je t'ai même dit qu'il évitait mon regard au moment où *Cita* m'a rendue célèbre. Il a mis le temps avant de me rendre mon salut – il devait se demander si j'avais l'intention d'engager la conversation, ou pire. Puis il s'est mis à me gratifier en retour d'une légère inclinaison de la tête, et c'est au bout de quatre mois environ qu'il a daigné marmonner entre ses dents un « bonsoir ». Et un jour, il m'a même aidée à sortir mes valises du taxi. Très gentleman, mais toujours très froid

Cet homme, donc, m'a vue entrer ou sortir tous les jours pendant des mois, et a pu aussi, à cette occasion, suivre l'élargissement de mon ventre. Je me demandais parfois s'il ne trouvait pas étrange de voir rentrer à 2 ou 3 heures du matin une femme enceinte de huit mois (car jusqu'au dernier jour j'ai continué à sortir et à rentrer à point d'heure), mais je me disais que, vu le milieu dans lequel il travaillait, il devait être blasé. Peut-être était-ce ce qui expliquait son indifférence. Je continuais donc, quelle que soit l'heure, de le saluer en rentrant, et lui de me répondre par un « bonsoir » glacial, à peine articulé.

Je suis tombée sur lui l'autre jour en sortant acheter des bières pour Sonia la DJ (dite *Senseless* Sonia à cause de son goût pour l'ecstasy, prière de ne pas confondre avec Sonia la scénariste, dite *Suicide* Sonia pour sa conduite téméraire, ni avec mon ancienne camarade de classe, Sonia la photographe, dite *Slender* Sonia en raison de son extrême minceur, et encore moins avec Sonia l'actrice, dite *Sweet* Sonia tellement elle est affectueuse, oui, je sais que je rabâche, mais si je ne le fais pas tu ne t'y retrouveras jamais, et moi à peine), qui étais venue faire ta connaissance. Je n'allais évidemment pas l'accueillir avec des psychotropes, mais je ne pouvais pas non plus proposer du thé avec des petits gâteaux à une fille comme elle, je suis donc descendue chercher des bières car il n'y en avait plus dans le frigo.

— Ton bébé est né ? me demande le Noir.

— Oui, réponds-je, tout étonnée que Rocher Noir sache aligner plus de deux mots, car il ne m'avait jamais adressé que le « bonsoir » de rigueur.

— Un garçon ou une fille ?

— Une fille.

— Ah, c'est bien. J'ai cinq enfants, tu sais.

Et voilà qu'il se met à me parler de ses enfants, à ma plus grande stupéfaction, car je n'aurais jamais imaginé Rocher Noir en honorable père de famille, encore moins qu'il soit capable de sourire, d'être aimable et de se lancer dans une conversation animée avec la voisine de l'immeuble d'à côté. Et lorsqu'il a fini de me faire le compte rendu de la vie de sa progéniture, il a conclu sur l'inusable cliché : « Maintenant, il te reste à l'alimenter bien sainement. »

Sonia est repartie de chez moi avec trois feuilles de marijuana tout juste cueillies dans ma jardinière. Elle dit qu'elle trouvera bien un moyen d'en faire quelque chose.

Paz a introduit en mon nom une action en justice contre le magazine *Cita* pour atteinte à la réputation, terme juridique qui veut dire que j'entendais qu'il soit clamé à la face du monde comme à celle de *Cita* que je n'étais ni une cocaïnomane ni une suborneuse de maris.

Cita a répondu en prétendant que l'article n'affirmait nullement que la demanderesse avait eu une relation amoureuse avec David Muñoz, ni qu'elle était toxicomane, si tant est que l'un ou l'autre fait – je cite là les conclusions déposées par les avocats du magazine en réponse à ma plainte – soit de nature à porter atteinte à ma réputation d'une façon quelconque. La publication ne pouvait être tenue pour responsable de l'interprétation que chaque lecteur était susceptible de faire du contenu du reportage.

Il fallait donc que Paz, au cours du procès, fasse la démonstration que rien, dans l'article, n'était laissé à l'interprétation du lecteur, et qu'il était au contraire affirmé on ne peut plus clairement que j'étais à la fois accro à la drogue et accro à David.

Contrairement à la plupart des spectateurs, je n'ai jamais aimé les films de procès, je m'y ennuie toujours copieusement, et je ne te ferai donc pas un compte rendu détaillé du déroulement de l'audience, aussi barbante qu'aurait pu l'être un film, et même plus, car il n'y avait ni Harrison Ford en avocat, ni Calista Flockhart dans le rôle de Paz, ni de *beautiful people* dans la salle. C'était même le contraire : les avocats de la partie adverse étaient tous bedonnants et chauves, la présidente aurait eu grand besoin d'aller chez l'esthéticienne, la procédure était longue et fastidieuse, la salle du tribunal aussi peu spectaculaire que possible, sale, poussiéreuse, mal éclairée, sentant l'humidité, bref, tout était si déprimant qu'on pouvait deviner rien qu'en entrant quelle serait l'issue du procès.

Pour démontrer que je n'avais jamais été cocaïnomane, Paz avait apporté, outre les diverses analyses de sang que je m'étais fait faire tout au long de ma vie pour divers motifs (dont celle sur laquelle s'était fondé le gynécologue pour m'affirmer que ta conception serait des plus aléatoires), et dont la valeur probante était pour le moins affaiblie par le temps qui s'était écoulé depuis, une analyse de cheveux datant de quelques jours seulement, car cette méthode permet de révéler la consommation de cocaïne au cours des trois mois précédents, au lieu de deux à trois semaines seulement pour une analyse d'urines.

Je ne comprenais pas très bien pourquoi elle mettait tant d'insistance à démontrer que je n'étais pas toxicomane, étant donné que les avocats de *Cita*, dans leurs propres conclusions, tenaient pour acquis que je ne me droguais pas. Mais naturellement, ainsi que me l'avait recommandé Paz, je me suis contentée de rester dans mon coin sans dire un mot, bien sage dans mon tailleur rose que j'étrennais pour la circonstance (il fallait que je donne l'image d'une petite fille sérieuse), les mains posées l'une sur l'autre pour que leur tremblement ne trahisse pas ma nervosité.

Paz m'a expliqué ensuite que, quand bien même le débat ne portait pas sur ma possible toxicomanie mais sur le fait que le magazine m'avait ou non *déshonorée* (comme si j'étais une frêle jouvencelle et *Cita* un bandit sans scrupule qui aurait abusé de moi), nous devions convaincre le tribunal que je ne faisais pas usage de stupéfiants, afin qu'il soit établi que l'article était gratuitement malveillant. Et de fait, je ne prenais pas de drogues, en tout cas pas de drogues illégales, non que j'aie à cela une opposition de principe ou autre, mais parce que chacun a sa drogue d'élection, la plus importante, celle qui lui fait le plus d'effet, celle sans laquelle il ne peut pas vivre, et pour moi cette drogue d'élection avait toujours été l'alcool, ce qui fait que j'ai toujours considéré la cocaïne comme une poudre de perlimpinpin pour gosses de riches, rien de très intéressant à mes yeux. J'étais accro à tout autre chose, et mon autre moi s'évertuait à me pourrir la vie en me faisant boire et fréquenter les gens les moins susceptibles de m'intéresser, car en tant que personnalité dédoublée et autodestructrice, j'étais bien une droguée, une toxicomane, mais une toxicomane légale.

19 octobre

Hier soir je suis sortie avec Sonia, Sonia l'actrice (à ne pas confondre, comme tu sais, avec les autres Sonia), qui m'a invitée à la première d'une pièce. Ça me faisait un peu bizarre de me retrouver là, comme un cafard sur une crème caramel, au milieu de toutes ces actrices, de ces mannequins, de ces chanteurs, de ces artistes qui exhibaient leurs tenues les plus glamour tandis que j'avais mis un des trois seuls pantalons dans lesquels j'entre encore et avec une dégaine de chiffonnière en comparaison de laquelle n'importe quel clochard accroché à son litron de gros rouge qui tache aurait été un prodige d'élégance. En général, je me fiche pas mal de mon apparence et j'assume le fait que, parmi les rares talents dont j'ai hérité, ne figure pas celui de s'habiller avec distinction, mais une chose est d'être attifée comme un épouvantail quand on est simplement trop grosse, autre chose est de l'être quand on est une matrone relevant de couches avec des mamelles qui pendent jusqu'à la ceinture et des hanches vastes comme l'oubli. J'ai donc reposé la question à Sonia, qui, alors qu'elle avait eu un enfant, gardait une ligne d'enfer.

— Sonia, combien de temps met-on, après l'accouchement, à retrouver son corps d'avant ?

— Je te l'ai déjà dit, mon emmerdeuse préférée : jamais.

— Mais toi, tu l'as retrouvé – pieux mensonge, car Sonia est tout de même moins svelte qu'elle n'a été, même si elle n'est pas moins séduisante pour autant.

— Disons un an.

— Un an ? Mais je ne peux pas rester un an comme ça ! Donne-moi un truc…

— Écoute, bébé, si tu fais beaucoup d'exercice et que tu suis un régime équilibré, tu peux réduire le délai à… onze mois.

Nous nous sommes assises à une table, à côté d'un acteur que j'adorais à l'époque où je soupirais encore après José Merlo. Et je considérais comme une évidence le fait qu'il ne pouvait en rien m'intéresser : d'abord parce que sa jeunesse, tout comme la mienne, s'était volatilisée, et depuis plus longtemps car il avait tout de même quelques années de plus que moi, il devait être sur le point de cesser d'être un désirable quadragénaire pour devenir un vénérable quinquagénaire, et je n'ai jamais aimé les hommes mûrs ; ensuite parce que, même s'il m'arrive de les admirer, je n'aime pas les acteurs, que je trouve trop égocentriques et névrosés pour mon goût. (Un exemple au hasard : David Muñoz.) Mais comme celui-ci n'était pas du genre à commencer toutes ses phrases par *moi je* et qu'il était, par-dessus le marché, étonnamment bien conservé pour son âge, j'étais si excitée de l'avoir à côté de moi que je me suis enfilé trois coupes de champagne. C'était la chose à ne pas faire, car au bout de près de dix mois d'abstinence, je n'ai pas tenu le choc, et étant donné que l'alcool, c'est bien connu, aiguise les sensations, un instant plus tard j'étais de nouveau en train de déprimer en me disant que j'aurais encore pu,

127

quelques années avant, essayer de séduire cet homme ou n'importe quel autre (note bien que j'écris *essayer*, pas *réussir*), alors qu'aujourd'hui toute tentative serait vouée à sombrer dans le ridicule : quel sémillant quadragénaire poserait seulement les yeux sur la version féminine du bonhomme Michelin ?

Je suis rentrée en taxi à 3 heures du matin, titubante sans toutefois être ivre morte, j'ai salué Rocher Noir et j'ai tenté d'introduire la clé dans la serrure, entreprise que ma fatigue et ma légère intoxication éthylique compliquaient légèrement. C'est alors que j'ai entendu sa voix qui me disait :

— Tu sais ce qu'on dit, dans mon pays ?

— Non, quoi ? lui ai-je répondu en pensant qu'il allait m'infliger une blague à connotation sexuelle sur les clés trop grandes qui ont du mal à entrer dans les serrures étroites.

— On dit : « Femme qui relève de couches, allongée sur sa couche. »

En entrant dans l'appartement, je t'ai trouvée endormie le plus paisiblement du monde, à côté de ton père qui ne s'est même pas aperçu de ma présence. Ni de la tienne, bien que tu te sois mise à pleurnicher dès que tu t'es rendu compte de ma présence. J'ai alors découvert que ton géniteur, indifférent ou épuisé, n'avait même pas senti que tu avais fait un caca énorme et que ta couche te gênait, et j'ai donc entrepris de te changer. Mais je me suis alors souvenue de ce passage de *Cœur de lièvre* de John Updike, où Janice, ivre morte, noie son bébé en voulant lui donner le bain, et j'ai été assaillie d'images cauchemardesques de mère soûle essayant de changer la couche d'un bébé qui lui glisse entre les mains comme une savonnette. Mais je suis tout de même arrivée tant bien que mal à te changer sans que ton intégrité physique soit en péril à un moment quelconque, et je me suis ensuite glissée dans le lit avec toi et ton père. Je n'arrivais pas à m'endormir, je me retournais sans arrêt en veillant à ne pas t'écraser, accablée à la pensée que je n'étais pas à la hauteur, que je ne servais à rien, que je ne retrouverais jamais mon ancienne vie ni ne saurais m'adapter à la nouvelle, et je me figurais que les rayons de la lune, à travers les volets entrouverts, étaient une échelle magique donnant accès à une autre vie, une vie céleste. Mon attention a été alors attirée par des gémissements de plaisir à peine audibles, j'ai tourné la tête pour te regarder et j'ai vu que tu t'étais encore endormie en serrant une de mes boucles dans ton poing minuscule, qui a l'air d'un jouet mais est puissant comme des tenailles.

Paz a fait citer Consuelo pour qu'elle témoigne qu'elle était présente ce soir-là, et pour qu'elle explique le malentendu. Lorsque la présidente, avant de prendre sa déclaration, lui a demandé si elle avait avec l'une des parties des liens d'amitié ou d'inimitié notoire, elle a regardé Paz les yeux écarquillés, comme si elle ne savait que répondre.

— Euh, je suis une amie d'Eva, c'est pour ça que je peux tout raconter, parce que j'étais là…

Les avocats de *Cita* ont demandé la récusation du témoin, et le tribunal la leur a accordée.

A ensuite été appelé un type que je n'avais jamais vu de ma vie, et qui disait travailler comme serveur au Pachá. La magistrate lui a demandé s'il me reconnaissait. Le type m'a regardée et a répondu tranquillement par l'affirmative, bien que son visage ne me dise, à moi, absolument rien. Puis il a raconté que j'étais au Pachá le soir en question, et qu'il se rappelait parfaitement que j'avais disparu au bras de « M. Muñoz » (qu'il avait très bien reconnu, assurait-il, non seulement parce qu'il passait à la télé, mais aussi parce qu'il était un habitué de l'établissement) par la porte donnant accès aux toilettes.

Quand est venu le tour de Paz, elle lui a demandé : premièrement, s'il y avait beaucoup de monde dans l'établissement ce soir-là ; deuxièmement, s'il était

resté tout le temps au bar à servir les clients ; troisième-
ment, et après qu'il eut répondu par l'affirmative aux
deux premières questions, comment il avait pu, en étant
occupé toute la soirée et compte tenu de toutes ces
allées et venues pour chercher des bouteilles, de la
glace, servir les consommations, rendre la monnaie,
etc., comment il avait pu suivre aussi précisément les
déplacements de M. Muñoz et de Mlle Agulló. Le type
est alors devenu tout pâle et a serré les lèvres comme si
on lui avait donné une gifle, et lorsqu'il a retrouvé ses
couleurs et la parole, il a affirmé posément qu'il nous
avait vus, un point c'est tout.

Ensuite, un des avocats de la partie adverse (c'est-à-
dire de *Cita*) a demandé à la cour l'autorisation de produire un document. La présidente lui a demandé de
quelle sorte de document il s'agissait. L'avocat, sortant
d'un geste théâtral une chemise de sa serviette, a
déclaré être en possession d'un rapport de l'hôpital
La Paz, établissement dans lequel la demanderesse
(moi) avait été internée en raison de symptômes évidents d'intoxication par absorption de drogues.

Paz m'a adressé un regard où il m'a semblé lire
quelque chose comme : « De quoi parlent-ils ? », et
auquel j'ai répondu par un haussement d'épaules qui
signifiait : « Pas idée. »

— Votre honneur, est-elle alors intervenue avec un
aplomb digne de Perry Mason, je demande à prendre
connaissance du document en question.

La magistrate a donné son assentiment d'un léger
hochement de tête.

20 octobre

Je recopie littéralement l'une des questions du test
« Quelle sorte de mère es-tu ? », que j'ai trouvé dans
Parents magazine.

130

Tu es assise, complètement épuisée, dans la cuisine, et tu te reposes cinq minutes devant un café. À quoi penses-tu ?

a) Je suis récompensée par le bonheur de ma famille.

b) Il me reste du repassage et à faire les carreaux. Ils sont vraiment trop sales.

c) Je rêve d'être assise à une terrasse de café à Rome.

d) Encore cinq minutes, et je m'y remets.

Il me vient l'envie d'écrire à la rédaction.

Chère rédaction de Parents magazine,

Je vous écris au sujet de la question 11 du test « Quelle sorte de mère es-tu ? », publié dans le numéro d'octobre 2003. J'ai l'honneur de vous dire que, si ma famille s'estimait heureuse de disposer d'une esclave exténuée pour faire le repassage et les vitres, je ne m'en sentirais nullement récompensée, et qu'au demeurant elle cesserait vite de s'estimer heureuse, car je serais une mère névrosée, aigrie, accro aux tranquillisants, qui s'immiscerait toute la journée dans la vie de ses enfants pour compenser le vide et l'insipidité de la sienne. Je me réjouis donc de ne pas pouvoir répondre à la question 11, ayant la chance de travailler au-dehors et de pouvoir compter sur un compagnon et une employée de maison grâce auxquels je ne me sens jamais seule ni exténuée sous le poids des tâches ménagères. Je vous suggère au passage de cesser de véhiculer ce genre de stéréotypes sexistes.

Salutations d'une mère qui travaille au-dehors, comme il y en a un grand nombre en Espagne, même si elles ne semblent pas exister à vos yeux.

En fait, j'ai déjà écrit la lettre, je l'ai même envoyée, mais j'ai bien peur qu'ils ne la publient pas.

Le rapport médical était consécutif à un accident dont avait été victime, deux ans plus tôt, la déshonorée présumée (moi), en compagnie de l'homme dont le nom est écrit sur un bout de parchemin roulé dans une bouteille enterrée dans un terrain vague du côté de Cuatro Vientos. Nous rentrions à l'aube de je ne sais plus quelle boîte, c'était lui qui conduisait, bourré comme d'habitude, il avait grillé un feu rouge, et nous avions tamponné une autre voiture. Comme, par chance, nous avions tous nos ceintures de sécurité (y compris le conducteur de l'autre véhicule), nous nous en étions tirés avec une grosse bosse sur la carrosserie. Sur celle de la voiture et sur la mienne, car j'avais pris de plein fouet le pare-brise avant et m'étais fait une entaille qui avait l'air impressionnante avec tout ce sang qui coulait, mais qui s'était révélée, une fois nettoyée avec un mouchoir, n'être qu'une égratignure. Nous étions tout de même allés à l'hôpital, ainsi qu'il est conseillé de faire quand on a pris un coup sur la tête. Me voyant légèrement groggy, l'infirmière m'avait demandé si j'avais bu. Je lui avais répondu que oui, ajoutant même, bien que je ne m'en souvienne plus, que je m'étais également fait une ou deux lignes. Et bien sûr, cela figurait dans le rapport.

Après avoir jeté un coup d'œil au document, Paz s'est adressée à la présidente.

— Votre honneur, je conteste ces éléments et demande qu'ils ne soient pas versés au dossier, étant donné qu'ils auraient dû être joints aux conclusions déposées en réponse à la requête. Je voudrais signaler en outre au ministère public que ce document a été obtenu illégalement dans la mesure où il s'agit de données à caractère personnel dont la divulgation constitue une immixtion dans le droit à la vie privée de ma cliente. Ces données sont hautement personnelles et doivent le rester, aux termes de la loi organique 15/1999 du 13 décembre sur la protection des données à caractère personnel.

Une fois achevée l'audition des témoins (ou plutôt de l'unique témoin, le serveur, étant donné que Consuelo avait été récusée), chacune des parties avait à faire sa plaidoirie finale, des plus prévisibles comme il se doit.

Paz a déclaré que la rédaction comme la présentation de l'article affirmaient clairement que sa cliente (moi) avait entretenu des relations avec un homme marié et, qui plus est, fait usage de stupéfiants en sa compagnie et que, même si les choses n'étaient pas dites de façon aussi péremptoire, elles étaient insinuées avec suffisamment de netteté pour ne donner lieu à aucune autre interprétation possible, de sorte qu'il était évident que tout lecteur l'entendrait ainsi. Comment expliquer, sinon, que tous les médias ayant repris l'information de *Cita* aient affirmé que l'hebdomadaire avait surpris David Muñoz en train de se droguer et de tromper son épouse ?

L'avocat de la partie adverse a répété une nouvelle fois ce qui figurait dans ses conclusions écrites : que l'article n'affirmait rien, que la journaliste avait simplement interprété ce que suggéraient les photos, et que ce que les photos montraient était un couple enlacé en état patent d'hébétude ou de désorientation.

Pour finir, un homme en gris qui était resté assis à côté de l'avocat de la partie adverse, et que je n'avais jamais remarqué durant tout le temps qu'avait duré l'audience, s'est levé et a repris un par un, d'un ton monocorde, les arguments déjà présentés par le représentant du magazine. En d'autres termes, que les lecteurs étaient des imbéciles et que ce n'était pas la faute de *Cita* s'ils l'étaient.

Cet homme était le procureur. Car en Espagne, il appartient au ministère public « de promouvoir l'action de la justice pour la défense de la légalité, des droits des citoyens et de l'intérêt public, d'office ou sur demande des intéressés, ainsi que de veiller à l'indépendance des tribunaux, et de rechercher devant eux la satisfaction de l'intérêt social ». C'est à ce titre que cet homme venait de faire état de son opinion, théoriquement indépendante, sur ce qu'il avait vu au cours du procès, opinion dont madame la présidente ne pouvait que tenir compte.

21 octobre

Ta tante Sonia (Sonia la scénariste, dite *Suicide* Sonia pour sa conduite téméraire et sa propension notoire à manier son véhicule en état de légère – et parfois moins légère – intoxication éthylique ; rien à voir avec mon ancienne camarade de classe, Sonia la photographe, dite *Slender* Sonia en raison de son extrême minceur, ni avec Sonia l'actrice, dite *Sweet* Sonia tellement elle est affectueuse, ni avec Sonia la DJ, dite *Senseless* Sonia du fait de son penchant pour l'ecstasy…) est passée te faire une visite, habillée en espionne française de la Résistance, avec une jupe fourreau, des bas résille, une gabardine croisée et un béret qui aurait fait très moche sur la tête d'Aznar, mais qui, sur ses boucles blondes, était une merveille de glamour.

— Tu sais ce que m'a dit le Noir d'en bas ? – inutile de préciser que Rocher Noir la connaît, à force de la voir si souvent entrer et sortir, avec ou sans moi. Il m'a dit : « Il te va bien, ce *bonnet*. » Pas béret, *bonnet*. Il est très raffiné, ce monsieur…

Le jugement est intervenu au bout de deux mois, et disait ce à quoi nous nous attendions, à savoir que *Cita* n'était coupable de rien, la justice estimant que l'article « ne constituait pas une immixtion dans le droit fondamental à la considération, au respect de la vie privée et à l'image de la défenderesse » (je cite textuellement), et que le magazine avait été « suffisamment diligent dans la vérification des données pour se prévaloir du droit à la liberté d'informer ».

Paz a pris l'avion pour venir m'en informer personnellement à Madrid.

— Ce que signifie le jugement, en clair, c'est que la présomption de « diligence » dans la vérification d'une information protège la publication, quand bien même l'information est fausse. C'est hallucinant. Surtout quand cette « diligence » consiste à faire prendre des clichés par un photographe et à faire écrire par une journaliste un papier malveillant, mais assez habile, c'est vrai, pour nuancer par un point d'interrogation ou un verbe comme « sembler » les phrases qu'elle sait mensongères. De cette façon, on ne peut pas l'accuser, puisqu'elle peut prétendre n'avoir jamais rien affirmé catégoriquement. Ce que moi je retiens de tout ça, c'est que ça fait tellement longtemps qu'ils publient ces ordures qu'ils sont passés maîtres dans l'art de frôler dangereusement les limites de la légalité sans jamais la dépasser. Finalement, je crois que je vais raccrocher ma robe…

Paz a soupiré théâtralement et enfoui sa tête dans ses mains.

— Paz, je t'en supplie, ne te mets pas dans un état pareil… Il ne faudrait tout de même pas que l'avocate déprime plus que sa cliente.

— Ce n'est pas pour toi, c'est juste que j'en ai assez de voir ce genre de choses. Récemment, nous avons eu le cas d'un jeune ouvrier qui s'est tué sur un chantier. Il n'avait ni casque, ni harnais réglementaire, ni rien… L'entreprise avait failli aux normes de sécurité les plus élémentaires. Mais le juge a quand même considéré que le garçon était mort par sa propre faute, étant donné qu'il n'avait pas voulu mettre de casque. Incroyable, non ? Mais l'entreprise de travaux publics a un capital de plusieurs milliards, et ils ont pu graisser la patte à tout le monde. J'en ai assez de voir des choses de ce genre…

— Mais là, personne n'est mort, Paz… Ce n'est pas pareil.

— Tu as entendu le discours du procureur ?

— Bien sûr. J'en pleurais presque !

— Sans doute, mais il y a deux choses dont tu ne t'es pas rendu compte. Premièrement, il n'a pris aucune note de toute l'audience, alors que le représentant du ministère public est censé en prendre. Et deuxièmement, lorsqu'il a lu ses conclusions, il a répété, point par point, celles de *Cita*.

— Et alors ?

— Alors, il n'était pas censé les avoir lues. Car le ministère public ne doit évoquer que ce qu'il a vu et entendu à l'audience, pour la bonne raison qu'il n'est pas censé avoir préalablement connaissance des éléments du dossier, qu'il s'agisse de nos conclusions ou de celles de ces salauds... (Au bord de la crise de nerfs, Paz, qui ne dit jamais de gros mots, a inspiré profondément et repris contenance :) Cela signifie que le procureur nous adresse là un double message.

— Que veux-tu dire ?

— En premier lieu, il nous signifie clairement qu'il a eu des contacts avec *Cita* et qu'il se fiche pas mal que nous le sachions. Et en reprenant presque point par point l'argumentation du magazine, il nous menace, il nous avertit que ces gens ne reculeront devant rien dans l'hypothèse où il nous viendrait l'idée de faire appel.

— Et nous allons faire appel ?

— À ton avis ?

— Non.

Eh non, je n'ai pas fait appel. Les voisines de ma mère continueront donc de croire jusqu'à la fin de leurs jours à la légende d'Eva Agulló, cocaïnomane et voleuse de maris. J'étais donc seule, sans travail ou presque, harcelée par les médias et par les créanciers, qui plus est ma réputation était par terre, et mon estime de soi plus bas que terre. Mais tout dépend, après tout, de la couleur du verre dans lequel on se regarde.

Analysons ma situation : j'avais eu pendant longtemps une liaison qui me rendait malheureuse, tout en rêvant du jour où ce supplice s'achèverait, mais lorsque mon tortionnaire avait enfin disparu de ma vie, j'avais oublié à quel point j'avais été malheureuse avec lui pour ne plus penser qu'à ma soudaine solitude, dont le goût m'était rendu plus amer encore par le résidu, aussi vain qu'agréable, des moments heureux que j'avais vécus avec cet homme – car il y avait eu des moments heureux, forcément, sans quoi je n'aurais jamais supporté les malheureux. J'avais publié mon premier livre, mais c'était un livre que je ne ressentais pas comme mien, et dont j'avais presque honte. Et un livre qui, par-dessus le marché, m'avait rendue fameuse, mais dans le pire sens du terme, dans son sens originel, celui qui vient du latin *fama* : rumeur publique et renommée suspecte. Je me sentais impuissante, sans défense, à la merci des coups du premier inconnu venu, et je m'entortillais dans les spirales sans fin de l'apitoiement sur soi, en me disant que ma vie était un ratage et que j'étais une ratée. Mais à un moment j'ai fini par me dire que je ne pouvais quand même pas passer toutes mes journées cloîtrée chez moi à m'apitoyer sur la pauvre petite Eva, que j'étais un être humain, en tant que tel condamné à l'erreur, certes, mais qui, s'il voulait devenir adulte un jour, devait apprendre à faire face à l'inattendu. Or il y avait dans ma vie une infinité de facteurs sur lesquels je n'avais aucune prise. Je n'avais, par exemple, aucune prise sur une journaliste sans scrupule qui voulait monter en grade dans son magazine de caniveau au prix de la réputation de ceux dont elle croisait la route, mais j'avais prise, en revanche, sur ma propre façon de réagir aux événements, sur l'importance que je décidais d'accorder ou non à cette journaliste ou à ce procureur. Après tout, je n'étais pas condamnée à mourir de faim, je n'étais pas née en Thaïlande où mon père m'aurait vendue à un bordel de Bangkok pour moins de cinq cents dollars ; ni au Nigeria, où on m'aurait lapidée pour adultère ; ni en Somalie, où on m'aurait extirpé le clitoris à onze ans ; ni en Afghanistan, où l'implacable *burqa* m'aurait interdit de montrer mon visage ; bref, mes malheurs restaient supportables, et je pouvais apprendre à me responsabiliser et à envisager de façon créative la façon de les supporter à l'avenir. Mais si, en revanche, je persistais dans l'idée stupide qu'il fallait que les autres changent pour que je sois heureuse, je ne le serais évidemment jamais. Car mon ex-amant ne changerait pas, David Muñoz non plus, et pas davantage la journaliste de *Cita* ni le procureur corrompu. Moi, en revanche, je pouvais changer, je pouvais choisir de prendre les choses autrement. Car je ne serais heureuse qu'en cessant de convoiter les choses : qui ne cherche pas finit par trouver, qui ne convoite pas obtient.

J'ai compris, comme sous l'effet d'une illumination subite, que la meilleure façon de ravaler mon angoisse était de me concentrer sur une idée positive de l'avenir, qui me conduirait, comme sur un pont, de l'autre côté de l'abîme tout proche qui m'effrayait, celui de ma solitude immédiate. Et je me suis alors rappelé une bêtise que j'avais lue dans un livre de « développement personnel », à savoir que le caractère chinois pour « crise » résulte de la combinaison des deux caractères qui signifient « danger » et « chance ». Je dis bêtise, car quand j'en ai parlé à Susana, la fille du patron du magasin chinois « Tout à un euro » du coin de la rue (Susana est son nom espagnol, je ne saurais pas transcrire son nom chinois, c'est quelque chose comme Chun Suán), qui parle et écrit parfaitement l'espagnol comme le cantonais, elle m'a dit qu'elle n'avait jamais entendu dire ça, mais que de toute façon, l'écriture chinoise comptant près de cinquante mille signes, il devait y avoir bien plus d'une façon d'écrire « crise ». J'ai tout de même retenu l'idée, et pour la traduire dans ma langue, qui s'écrit avec un alphabet et non avec des idéogrammes, j'ai pensé à une maxime que ma mère aimait à répéter quand elle parlait des années d'après la guerre civile : « Ce qui ne te tue pas te rend plus fort. »

II

Cette vallée de larmes

*Quelle invention, ces mères. Des épouvantails,
des poupées de cire faites pour que nous y plantions
des aiguilles, des figures grossières.
Nous leur refusons une existence propre,
nous les fabriquons pour qu'elles nous servent – nous,
nos appétits, nos désirs, nos faiblesses.
À présent que j'en suis une, je sais.*

Margaret Atwood, *Le Tueur aveugle*

PANCRÉATITE : La pancréatite aiguë est une inflammation soudaine, provoquée par l'infection que cause dans le pancréas lui-même l'activation prématurée des substances que celui-ci produit pour la digestion. La pancréatite aiguë se manifeste par l'apparition de fortes douleurs au ventre. Outre la douleur, le malade se trouve généralement très affecté dans son état général et pris de nausées et de vomissements.

Les deux causes les plus fréquentes de la pancréatite aiguë sont les calculs dans la vésicule biliaire et l'alcoolisme. Lorsqu'il s'agit de calculs, l'inflammation se produit si l'un d'eux s'échappe de la vésicule et passe dans le canal cholédoque et se bloque au débouché dans l'intestin. Le conduit principal du pancréas débouchant au même endroit que le cholédoque, le calcul est susceptible de provoquer l'inflammation du pancréas.

Les autres causes, plus rares, de pancréatite aiguë peuvent être : des virus, des médicaments, des altérations congénitales des conduits du pancréas, des obstructions survenant au débouché du canal de Virsung pour une raison autre qu'un calcul, un accroissement prolongé du taux de calcium dans le sang (hypercalcémie), un défaut d'irrigation du pancréas, un choc accidentel à l'abdomen ou certaines interventions chirurgicales... Enfin, dix à vingt-cinq pour cent des pancréatites aiguës sont d'origine inconnue (pancréatite aiguë idiopathique).

Dans vingt pour cent des cas, la pancréatite aiguë est grave, le pancréas se détruisant lui-même selon un processus appelé nécrose, et qui provoque une réaction violente et généralisée de l'organisme, pouvant entraîner la défaillance des fonctions et organes vitaux (reins, poumons, cœur...). Si la nécrose s'accompagne d'une infection, le processus s'en trouve encore aggravé.

Entre deux et cinq pour cent de l'ensemble des patients souffrant de pancréatite décèdent. Le décès survient dans les cas les plus graves, qui sont ceux où la nécrose a atteint un stade avancé, à plus forte raison si elle s'accompagne d'une infection. La mort est généralement due, ainsi qu'il a été dit ci-dessus, à la défaillance des fonctions et des organes vitaux, ou défaillance multiorganique.

Encyclopédie médicale et psychologique de la famille

22 octobre

Ma mère, ta grand-mère, est entrée aux urgences après une crise de vomissements et en se plaignant de douleurs abdominales aiguës. Ce que l'on avait d'abord pris pour une simple gastro-entérite s'est finalement révélé être une pancréatite aiguë avec récidive. Le mot *récidive* signifie que, comme je viens de l'apprendre, ce n'est pas la première. Il semble que ma mère ait déjà eu plusieurs épisodes de pancréatite, mais je n'en avais jamais rien su.

Les médecins nous ont expliqué qu'il était tout à fait possible que l'on n'ait pas décelé sur le moment l'existence de petits calculs vésiculaires invisibles à l'échographie, et nous ont dit que la pancréatite avait entraîné un tas de complications collatérales : épanchement du péricarde, abcès du médiastin, diminution des volumes pulmonaires, oligurie prérénale, hémorragie digestive... Autant de termes qui étaient de l'hébreu pour nous, et qui pour les médecins signifiaient un risque de mortalité de quatre-vingt-dix pour cent.

On l'a transférée dimanche matin à l'unité de soins intensifs, après une intervention d'urgence pour enlever un calcul qui s'était coincé et nettoyer dans la mesure du possible la région du pancréas, qui s'est nécrosée, et ses environs immédiats.

143

Il paraît que c'est un miracle qu'elle ait survécu à l'opération, étant donné son âge et sa pathologie, et que maintenant le danger le plus grave est sans doute l'infection avérée du médiastin. On devrait savoir d'ici cinq jours à peu près si la bataille est gagnée par l'infection ou par le système immuno-défensif, même si tout diagnostic reste hasardeux. Comme cela fait des années que ta grand-mère est en mauvaise santé, nous y étions d'une certaine façon préparés, dans la mesure où on peut se dire préparé à quelque chose comme ça.

On ne nous laisse la voir qu'une demi-heure par jour. Mais on nous fait attendre une heure, ou plus, dans la salle d'attente de l'unité de soins intensifs, avant qu'arrivent les trente minutes tant attendues. Elle est reliée à des tubes et inconsciente, de sorte que notre présence est plus symbolique qu'autre chose. Mon père est convaincu qu'elle nous entend, et c'est pourquoi nous lui parlons sans arrêt. Je ne sais pas si cette conviction correspond surtout au désir de mon père ou à la réalité, mais à tout hasard je m'efforce de parler sur le ton le plus animé possible, malgré la difficulté qu'il y a à parler dans ces circonstances et malgré le fait que je ne sais jamais quoi lui dire, étant donné que depuis quarante ans la communication entre nous a toujours été des plus superficielles. Je ne lui parle donc que de toi.

Je te recopie un e-mail que j'ai reçu d'Alicante :

Je sais par expérience personnelle (j'ai passé beaucoup, beaucoup de temps dans une unité de soins intensifs) que même quand les autres te croient endormie et inconsciente, tu entends quelque chose. J'entendais les gens entrer et sortir, et je pouvais même, quoique d'une façon difficile à définir, entendre ce qu'ils disaient. De fait, même sans pouvoir reconnaître personne pendant longtemps, j'ai toujours su qu'ils étaient là. Fais donc ce que dit ton père et parle-lui, sans avoir l'air trop

affectée pour qu'elle n'ait pas l'impression qu'il se
passe quelque chose de grave. Je te le répète, ce que je
dis repose sur mon expérience.

Bisous,

Jaume

23 *octobre*

On l'a changée d'étage. Hier après-midi, un médecin
très aimable s'est assis avec nous et nous a dit, textuellement, que son état était « dramatique ». C'est alors
que je me suis rendu compte, pour la première fois je
crois, de la gravité de la situation, car jusque-là j'étais
restée pleinement confiante que les choses allaient
s'arranger.

Virginia Woolf, ne pouvant ou ne voulant accepter
que la typhoïde lui ait pris son frère Thoby, avait ourdi
un étrange stratagème pour nier la brutale réalité. Dans
ses lettres à son amie et ancien mentor Violet Dickin-
son, malade elle aussi, elle avait inventé que Thoby
était en train de se remettre et que sa santé se rétablis-
sait peu à peu. Elle lui avait envoyé pendant un mois
des lettres agrémentées de rapports médicaux et de
détails encourageants, et n'avait mis fin à ces écrits
pleins d'imagination que lorsque Violet avait appris la
vérité en lisant le journal. La jeune Virginia avait été
admise en maison de repos, victime d'une dépression
nerveuse, première d'une longue série dont elle devait
souffrir toute sa vie. J'avoue comprendre parfaitement
sa réaction, car il y a eu une époque où j'étais obnubilée par elle, j'ai commencé par lire tous ses romans,
avant de passer à ses autres écrits puis à tous ceux qui
lui ont été consacrés (ou du moins ceux que j'ai pu
trouver), depuis les biographies jusqu'aux études critiques. Et moi aussi, j'éprouve maintenant la tentation de
dévier de ce journal et de t'envoyer une autre lettre,
une lettre d'un univers parallèle où ta grand-mère serait

chez elle, dans son fauteuil, en train de feuilleter un magazine et de ronchonner comme à son habitude. Je me sens en effet incapable d'écrire quoi que ce soit sur sa maladie. Ça a toujours été l'un de mes principaux systèmes de défense : quand quelque chose m'est très douloureux, je n'en parle pas. Je ne suis pas du genre à téléphoner aux amis pour qu'ils me consolent. Au contraire, quand je vais mal, je préfère que les autres me parlent de leurs histoires à eux.

Et puis, que fait un écrivain, sinon se construire une réalité alternative pour fuir celle qui l'entoure ? (J'englobe dans la catégorie « écrivains » les auteurs de romans refusés et les journalistes à prétentions littéraires.)

Il y avait longtemps que je n'avais pas passé autant de temps avec mes sœurs et mon frère, tes oncle et tantes, avec qui j'ai dû rester la longue nuit de samedi à dimanche dans la salle d'attente. Aucun n'arrive à comprendre que je t'aie prénommée Amanda. Trop « vieillot » d'après Laureta, « prétentieux » pour Vicente, « bizarre » selon Asun. Asun aurait voulu un prénom plus classique, un prénom banal comme Cristina ou Elena ou Maria ; Laureta un prénom comme on en voit dans les magazines, Alba, Cayetana, Inés ou Alejandra ; et Vicente… Vicente n'avait pas réfléchi à la question du prénom, mais maintenant que tu en as un, il s'empresse de faire savoir qu'il n'est pas à son goût. Dès le tout début de ma grossesse, tous trois ont essayé de me persuader de renoncer à mon idée de t'appeler Amanda. Car aussi loin que je me souvienne, jamais ils n'ont approuvé une seule chose que j'aie faite ; rien d'étonnant, donc, à ce que ton prénom ne leur convienne pas. Quel que soit celui que j'aurais choisi, le plus probable est qu'ils y auraient trouvé à redire. Mais leurs critiques m'ont affectée, et malgré moi je me suis mise à envisager de te donner un autre prénom que celui qui t'appartient pourtant de droit, car tu le

146

portais avant même de naître, quand tu n'étais pas même un embryon, pas même un concept, juste une possible bénédiction à venir, fruit de l'imagination de ta mère, qui à l'époque où elle écoutait encore The Cure et Bauhaus, fredonnait volontiers, à la stupéfaction de Tania et au grand scandale de Sonia, une chanson de Victor Jara qu'elle aimait et qui disait : *Je me souviens de toi, Amanda, qui courais sous la pluie vers l'usine où travaillait Manuel, Manuel, Manuel, tu étais si souriante malgré la pluie dans tes cheveux, quelle importance puisque tu allais le retrouver, le retrouver, le retrouver, cinq minutes seulement mais la vie est éternelle, et dans cinq minutes la sirène retentira et le travail reprendra, et tu illumines tout sur ton passage, et ces cinq minutes te font resplendir.*

Ce n'est pas à la maison, bien sûr, que j'ai entendu cette chanson pour la première fois, car à la maison il y avait des disques de Gardel (tante Reme, comme tu sais, et ma mère par contagion), ou de Joan Manuel Serrat (Asun), ou de Leonard Cohen (Laureta), ou de Genesis (Vicente), ou de Wagner (mon père), mais il n'y en a jamais eu de Victor Jara. Ne cherche pas, je vais te donner l'explication, même si elle est facile à deviner : celui qui me l'a fait connaître, c'est José Merlo qui, toujours novateur dans ses choix de textes à commenter (je t'ai dit que c'était un enseignant moderne et progressiste), nous l'a passé un jour en classe, sur son vieux radiocassette déglingué et crachotant, dont le bruit de fond donnait à la voix du Chilien un je-ne-sais-quoi de rauque et de brisé qui aurait plus convenu à un tango qu'à une *protest song*. C'est José Merlo qui nous a raconté que Victor Jara, apprenant que sa fille était diabétique, avait écrit cette chanson pour sa femme et pour sa fille, qui avaient le même prénom. L'image de cette femme qui courait sous la pluie pour retrouver son mari pendant cinq petites minutes suggérait un amour si profond qu'il émouvait José Merlo lui-même, dont je doute que les histoires d'amour hétérosexuelles l'aient fait beaucoup vibrer. Et quand il nous a expliqué que le refrain « la vie est éternelle » suggérait le lien organique entre la mère et la fille, j'ai décidé, à dix-sept ans à peine, que ma fille s'appellerait Amanda, alors même que Victor Jara était complètement passé de mode, et encore plus mal vu que Los Secretos par notre bande de gothiques à bracelets cloutés, et je fantasmais dans mon moi le plus intime d'avoir un jour une fille engendrée par ce professeur qui nous avait fait écouter cette chanson dédiée aux deux Amanda. Et plus tard, en faculté, j'ai été confortée dans ma décision en apprenant qu'*amanda*, en latin, est la forme féminine du participe présent passif du verbe aimer, et signifie donc « qui doit être aimée ». Mais ce qui a achevé de me convaincre, au moment où il a vraiment fallu que je choisisse, c'est de savoir qu'il n'y a pas de sainte Amanda connue, que je pouvais donc suivre la vieille tradition familiale inaugurée par mon arrière-grand-père, le grand-père de ma mère, qui était athée et franc-maçon, et avait appelé ses trois filles Palmira, Flora et Sabina, des noms romains et non pas des noms de saintes, refusant qu'aucune des trois soit baptisée ou rattachée d'une façon quelconque au martyrologe catholique, et comme cette idée m'avait toujours séduite, j'ai eu le plaisir de la reprendre à mon compte en te donnant un nom païen pour signifier que ta mère t'avait conçue abstraitement et concrètement, comme concept et comme embryon, dans le seul dessein de t'aimer.

Car en te pensant je t'ai donné forme, et en te nommant je t'ai créée ; tu es mon *logos*.

Je ne devrais pas être affectée par les disputes familiales, je devrais être habituée, prendre mon parti de ce qu'ils n'aiment jamais les vêtements que je porte, les livres que je lis, les gens que je fréquente, comprendre une fois pour toutes que chaque famille est comme une troupe d'acteurs où les rôles sont distribués à l'avance, et dont l'unité repose en partie sur le fait que chacun accepte de jouer celui qui lui est adjugé, Vicente le jeune premier, Laureta la jeune première, Asun le second rôle, et moi, Eva – la calamité, la grosse, l'immature, l'hystérique –, la servante de comédie. Mais comme il m'arrive d'oublier cette vérité d'évidence, j'ai failli prendre les critiques au sérieux, et j'ai songé un moment à t'appeler Eva pour que tu sois la troisième du nom (ta grand-mère, ta mère, puis toi). Mais ton père a insisté pour que ce soit Amanda, bien que ce soit moi, et non pas lui, qui aie choisi ce prénom.

Et j'ai choisi Amanda parce que en te nommant j'ai voulu te créer, et te créer différente de moi. Mon Autre. Une Autre qui détruise enfin cette autre Autre qui me consumait. Une Autre lumineuse et invincible.

Il fallait que tu sois différente, il ne fallait pas que tu sois comme moi, et c'est pourquoi, même si tu as failli t'appeler Eva, tu t'es finalement appelée Amanda, ainsi qu'il était prévu au départ et sur la suggestion (je n'ose pas écrire l'injonction) de ton père – qui n'avait pas l'habitude de se conformer aux décisions ni aux directives de personne, et encore moins d'une famille qui n'était pas la sienne, pas même par alliance puisque nous ne sommes pas mariés – et ce, parce que nous t'avions toujours appelée Amanda, depuis le moment où nous avons su que tu existais en tant qu'embryon, malgré mes frère et sœurs qui poussaient des cris d'orfraie et nous assuraient que personne ne saurait prononcer ton prénom et que les enfants se moqueraient de toi dans la cour de l'école. Quand j'ai raconté ça à Paz, elle m'a conseillé de te dire de répondre, au cas où ça arriverait : « Je vais appeler ma tante Paz, et elle va te faire un procès qui va te coûter la peau des fesses. »

Donc, tu es restée Amanda et tu n'es pas devenue Eva, grâces en soient rendues à ton père, car Eva est un nom de remplaçante, celui de la femme soumise qui a pris la place de la première épouse, la place de cette Lilith qui n'était pas issue de la côte d'Adam, mais avait été créée en même temps que son compagnon et modelée dans la même argile, de cette Lilith qui exigeait de copuler à califourchon sur lui, de cette Lilith qu'un Dieu le Père mâle et vindicatif a expulsée du Paradis (un Dieu remplaçant, lui aussi, qui avait volé la place d'Elohim, le créateur/créatrice dépourvu de genre, qui était à la fois Lui et Elle et a été écarté de la seconde version de la Genèse parce qu'un scribe mâle a décidé que le Créateur était père et non mère et a jugé préférable, au passage, de chasser Lilith non seulement du Paradis, mais aussi du livre), et qui a été supplantée sans ménagement par une Ève excroissance d'Adam, une Ève dont tu ne portes pas le nom, parce que jamais tu ne seras une excroissance et parce que, comme le dit Alejandro Jodorowsky, cela porte malheur d'appeler les enfants comme les parents, car cela les empêche de développer leur personnalité propre. Je crois qu'il a raison, il n'y a qu'à voir comment je m'en suis tirée, comment je cherche désespérément à vérifier qui je suis, dans cette quête permanente d'une identité qui m'a été déniée dès le départ, faute de nom qui me soit propre : à la maison, je n'ai jamais été Eva, toujours Evita, toujours une petite fille même lorsque j'avais depuis longtemps cessé de l'être, la petite fille que je resterai pour eux jusqu'à ma mort.

Ton oncle continuait d'insister, entre deux bouffées de cigare – ignorant souverainement l'écriteau « Défense de fumer », pourtant bien visible sur le mur en face de notre banc –, sur le fait que les enfants devaient porter des prénoms classiques et non pas des inventions sud-américaines. Mais peu nous importe que ton oncle sache ou non l'étymologie de ton prénom, car je doute fort que tu entretiennes avec lui des relations suivies. Car ton oncle Vicente, ton estimable et estimé oncle Vicente, n'est pas précisément dans les meilleurs termes avec ta mère. Il a une vision très particulière du monde, qui divise celui-ci en deux parties : Vicente Agulló Benayas, d'un côté   et tous les autres, qui sont censés graviter autour de lui. C'est pourquoi ton si parfait, si organisé, si convenable et si impérieux oncle Vicente est extrêmement contrarié d'avoir une sœur cadette aussi incohérente, qu'il ne parvient pas à intégrer à son schéma.

Nous t'avons donc appelée Amanda lorsque tu étais encore un embryon, mais, chose curieuse, depuis que tu es à la maison, dans ta maison, celle où vivent avec toi ton père, le chien et moi, jamais nous ne t'avons appelée par ton nom. Nous t'appelons toujours *nena*, peut-être parce que, maintenant que nous voyons enfin à quoi tu ressembles, tu nous parais si minuscule que nous n'arrivons pas à te donner un nom de femme. (Et je comprends enfin pourquoi notre amie de Marbella est restée *Nenuca*, car si nous continuons comme ça, tu vas rester *Nena* toute ta vie.) Peut-être obéissons-nous à une consigne latente de l'inconscient collectif, qui nous relie à d'autres mondes terrestres, à des organisations sociales plus sages que la nôtre, car j'ai lu quelque part que, dans certaines civilisations, on ne connaît pas le nom des enfants avant qu'ils aient trois mois. À Bali, par exemple, les bébés ne posent pas le pied au sol avant cet âge, car ils sont toujours dans les bras ou dans des hamacs-berceaux, les Balinais croyant que les nouveau-nés n'appartiennent pas à la Terre mais sont les enfants des dieux. C'est seulement à trois mois qu'on leur donne à boire leur première gorgée d'eau et qu'au cours d'une cérémonie rituelle on leur impose un nom. Peut-être qu'à trois mois, quand tu pourras enfin fixer des objets, tourner la tête, sourire, me répondre en gazouillant ou en grognant, je commencerai à t'appeler par ton nom. Et en te nommant je te créerai à nouveau, et tu cesseras d'être un bébé pour être une petite fille miniature qui tourne la tête pour me sourire.

Autre e-mail que je te transcris :

J'ai vécu quelque chose de semblable avec mon père, et donc je comprends parfaitement ce que tu éprouves, à ceci près que je n'avais pas à m'occuper d'un bébé, ce qui doit rendre les choses plus épuisantes encore. Appelle-moi si tu as besoin de moi.

Paz

Elle a raison, un bébé est épuisant. Mais il est aussi d'un grand secours. Je me rappelle que, quand ma sœur Laura – la belle Laureta, le joyau oriental – s'est séparée de son premier mari, elle m'a dit qu'elle n'avait pas le temps de déprimer, car en rentrant chez elle il fallait qu'elle s'occupe de faire goûter les enfants, de les faire dîner, de leur donner le bain – ou au moins de s'assurer que la nounou faisait ce qu'il fallait –, de leur lire une histoire dans leur lit et, surtout, qu'elle évite qu'ils la voient triste. Et à force de faire semblant d'être gaie, elle finissait par l'être, comme quand nous étions petits et que les bonnes sœurs du catéchisme nous disaient : « Mets un sourire sur ton visage, et ton cœur finira par sourire aussi. »

C'est un peu ridicule, mais c'est vrai. Si je ne t'avais pas, aussitôt rentrée à la maison je me retrouverais en train de boire, ou de prendre des tranquillisants, ou de m'abrutir devant la télé, ou bien je resterais allongée dans ma chambre sans pouvoir en bouger, en proie à une crise fulgurante d'autoapitoiement. Mais il faut que je te donne le biberon, que je te couche, que je te chante une chanson, et je n'ai pas besoin de forcer mon sourire, car je souris vraiment dès que je te vois. C'est tout aussi ridicule, mais c'est tout aussi vrai. Comme dit ton père, tu es un Prozac naturel.

M'occuper de toi me rend heureuse, et pas seulement à cause de l'ocytocine ou de l'effet Bambi ou parce que tu es faite pour être aimée. Parce que offrir bonheur ou consolation à quelqu'un rend aussi heureux, c'est prouvé, celui qui offre. On dit que c'est ce qui explique la survie de l'espèce, car si nous avions été programmés pour nous détruire les uns les autres, nous n'aurions même pas duré trois générations. Nous sommes conçus – que ce soit le Plan Divin ou les gènes – pour participer à des jeux à somme positive, dont chaque joueur sorte gagnant, contrairement aux jeux à somme négative, où un joueur ne peut gagner que si un autre perd. Plus une civilisation comporte de jeux à somme positive, plus elle a de chances de durer, et notre espèce a été conçue de façon à développer des stratégies de jeu à somme positive, pour se laisser guider par l'empathie.

C'est du moins ce que disent les anthropologues, même si le spectacle qui m'entoure me fait douter sérieusement.

L'hôpital, par exemple, est complètement congestionné, et je n'ai pas le cœur à rouspéter quand je tombe sur des infirmières désagréables, tellement je me rends compte du stress effroyable qu'elles subissent. Dans la salle d'attente des urgences, sont affichées des feuilles A4 photocopiées où il est écrit : « Nous manquons de médecins, d'infirmiers et d'aides-soignants. Nous ne pouvons pas nous occuper de vous comme vous le méritez, car l'Administration nous refuse les crédits qui nous permettraient d'embaucher plus de personnel. Nous vous invitons, si vous ne vous sentez pas convenablement traités, à protester auprès des autorités compétentes. » Quel est donc ce pays qui mégote sur le budget de la santé et dépense des milliards à envoyer des soldats en Irak ? Ce pays qui trouve normal d'offrir trois cents millions d'euros à Bush pour jouer aux soldats de plomb ? Et dire qu'une partie de cet argent, c'est moi qui l'ai donnée, avec mes impôts !

Je ne crois décidément pas un mot de ce que disent les anthropologues : le divin m'a toujours été indifférent, et voilà que je me mets à mépriser l'humain.

Le matin même du jour où ta grand-mère est entrée à l'hôpital, je parlais à ton père, à la table de la cuisine, de l'intérêt qu'il y a à avoir plusieurs enfants pour nous sentir utiles et importants. Au début, je me disais que tu suffirais amplement à mon bonheur, et ton père était du même avis, bien que nous adorions tous deux les enfants en général, et toi en particulier – mais après cette grossesse qui s'est si mal passée pour tous les deux, nous n'avions aucune envie de renouveler l'expérience. Je lui ai pourtant dit qu'un jour, même si nous n'étions plus ensemble, j'adopterais sans doute un autre enfant, pour trois raisons. D'abord, parce que j'aime les enfants. Ensuite, parce que étant donné que tu as eu la chance immense d'être venue au monde dans un pays qui connaît l'eau courante, l'électricité et les vaccins, je me sens presque obligée de donner cette même chance à un enfant qui ne l'a pas eue. Enfin, parce que j'ai l'âge que j'ai, et que si tu te retrouves, quand tu seras grande, avec une mère malade qui te fait perdre les deux tiers de ton temps à parler à des médecins, j'aime mieux que tu aies quelqu'un pour partager cette charge avec toi, ou les visites à l'hôpital. Et je m'abstiens d'ajouter, j'espère que tu l'auras noté, l'argument rebattu de la solitude de l'enfant unique. Car j'aurais justement voulu, quand j'étais petite, être fille unique. J'étais terriblement jalouse des filles que les Rois mages couvraient de cadeaux, des filles qui avaient leur chambre à elle, qui n'étaient pas condamnées à porter les vêtements des sœurs aînées, qui n'avaient pas à redouter les coups de leur grand frère, qui n'étaient pas obligées de minuter leur passage à la salle de bains, ni de compter les beignets dans l'assiette pour vérifier combien chacun en avait eu exactement et défendre bec et ongles leur ration (bataille perdue d'avance, car il y a toujours un frère aîné pour manger un beignet de plus). Des filles dont l'enfance ne se déroulait pas dans l'ombre de frères et de sœurs qui étaient plus forts, couraient plus vite, avaient le verbe plus haut et crachaient plus loin. Ni dans l'ombre, comme moi, de sœurs unies par une relation algébrique et rigoureuse qui m'excluaient de leur chambre et de leurs jeux. Bref, j'attends toujours de lire l'étude qui me prouve que les enfants uniques deviennent plus asociaux ou plus dépressifs que les autres.

Et si nous avions un autre enfant et que tu en crevais de jalousie ? Si tu devenais une réplique de ton oncle Vicente, aigrie à jamais par l'arrivée d'un autre bébé qui te vole tes jouets, ta couronne de princesse et l'attention que tu mérites ? Moi qui n'ai jamais été monogame, je commence, avec toi, à le devenir, et à considérer que ce serait une forme de trahison que d'aimer un autre enfant autant que toi.

Mais je n'ai pas arrêté, ces derniers jours, de rendre grâce au Tout Cosmique (celui qui doit être Tout ce qui est réellement, celui dont seul le Tout lui-même peut comprendre l'essence, celui qui m'a conduite ici en me faisant rencontrer la sorcière aux cartes et le visionnaire à la boussole de La Ventura), de lui rendre grâce de m'avoir fait naître dans une famille nombreuse. Car j'ai beau avoir du mal à la supporter, je sais que j'aurais eu encore plus de mal à supporter ce stress toute seule.

À l'hôpital, dans le lit contigu à celui de ta grand-mère, il y a un enfant dans le coma, qui n'atteindra pas douze ans. Il a été opéré d'une tumeur cérébrale intra-ventriculaire et, à voir l'expression de ses parents, nous présumons que le pronostic n'est pas très favorable. J'étais sur le point de m'approcher de sa mère pour lui dire que je partageais sa peine, mais au dernier moment le courage m'a manqué, car je craignais qu'elle le ressente comme une immixtion. Plus tard, quand nous sommes sortis de l'unité de soins intensifs, ta tante Laureta a observé que le malheur ne se mesure pas, et qu'il y a toujours quelque chose pour vous faire comprendre qu'il y a de plus grandes tristesses que la vôtre. Car ta grand-mère, en somme, a eu une longue existence, qui a porté ses fruits sous la forme de quatre enfants, et elle peut remercier son Dieu que tous les quatre aient fait de bonnes études et qu'aucun ne soit devenu toxicomane (en tout cas, c'est ce qu'elle a toujours cru, et je ne pense pas qu'elle considère l'alcool ni le tabac comme des drogues dures). Mais un enfant de douze ans a toute la vie devant lui, il vient à peine de l'inaugurer.

Laureta a ajouté qu'il n'y a pas de pire malheur que la mort d'un enfant, que c'est une chose dont personne ne se remet.

J'ai passé la nuit à surveiller ta respiration.

On a fait venir l'aumônier pour qu'il administre à ta grand-mère le sacrement des malades. Il ne s'appelle plus « extrême-onction », je suppose que c'est pour éviter que ça fasse extrémiste (piètre jeu de mots, je te l'accorde). Le lit à côté de celui de ta grand-mère – pas celui du garçon, l'autre – est occupé par un monsieur qui était parfaitement conscient et qui, quand le prêtre a sorti son missel, a réclamé à l'infirmière qu'elle tire le rideau. Comme a dit plus tard ton oncle Vicente, dans un trait d'humour noir inhabituel chez lui – non pas le noir, mais l'humour –, l'apparition du curé a dû être pour le pauvre homme comme celle d'un vautour pour une chèvre moribonde. À un moment, le prêtre a prononcé la phrase sacramentelle : « Seigneur, délivre notre sœur de tout péché et de toute tentation. » Mais quelle tentation pourrait éprouver ta grand-mère dans un tel état ? J'ai regardé ton oncle. Ses yeux bleus étaient fixés sur le missel, comme deux lacs insoutenablement gelés, et j'ai compris qu'il pensait exactement la même chose que moi.

L'une des trois Sonia, je ne sais plus laquelle, m'a raconté que son grand-père, qui est resté deux mois à l'hôpital pour un cancer en phase terminale, a reçu l'extrême-onction quatre fois. Si bien que chaque fois que le brave homme voyait arriver le curé, il lui disait :

« À quoi bon, mon père, me confesser une nouvelle fois, puisque ici je n'ai guère l'occasion de pécher ? »

Ta cousine Laura, au collège, avait eu à faire une rédaction sur le sujet « La vie quotidienne à l'époque où il n'y avait ni répondeur, ni téléphone mobile, ni avion, ni télévision ». Pour cela, elle avait interrogé ta grand-mère, la seule personne de sa connaissance – ton grand-père excepté – qui ait connu ladite époque, et donné à l'interview la forme d'un récit. Je parle de Laura petite fille, qui reste Laurita malgré ses seize ans et qui, parti comme c'est, le restera toute sa vie, une des raisons qui ont le plus pesé pour que je ne te prénomme pas Eva, car tu serais Evita pour le restant de tes jours.

Après avoir interrogé ma mère, Laura-Laurita avait donc écrit cinq pages où elle décrivait les rigueurs de l'après-guerre, et où figuraient un tas d'anecdotes que je ne connaissais pas. J'ignorais, par exemple, que, dans les années quarante, il n'y avait dans toute la province d'autres cinémas ni salles des fêtes qu'au chef-lieu, où tous les garçons des villages venaient le samedi soir pour rencontrer des filles. J'imagine que ça ne devait pas aller très loin à une époque où des chansons comme *Bésame mucho* ou *Fumando espero* (sans même parler des tangos de Gardel, chers à tante Reme) étaient interdites de radio, où il n'était donc pas question de danser dessus en public et où, au cinéma, la moindre scène d'amour était masquée par une main devant le projecteur, alors même que les films avaient subi une censure préalable. C'est à cette même époque qu'avait été interdit, pour immoralité, le carnaval traditionnel d'Alicante. Je ne savais pas non plus que la plage de Postiguet avait été le théâtre des premières amours de ta grand-mère avec un estivant madrilène, amours qui prirent fin lorsqu'elle rencontra son second amoureux, lequel devait devenir son beau-frère (mais cela, comme dirait Moustache, est une autre histoire), et amours des plus innocentes au demeurant, car un arrêté municipal prescrivait expressément aux baigneurs de porter, hors de l'eau, un peignoir de bain, et interdisait en outre les jeux de plage pour faire bonne mesure, le tout sous peine de condamnations pouvant aller jusqu'à quinze jours d'emprisonnement, ainsi qu'il était arrivé à une femme qui portait un « costume de bain immoral ». Mais moi, je n'avais jamais entendu parler de tout cela, pas plus que de la faim qu'avait connue ta grand-mère quelques années plus tôt, quand le sucre, le riz, les haricots et l'huile d'olive étaient rationnés, quand les foyers s'éclairaient à la lampe à huile ou à carbure, quand la soupe était agrémentée d'un rachitique os de jambon que tout le monde se disputait, quand bienheureux étaient ceux qui pouvaient s'offrir viande ou poisson et que certains en étaient réduits à manger les peaux d'orange qu'ils trouvaient par terre dans la rue, quand les agriculteurs vendaient au marché noir, avec la complicité des hiérarques franquistes, la majeure partie de leurs récoltes, s'enrichissant rapidement tout en affamant la moitié de l'Espagne. Et je savais encore moins que ta grand-mère avait vécu presque toute sa jeunesse vêtue de noir, car la couleur du deuil était presque de règle, rares étant les familles qui n'avaient pas eu à déplorer la perte d'un proche. En plus, cela revenait moins cher, car la serge noire pouvait s'user sans que l'on remarque outre mesure les ravages du temps et des lavages répétés.

Une autre chose que j'ignorais était que ta grand-mère n'avait pas pu s'habiller en rouge avant les années soixante, car cette couleur était sous le coup d'une interdiction tacite au lendemain de la guerre, et j'ignorais aussi que Sabina, la tante de ma mère, soupçonnée d'être une rouge parce que son fiancé avait été tué au combat dans les rangs républicains, était restée célibataire malgré sa grande beauté, car personne à Elche n'osait même lui adresser la parole, par peur des représailles. Et que c'était pour la même raison que mes grands-parents maternels, Blai Benayas et Palmira Lloret, avaient décidé de déménager à Alicante peu après leur mariage : quelqu'un ayant dénoncé Sabina, il ne fallait pas que la même chose risque d'arriver à ta grand-mère, qui ne s'était certes jamais signalée comme rouge mais qui était tout de même une Lloreta, fille d'athée et de franc-maçon notoire, fille « illégitime » qui plus est, comme on disait alors, puisque ses parents ne s'étaient pas mariés à l'église. Ce n'est pas qu'Elche ait jamais été fasciste, bien au contraire, les gens d'Alicante disaient même que c'était « la cité du marxisme » car le mouvement ouvrier était très puissant dans cette région d'industrie textile, et c'est d'ailleurs à Elche qu'a été fondée en 1870 la première loge maçonnique de toute la province, sous les auspices du Grand Orient d'Espagne. Malgré tout, mes grands-parents continuaient d'avoir peur, car ils savaient que chacun était susceptible de dénoncer son voisin pour venger de vieilles offenses ou des jalousies recuites. Ma grand-tante Sabina est cependant restée à Elche avec sa sœur Flora pour s'occuper de la fabrique de nougat de cette dernière.

J'ai soudain compris l'origine de certaines manies de ma mère. Son obsession, par exemple, de toujours mettre de côté le morceau de sucre qu'on lui donnait au café. À la maison, le mot « sucre » ne figurait jamais sur la liste des courses, car il n'y avait qu'à puiser dans les monceaux de morceaux et de sachets que ma mère rapportait. C'était aussi une maniaque des boîtes de conserve, qui s'accumulaient par centaines dans l'office : des boîtes de jus de viande, de haricots au lard, de lentilles, de thon à l'escabèche et, surtout, d'aubergines marinées, chose rarissime à trouver, et que personne chez nous n'aimait, sauf mon père qui adorait ça. Tante Reme plaisantait toujours ma mère et lui demandait pourquoi, pendant qu'elle y était, elle ne construisait pas un abri antiatomique dans l'office.

— J'aime mieux qu'on ne manque de rien, répondait-elle. On ne sait jamais.

Dans la rédaction de Laurita, ta grand-mère concluait avec sa phrase favorite, que je lui ai entendu répéter dix fois par jour depuis que j'ai l'âge de raison, aussi bien pour évoquer sa jeunesse alicantine que pour nous dire qu'il nous faudrait aller à pied au collège parce qu'elle ne se sentait pas assez bien ce matin (une fois parmi tant d'autres) pour nous emmener en voiture : « Ce qui ne te tue pas te rend plus fort. »

Quand j'ai fini de lire la rédaction, je me suis rendu compte que je ne savais rien de ma mère, de ta grand-mère.

Pire encore, que je n'avais jamais pris le temps de l'écouter.

24 octobre

La banque me refuse la caution.
Un malheur n'arrive jamais seul.

Hier, je t'ai présentée officiellement à Rocher Noir, qui ne s'appelle évidemment pas Rocher Noir, mais Tibi. Et qui est portugais, de Madère. Quand il a appris que tu t'appelais Amanda, il m'a demandé d'où m'était venue l'idée de te donner un prénom aussi étrange.

— Il n'y avait pas une chanteuse qui s'appelait comme ça ? m'a dit l'ex-Rocher Noir, Tibi désormais. Amanda Lear, c'était un travesti ou un transsexuel, je ne sais plus. Avec un maquillage très outrancier. C'est ça qu'évoque le nom pour moi… un nom comme ceux des filles qui travaillent ici.

— Et toi, comment t'appelles-tu en vrai ? lui ai-je demandé, un peu vexée. Tiburcio ? Tibidabo ?

Il a ri.

J'ai vu à la télé une chanteuse célèbre qui faisait le top model pour L'Oréal. Et je me suis demandé comment diable cette femme qui avait accouché quatre semaines avant moi avait fait pour retrouver sa ligne. Étant donné qu'on ne peut pas faire d'exercice pendant les derniers temps de la grossesse, de deux choses l'une : ou bien elle a passé un mois à faire des abdominaux, ou bien elle en a passé deux sans rien avaler. À ce moment-là, une des invitées du talk-show où on montrait les photos de l'actrice en question a dit exactement ce que j'étais en train de penser : « Mais comment a-t-elle fait pour récupérer si rapidement ? » Une autre invitée lui a répondu : « Liposuccion, ma chère. » Sur quoi une troisième est intervenue : « Ah non, je sais de source sûre que Marta ne s'est pas fait lifter » (pas récemment, voulait-elle dire).

J'ai honte d'avouer que je regardais une émission pareille, et je me demande si je peux même invoquer comme excuse ou comme absolution le fait qu'au milieu de tout ce chaos j'avais besoin de me délasser et que je manquais de la concentration nécessaire pour lire. En tout cas, je me suis dit que ladite Marta aurait mieux fait de ne pas se faire lifter ni quoi que ce soit d'autre en échange d'un tel miracle, car si nous avions l'habitude de voir à la télé des femmes normales, de chair et de sang, des femmes sur la silhouette desquelles un accouchement laisse des traces, alors nous porterions fièrement nos hanches larges et nos seins tombants, au lieu d'ajouter encore un motif de stress à notre vie déjà stressée.

Marta, s'il te plaît, en notre nom à toutes, je t'en supplie :

Regrossis.

Une chose dont on ne te prévient jamais quand tu es enceinte : l'incontinence urinaire post-partum. Cela veut dire que, quand le canal génital se dilate, il te devient impossible de te retenir. Théoriquement, il faut que tu fasses des exercices pour récupérer le tonus et la musculature, mais ça ne m'a servi à rien. Je viens de courir aux toilettes et je ne suis pas arrivée à temps, au milieu du couloir j'ai senti l'eau couler entre mes jambes et je n'ai rien pu faire pour l'empêcher, de sorte que j'ai dû rebrousser chemin et aller chercher la serpillière à la cuisine. Et comme le chien est jaloux de toi, lui aussi s'oublie comme un jeune chiot dans tout l'appartement, qui du coup commence à empester les toilettes publiques.

Je me demande si Marta connaît ce type de problème.

On a changé ma mère d'étage. On l'a transférée de l'unité de soins intensifs de neurochirurgie – où on l'avait envoyée faute de lits – à celle de chirurgie digestive, où elle aurait dû être depuis le début. On a bien fait, car ici la plupart des patients sont réveillés, et on ne respire pas cette ambiance lugubre de mort imminente qu'il y avait dans l'ancienne unité. Les proches eux-mêmes sont moins abattus. En plus, il y a une infirmière adorable, qui a pomponné et bichonné ta grand-mère, qui l'a coiffée, lui a coupé les ongles et lui a mis un peu de pommade sur les lèvres. Et je comprends bien qu'elle fait ça pour nous plus que pour elle, afin d'atténuer l'effet que produit sur nous la vision de ce corps tout jauni et relié à vingt tubes, un respirateur et quatre appareils. L'infirmière, qui s'appelle Caridad, doit être plus proche de cinquante ans que de quarante, mais c'est encore une belle femme, non dans le sens où on l'entend habituellement mais parce qu'elle dégage une sorte d'harmonie sereine. Elle m'a fait très plaisir en me disant qu'elle avait lu *Droguées*. Je crois que c'est Fernando Savater qui a dit : « Il n'y a pas de meilleur antidote à la vanité que de connaître ses admirateurs. » Et de fait, cette femme a effacé d'un seul coup tout vestige de vanité que j'aurais pu avoir, mais pas pour les raisons que le philosophe imaginait. Je me suis sentie toute petite à côté d'elle, parce que je me suis rendu compte que mon travail ne valait rien en comparaison du sien.

Le matin, le médecin a dit à mon père que nous devions nous préparer au pire, que le rein s'était arrêté plusieurs fois, que le foie ne fonctionnait plus et que les deux poumons étaient pleins de sang.

Je tâche de me souvenir de ce qu'on m'a raconté et je reviens aux années d'avant la guerre pour te parler de ma grand-mère et de ses deux sœurs, qu'à Elche on surnommait en valencien les Lloretes parce que leur nom de famille était Lloret. Elles allaient partout ensemble, toutes les trois, et on disait que c'étaient les plus belles filles de la ville. Je t'ai déjà dit qu'elles s'appelaient Flora, Sabina et Palmira par conviction anticléricale de leur père, mon arrière-grand-père, don Trino Lloret, qui non seulement n'avait pas voulu les faire baptiser, mais leur avait choisi des prénoms païens. Mais malgré cet anticléricalisme radical, ma grand-mère Palmira devait découvrir, des années plus tard, qu'on l'avait baptisée quand même, et plutôt trois fois qu'une, car chacune de ses tantes s'en était chargée de son côté, dans une paroisse différente, à l'insu des deux autres et, bien sûr, en cachette de son père. (« Je sors promener la petite », avaient-elles dit sans préciser que le but de la promenade était l'église, où les attendait le curé complice, qui administrerait le sacrement à l'enfant sans en souffler mot au reste de la famille, et encore moins au père, athée militant.) Don Trino était ce qui s'appelle un personnage : son mariage avait été l'un des six (ou sept, moins de dix en tout cas) mariages civils célébrés dans la province au début du siècle, et pour être sûr de tenir les curés à distance jusqu'au bout, il avait spécifié dans son testament qu'il voulait être enterré civilement (grâce au fait qu'Elche était, avec Crevillente et Alicante, l'une des trois seules localités de toute la région à posséder un cimetière « neutre »), mais le malheureux a fini enterré contre son gré au cimetière catholique, la dictature – on était en 42 – ayant fermé les cimetières laïques. Il est cependant probable que le résultat aurait été le même s'il était mort plus tôt, car en dépit du fait qu'Alicante a conservé un cimetière civil durant toute la République, presque tous les socialistes étaient enterrés religieusement, l'Église s'employant à convaincre leur superstitieuse famille qu'il serait incongru d'enterrer leur parent en terre non consacrée. Trino Lloret appartenait à la loge Constante Alona d'Elche, était membre du Cercle ouvrier d'Elche – au sein duquel avait éclaté une querelle lorsque son président avait été accusé d'afficher le portrait du leader socialiste Pablo Iglesias et pas celui du prétendant Carlos de Bourbon – et avait fait ses débuts littéraires en publiant des articles dans *El Alicantino Masón* et dans *Mundo Obrero* d'Alicante, fondé par son mentor et ami le socialiste Miguel Pujalte. Il avait été, à moins de dix-huit ans, l'un des auteurs du fameux pamphlet par lequel les socialistes avaient répliqué aux attaques du curé de Santa María, qui affirmait que les rouges voulaient abolir le commerce et instaurer le partage des femmes entre tous ceux qui les désiraient. Il faut rappeler que dans l'Alicante de l'époque, on pouvait être franc-maçon ou spirite sans être mis au ban de la société, car la persécution n'a commencé qu'après la chute de la République, lorsque a été créé le tribunal de répression de la maçonnerie. Dix des onze députés élus à Alicante en 1931 étaient francs-maçons. Pujalte était lui-même spirite, et a fondé la société d'études psychologiques La Caridad ainsi que la revue spirite *La Revelación*. Car au sein de la gauche, même ouvrière, la curiosité pour le paranormal était très bien acceptée, au nom de la lutte contre l'oligarchie catholique, et il y avait donc des cercles spirites à Alcoy, à Santa Pola, à Elche et à Villena. Il reste d'ailleurs, aujourd'hui encore, une communauté spirite importante à Villena (mais cela est une autre histoire, comme dirait Mousta-

164

che), et l'attirance des gens d'Elche pour le paranormal est demeurée intacte, les amenant à consulter des sorcières comme Juli, la voyante d'Elche que l'on vient voir de toute la province d'Alicante, qui a la réputation d'être infaillible et que ma propre mère a consultée autrefois.

Des trois Lloretas, seule Palmira, ma grand-mère, a eu des enfants, deux enfants : Eva, ma mère, et Blai, son frère cadet, qui est mort très jeune de tuberculose, cause de décès très courante au lendemain de la guerre – au point que les enfants du quartier prenaient la chose à la blague et chantaient une chanson dont les paroles étaient quelque chose comme : *C'est nous les tuberculeux / Qui crachons à qui mieux mieux, / Qui expectorons / Chez le marchand de bonbons, / C'est nous les sales mioches / Au bacille de Koch / La bestiole nous grattouille / Des poumons jusqu'aux... genoux*, si j'en crois la version que j'ai entendue tante Eugenia chanter plus d'une fois quand elle avait un petit coup dans le nez – même si ce sont probablement plus la faim et le manque de soins médicaux qui l'ont tué. Le fiancé de Sabina, je te l'ai dit, avait été tué à la guerre, dans les rangs républicains, et elle ne s'est jamais mariée. Quant à Flora, elle s'était mariée à dix-huit ans avec un officier de la marine marchande originaire de Benidorm, mais elle était devenue veuve à vingt ans et n'avait plus voulu d'autre homme après. Je crois me rappeler que ma mère m'a raconté que sa tante avait connu son futur mari à la veillée funèbre de son ancien professeur de mathématiques, auquel il était apparenté, et qui avait eu les trois sœurs comme élèves au lycée d'Elche, fermé par la suite sous la dictature au motif que la République ne l'aurait créé que pour porter préjudice aux ordres religieux – soit dit en passant, il y avait quelque mérite à faire concurrence aux collèges de curés et de bonnes sœurs, car sur les soixante-dix-neuf écoles que comptait alors Alicante, trois seulement étaient laïques. Il semble que le coup de foudre ait été instantané : ils se sont plu lors de la veillée funèbre, sont tombés amoureux à l'enterrement, se sont officiellement fiancés sitôt les obsèques terminées, et se sont mariés trois mois plus tard. Il n'y avait rien d'étonnant à ce que Flora, instruite et évoluée comme elle l'était, éprouve de l'attirance pour un marin, car dans la province d'Alicante, les villages de l'intérieur ont toujours été plus traditionnels et les villages du littoral plus libéraux en même temps que matriarcaux, ne serait-ce que par nécessité, les hommes étant souvent partis en mer. Mais leur bonheur ne devait guère durer. Le jeune homme, qui travaillait pour la Compagnie transatlantique, la plus importante compagnie de navigation marchande à l'époque, a contracté une mauvaise fièvre lors d'un voyage à Cuba et est mort durant le trajet de retour. Sabina et Flora ont alors habité ensemble et ouvert, avec le peu d'argent que Flora avait de son mari, un commerce de glaces en été et de nougat en hiver. La spécialité de la maison était la glace au nougat, aussi exquise que celle de Xixona, un mélange d'amande, de sucre et de miel qu'elles avaient appris à faire à la maison et qui était un secret de famille. Comme elles vivaient seules toutes les deux et partageaient tout, et qu'en outre elles lisaient beaucoup et commandaient à Alicante livres et revues, elles ont vite fait d'acquérir une réputation d'excentriques.

Des années plus tard, à la mort de l'ancienne et fugace belle-mère de Flora, il apparut que celle-ci, émue de constater que sa bru, si belle et si bien faite, était restée fidèle à la mémoire de son mari et ne s'était jamais remariée, lui avait légué quelque chose. Rien de mirifique : les terres fertiles et cultivables étant destinées par la brave dame à ses propres enfants, la bru reçut en héritage un terrain situé dans la zone des marais salants, sur le territoire de la commune de Benidorm, évalué à quatre mille pesetas de l'époque. Mais c'était tout de même un geste, même s'il était plus symbolique qu'autre chose étant donné que ce lopin de terre, donnant sur la plage de la Xanca qui s'appelle aujourd'hui plage du Ponant, était trop près de la mer pour être cultivable, et qu'on ne pouvait même pas songer à y construire une petite bicoque : à l'époque, seuls les pêcheurs les plus pauvres habitaient à proximité de la mer, le sel apporté par la brise marine s'infiltrant dans les maisons et abîmant tout à l'intérieur. Et même au cas, bien improbable, où une famille moyennement aisée se serait risquée à s'y installer, il demeurait dans l'inconscient collectif de Benidorm une sorte d'interdit implicite, un danger que seuls les plus irréfléchis ou les plus pauvres pouvaient braver, l'idée qu'une maison face à la mer n'était pas sûre. L'endroit avait jadis été en butte aux innombrables razzias des Maures et des Barbaresques, d'où cette loi non écrite, qui s'était maintenue à travers les âges : les gens qui avaient du bien s'installaient sur les hauteurs, seuls les pauvres vivaient sur la plage – mais en aspirant toujours à s'élever.

Des années après s'être mariée, ma mère a hérité de sa tante Flora ce terrain de Benidorm qui, comme je l'ai dit, ne valait rien ou presque lorsque la Lloreta le lui avait légué par testament.

Mais bien plus tard, avec le boom de l'immobilier, quand il ne restait pratiquement plus dans la province un pouce de terre qui ne soit urbanisé, un promoteur immobilier a offert à ma mère un bon paquet de millions pour cette terre naguère stérile et depuis peu transformée en mine d'or, afin d'y construire la résidence Principado Arena qui, si je ne m'abuse, existe toujours. C'est ainsi que ma mère, du jour au lendemain, s'est retrouvée, sinon riche, du moins aisée. En outre, le terrain n'appartenait qu'à elle car, aux termes de la loi, il ne faisait pas partie des biens communs mais des biens paraphernaux, étant donné qu'elle en avait hérité après son mariage. Soit dit en passant, selon le code civil de l'époque, tout acte relatif aux biens paraphernaux nécessitait l'autorisation de l'époux, c'est-à-dire qu'elle ne pouvait disposer du terrain ni du produit de sa cession sans le contreseing de son mari, quand bien même le terrain ou l'argent était sa propriété exclusive. C'est-à-dire qu'à cette époque, légalement parlant, *la femme était dépourvue de la pleine capacité à agir.* Je n'invente rien, tu peux demander à n'importe quel avocat ayant un certain âge. Les femmes avaient donc besoin de l'autorisation de leur père ou de leur mari pour disposer de leur salaire si elles en avaient un, ainsi que pour se rendre à l'étranger, et même, s'agissant des premières avocates, pour aller voir leurs clients en prison.

Je ne sais pas exactement ce que ma mère a fait de l'argent – je suppose ou j'ai l'impression qu'il a été investi de façon avisée – mais je sais qu'elle avait ses propres comptes en banque et que ceux-ci étaient bien garnis, car je l'ai entendue dire, au cours d'une de ses disputes avec mon père, qu'elle n'avait pas besoin de lui, qu'elle avait un capital suffisant pour vivre seule sans son aide jusqu'à la fin de ses jours si elle le voulait, et que s'il continuait à lui crier après elle prendrait ses cliques et ses claques. Je me souviens aussi de ses paroles à lui, qui sont restées gravées en moi comme au fer rouge : il lui disait qu'elle n'était qu'une ingrate et qu'elle devrait lui revaloir « le service qu'il lui avait rendu en l'épousant et en l'emmenant à Madrid ». Tu comprendras que ce n'est pas une phrase qu'on oublie facilement. Le pire est qu'elle a laissé en moi un doute qui revenait de façon lancinante chaque fois que je pensais à mes parents : je me demandais de quel service il pouvait bien s'agir. J'avais toujours cru dur comme fer ce que racontait Eugenia, la meilleure amie de ma mère, qui ne se lassait pas de répéter que ce mariage était surtout avantageux pour lui (j'ai toujours eu l'impression que mon père, pour je ne sais quelle raison, déplaisait à Eugenia, chose étrange car c'est un homme qui plaît aux gens en général et aux femmes en particulier), et qu'il n'avait aucunement rendu service à sa femme en l'emmenant vivre à Madrid, car elle ne s'y plaisait pas et le climat n'était pas bon pour les maux dont elle souffrait. Mais au moins, elle était près d'Eugenia, son amie de toujours.

Toujours est-il que ce matin, mon père et mon frère sont allés à la banque avec un papier signé par le médecin, et je ne sais par quel subterfuge, légal ou illégal, ils ont réussi à mettre les comptes de ma mère au nom de mon père, avec la complicité du directeur de l'agence, vieil ami de la famille. « Mieux vaut maintenant qu'elle ne se réveille pas », a dit Vicente, « car si elle se réveille et qu'elle l'apprend, elle nous tue. » J'ai trouvé ça typique de Vicente, qui prend toujours ses décisions si avisées sans consulter personne, avec cette angoisse maladive de tout prévoir et de tout contrôler, qui recouvre une autre préoccupation, bien plus profonde : une quête symbolique de la protection et de la sécurité auxquelles il a aspiré en vain dans son enfance.

Cette opération est sans doute dictée par des raisons de sécurité, celle de mon père en l'occurrence, afin d'éviter qu'en cas de décès de ma mère, le fisc ne prenne la moitié de l'argent. Mais peut-être aussi, je n'y avais pas pensé avant, par le fait que mes parents vivaient des revenus de ces comptes, vu que sa retraite à lui ne doit pas être énorme.

Je me rends compte que, curieusement, je n'ai jamais très bien su quel était le train de vie de mes parents, ni d'où venait leur argent. Je savais qu'il avait travaillé, avant de prendre sa préretraite à cinquante-cinq ans à peine – chose passablement étrange à l'époque, sauf pour un homme qui pouvait vivre largement des rentes de sa femme – dans une entreprise d'import-export, mais je n'avais jamais posé beaucoup de questions sur son poste ou sur ses attributions, trop absorbée que j'étais, au collège, par mon amour impossible, puis, étudiante, par ma hâte de quitter au plus tôt la maison que mes parents remplissaient de leurs cris et de leurs reproches à longueur de journée. J'avais toujours considéré que l'important, dans la vie, était de trouver un travail dès que possible afin de pouvoir prendre un appartement à soi, et dès que j'ai eu le mien, je ne suis plus retournée qu'un dimanche sur deux, pour déjeuner, dans celui où j'avais grandi, et je ne profitais guère de ces occasions pour poser des questions sur la vie des autres, ni pour raconter la mienne, en fait je ne parlais presque pas, et me contentais de faire bonne figure, et honneur au contenu de mon assiette. J'avais peu à leur dire, et mes marques d'affection étaient forcées, comme si je cherchais à dissimuler quelque faute secrète. Il y avait dans ces mortels repas dominicaux quelque chose de presque tragique, qui m'unissait aux autres convives par un lien occulte allant au-delà des liens du sang : celui d'un passé partagé et d'un non-dit conscient. Comme si nous nous efforcions désespérément, en feignant d'être une famille qui s'entend bien, de chercher au fond de nos assiettes quelque chose que jamais nous ne trouverions. J'aurais été incapable de dire quoi, les mots me faisaient défaut pour l'expliquer, je comprenais seulement que quelque chose manquait, quelque chose sans quoi je me sentais vide et inconsolable. J'aspirais à éprouver de nouveau cette ancienne réaction puérile et instantanée quand ma mère se penchait sur moi, ce sentiment de profonde proximité, presque de fusion. Et je continuais donc de venir un dimanche sur deux, tout en sachant que je serais forcément mal à l'aise, et eux aussi sans doute.

Je m'aperçois que le fait que ton père soit au chômage est une bénédiction sous son apparence de malheur, car s'il travaillait, je ne pourrais plus aller voir ma mère. Paradoxes de la vie.

Cet après-midi, j'étais à peine arrivée qu'on m'a informée qu'elle allait mieux et que les analyses étaient meilleures : je me suis sentie comme sur une roulette russe émotionnelle. Tiens, j'ai écrit « roulette russe » au lieu de « montagne russe », et je crois que le lapsus n'a rien d'innocent : une chance qu'elle vive contre cinq qu'elle meure. Et toujours cette douleur dense, compacte, pénible même, qui ne ressemble à aucune de celles que je ressentais avant, car elle est assumée avec résignation depuis le début : on savait que cela allait arriver, même si on ne savait pas comment, c'est donc une douleur prévue, et entièrement nouvelle pourtant. Je m'enfonce dans la tristesse comme dans un vaste pays inconnu, avec un guide de voyage à la main, qui en fait ne me sert à rien.

Comme je t'ai dit, l'année qui a précédé ta conception n'a pas précisément été l'une des plus belles de ma vie. Le procès y a été pour beaucoup, d'abord parce qu'il m'a fait perdre le peu de confiance que j'avais encore dans le genre humain, et aussi parce qu'il a aggravé mes crises d'angoisse. Pendant plusieurs mois, je ne pouvais même plus prendre le métro : il suffisait que je descende deux escaliers et il me semblait que j'étouffais, que je ne pourrais jamais ressortir. J'avais aussi une peur panique du téléphone : si je l'entendais sonner alors que je n'attendais aucun appel, j'étais prise de tachycardie, ce qui est pour le moins fâcheux dans un appartement où, entre les coups de fil des éditeurs, de mon agent, des journalistes et des amis, la sonnerie du téléphone retentissait toutes les deux minutes à peu près, surtout après l'affaire de *Cita* qui m'avait fait accéder à la renommée médiatique et escalader l'Olympe de la presse *people*. J'avais le sentiment d'avoir le monde entier contre moi et de ne rien pouvoir faire qui ait beaucoup d'utilité, tant les forces que j'affrontais étaient plus puissantes. Rétrospectivement, tout cela me paraît maintenant très relatif, mais ce n'était pas le cas à l'époque. J'ai dû faire un effort considérable pour ne pas recourir aux antidépresseurs, car je savais qu'il ne fallait pas les associer à l'alcool, et donc j'ai essayé toutes les méthodes de relaxation possibles, depuis les cassettes de musique *new age* dont l'écoute me causait parfois une honte inavouable, mais dont j'étais trop désespérée pour me passer, jusqu'à la position du lotus, pendant une heure en face d'un mur blanc, ce qui m'a valu, à défaut d'une ataraxie hors de portée, des courbatures effroyables. La méditation ne produisant aucun effet, j'ai eu l'idée que l'ivresse pourrait m'aider, et je me suis adonnée sérieusement à la boisson, comme je ne l'avais plus fait depuis les jours de ma prime jeunesse, quand tenir l'alcool était à la fois un défi et une façon de montrer aux autres combien on est fort. Mais la vérité est qu'on n'est pas plus fort à trente ans qu'à vingt, au contraire, car passé la trentaine, l'organisme est plus éprouvé et ne résiste plus comme avant.

Mon amie Consuelo, styliste de profession, avait vu son contrat résilié par l'entreprise textile pour laquelle elle travaillait à Alicante (sa famille est basque, mais leur maison était à deux pas de la nôtre) et a décidé de venir chercher fortune à Madrid. N'étant pas trop sûre de trouver du travail tout de suite et ne voulant pas louer un appartement avant d'être fixée sur son sort, elle s'était installée chez moi pour quelque temps, dormant dans la chambre qui est maintenant la tienne, sur un matelas que j'ai jeté il y a quelques semaines pour installer ton berceau à la place. Au chômage, et donc dégagée, pour la première fois depuis longtemps, de l'obligation de se lever tôt, elle était disponible pour sortir jusqu'à point d'heure. Comme je te l'ai dit, j'étais alors responsable de la rubrique culturelle d'une émission de radio qui passait un soir par semaine et qu'écoutaient deux pelés et trois tondus – dont l'infirmière qui s'occupe de ta grand-mère en ce moment –, ce qui me valait d'être invitée à la plupart des premières de Madrid, si bien que Consuelo et moi, deux ou trois fois la semaine, nous nous maquillions le bord des yeux, enfilions nos bottines jusqu'aux genoux, et écumions les fêtes où l'alcool coulait à flots. En outre, comme Consuelo aime le vin, le fait d'en boire aux repas – saine tradition espagnole, ou peut-être pas si saine que ça, à laquelle j'avais résisté jusque-là pour pouvoir me dire que, ne buvant jamais chez moi, je n'étais pas une alcoolique – était devenu une habitude. Je buvais donc quotidiennement, et avais tellement l'habitude de me réveiller avec la gueule de bois que les maux de tête étaient dorénavant une constante de mon existence et non plus un malaise épisodique. Je réussissais miraculeusement à ne pas me lever trop tard, de façon à maintenir une relative, quoique irrégulière, routine de travail, mais il fallait que je fasse la sieste tous les après-midi, car non seulement je me couchais tard, mais j'étais souvent déjà ivre après mes trois verres de vin du déjeuner. Jamais je ne m'étais trouvée aussi grosse ni aussi moche, et cette constatation, loin de me détourner de la boisson qui m'enlaidissait, avait pour seul résultat de me faire boire encore plus, pour essayer vainement d'oublier à quel point j'étais mal dans ma peau.

Je ne m'étendrai pas sur les désastres sentimentaux à répétition (qui ne méritaient pas le nom de « liaisons ») que j'ai connus cette saison-là, car il y aurait matière à plusieurs romans, peu originaux à vrai dire, dans la mesure où chacun était une copie du précédent, et où tout finit par se ressembler : sur mille lèvres un même baiser moribond, semblable et différent. Je rappellerai seulement ces deux vérités éternelles : la première est que les buveurs fréquentent les buveurs ; la seconde est qu'à force de ne pas s'aimer soi-même, on n'attire que quelqu'un qui vous aimera moins encore.

Mais mon entourage aimait me voir ivre, car l'alcool désinhibe, transformant la personne timide que je suis en un prodige de sociabilité. Je donnais libre cours à mon côté le plus enjoué et le plus dévergondé, sans redouter de raconter les histoires les plus salaces ni de proférer les sarcasmes les plus provocants, quand je ne me mettais pas tout simplement debout sur le bar pour inviter l'assistance à chanter en chœur avec moi. Et à peine entrais-je dans un établissement qu'il ne se passait pas deux minutes sans que quelqu'un s'empresse de m'offrir à boire. Ce que jamais je ne refusais, car il suffisait d'un petit verre d'alcool avec des glaçons pour que ma peur des autres se dissolve comme par miracle. Je ne me sentais plus ni vulnérable ni attaquée. En fait, je ne me sentais plus rien.

Peu m'importait d'accumuler les désastres, de remplacer un chevalier servant par un autre comme je l'aurais fait d'un aspirateur défectueux, dès lors que je conservais une vie sociale trépidante et, en apparence, si divertissante. Tout le monde semblait me trouver très spirituelle, mais lorsque je me réveillais le matin avec une éponge dans la gorge, un vilebrequin sur la tempe, un grand vide dans la mémoire et la sensation très nette, à défaut d'être précise, de m'être couverte de ridicule la nuit précédente, je ne trouvais plus la chose si plaisante. Comme dit le tango et comme fredonnait tante Reme, je vivais au pays de l'oubli, au pays gris de l'alcool. La vérité est que j'avais souvent envie de mourir. Mais j'avais choisi, pour cela, une façon lente, discrète et socialement acceptable.

Un soir au Pachá, après la première du film *Intacto*, et après m'être jeté cinq ou six vodka-tonics derrière la cravate, je me suis mis en tête d'ourdir une orgie sur les canapés du *Ciel*, une sorte de recoin tranquille au premier étage de la discothèque. J'avais réuni une petite bande enthousiaste et plus que disposée à me suivre, mais l'idée n'a pas dû séduire le patron de la boîte, car il m'a *suggéré*, pour utiliser un courtois euphémisme, de partir, à la plus grande consternation de mes fervents acolytes, dont certains m'ont suivie dans mon exil forcé, saisissant au vol ma proposition de continuer la fête chez moi. Comme la rue Fuencarral était noire de monde et que je marchais juchée sur de très hauts talons, il était impensable d'y aller à pied – car mes pieds ne l'auraient pas supporté – ni en taxi – car il aurait mis un temps fou à arriver et m'aurait coûté les yeux de la tête. Lorsque, donc, nous avons vu arriver l'autobus de nuit, il nous a paru que c'était le Ciel qui nous l'envoyait (le vrai, pas celui du Pachá) et nous y sommes montés à quatre (Consuelo, moi-mêmc et deux inconditionnels résolus à nous suivre jusqu'au bout du monde en général et jusque chez moi en particulier). Tandis que j'avançais dans le couloir jusqu'aux sièges du fond, le véhicule a donné un coup de frein qui m'a fait perdre le précaire équilibre que je tentais de conserver, je me suis étalée de tout mon long et il n'y avait pas moyen de me relever, car pour couronner le tout j'étais prise d'un rire imbécile qui m'immobilisait sur le dos comme un scarabée.

Le lendemain matin, j'ai découvert en me réveillant que j'avais le corps constellé de bleus et que la paire de bottines hors de prix que j'avais mises pour la première était fichue. L'une avait perdu un talon, disparu corps et biens, l'autre avait une éraflure que même le meilleur des cirages et le plus habile des savetiers auraient été impuissants à dissimuler.

Je me suis mis deux paracétamols dans le gosier et j'ai demandé à Consuelo si elle pouvait me faire un café, requête étrange de ma part étant donné que je déteste le café et que je prends toujours du thé au petit-déjeuner, mais j'avais dans les méninges une sorte de toile d'araignée qui paralysait ma raison, au point qu'il m'était difficile de traduire en mots ce que je désirais. Je me suis alors rendu compte de mon erreur, mais ne l'ai pas rectifiée, me disant que le café m'aiderait à me réveiller. Lorsque Consuelo m'a apporté la tasse, nous avons vu toutes les deux que j'avais les mains qui tremblaient, et que ce n'était pas de froid. Consuelo s'est alors assise en face de moi sur le canapé du salon et m'a regardée d'un air grave et soucieux, dont elle n'avait pas été coutumière au cours de toutes ces semaines de java et de libations. Elle m'a dit qu'il fallait que j'arrête de boire, et je savais qu'elle avait raison. Elle m'avait déjà recouverte de sa cape, tout au fond du café où le bar se soulevait, comme chante Gardel et comme fredonnait tante Reme.

J'avais touché le fond.

On s'accroche à la drogue parce qu'on a tout un tas de problèmes. Et ensuite on n'en a plus qu'un : la drogue. Qu'elle s'appelle coke, ecstasy, tranquillisants ou alcool. Mon vrai problème, évidemment, n'était pas la boisson. Mon vrai problème s'appelait angoisse, dépression, absence endémique d'estime de soi… Mais l'alcool, qui au début en était la conséquence, avait cessé d'être un symptôme pour devenir la cause. Le serpent se mordait la queue : je bois parce que je ne me supporte plus, je ne me supporte plus parce que je bois. Le paradis artificiel était devenu un enfer. Le Syndrome Accro.

Ma liaison prolongée avec un alcoolique m'avait donné une idée assez claire du genre de personne que je risquais de devenir si je ne m'arrêtais pas à temps, mais j'étais animée par deux forces contraires, comme dans ce supplice moyenâgeux et barbare qui consiste à faire écarteler le condamné par deux chevaux tirant dans des directions opposées. D'un côté, je voulais cesser de boire. De l'autre, j'étais abattue par une mélancolie faite de lassitude et de renoncements, envahie par une amertume que je n'arrivais pas à contenir à l'intérieur de moi-même, comme si elle cherchait à s'étendre le plus possible pour empoisonner tout ce qu'elle touchait. Je me disais qu'il était vain d'essayer de lutter si n'importe qui, un amant, une journaliste, pouvait détruire ma vie en un instant, si des notions telles que la justice, l'honnêteté ou l'amour n'avaient plus de sens, si je ne pouvais plus me considérer que comme un être faible, inutile, vulnérable et nuisible.

Mais j'entrevoyais clairement que, si je voulais avoir une chance de m'en sortir, il fallait que je change d'air pendant quelque temps. Que je prenne le large. Que j'aille quelque part où personne ne me connaissait et où je pourrais mettre à profit ma solitude pour me confronter à moi-même et, peut-être, décider ce que je ferais de ma vie. Je n'envisageais pas un départ définitif, mais plutôt des vacances, une escapade.

J'ai donc décidé d'accepter l'invitation de Sonia, Sonia la photographe, la Sonia originelle qui autrefois arpentait fièrement le quartier avec sa tunique noire et ses bracelets cloutés, et qui insistait depuis des années pour que je vienne la voir à New York, où elle s'était installée peu après ses études, en me laissant pour tout viatique un bracelet aztèque en métal qui a remplacé le cuir clouté et qui fait resplendir depuis lors mon poignet.

25 octobre

Je revenais en métro de l'hôpital, en larmes, et la fille assise en face de moi me contemplait avec un visage désolé. Pour ne pas croiser son regard, je fixais son reflet dans la vitre de la fenêtre. Quand nous sommes arrivées à la station Sol, elle s'est levée mais, avant de descendre, elle s'est penchée vers moi. J'ai cru qu'elle voulait me demander ce que j'avais, mais elle m'a simplement dit : « Excusez-moi, je ne veux pas vous déranger, mais je me suis dit que si j'avais écrit un livre et que j'étais triste, cela me ferait plaisir que quelqu'un me dise qu'il l'avait bien aimé. » Je l'ai remerciée de tout cœur.

Encore une qui donne tort à Savater.

26 octobre

Temps morose tout le week-end. Nuages noirâtres aux contours brisés, qui rendent l'atmosphère oppressante. Ils se sont peu à peu fondus en un seul, implacable, qui a fini par éclater, et au bruit de la rue s'est substitué celui de la pluie, comme une voix en sourdine.

Ciel noir, rues grises, le climat est en phase avec mon état d'âme.

Je n'arrête pas de recevoir des mots de gens qui me disent : « Il m'est arrivé la même chose, et je sais combien cette situation est douloureuse et stressante. » C'est quelque chose que nous redoutons tous : la maladie ou la mort d'une mère. La médecine a réussi à retarder l'échéance, mais en contrepartie elle a allongé le processus. Qu'aurais-je préféré : une mort rapide, ou bien cette attente angoissante, même assortie de chances de survie ? Et dans quelles conditions, d'ailleurs ? En fauteuil roulant ?

Le malheur des autres ne console même pas les sots, car en vérité il ne console de rien.

Les médecins nous laissaient le choix. Préférions-nous, en cas d'issue fatale et proche, qu'ils arrêtent la morphine afin que ma mère ait cinq minutes de lucidité et puisse nous faire ses adieux, ou bien qu'elle ne se rende compte de rien ? J'étais pour la première option, mais j'étais seule de cet avis. Mon père disait : étant donné qu'on lui a caché, avant qu'elle entre en salle d'opération, la gravité de son état, pourquoi la réveiller au dernier moment et lui apprendre qu'elle va mourir, pourquoi la faire souffrir inutilement ? J'aimerais mieux, si c'était moi, être consciente de l'imminence de la fin, avoir la possibilité de dire enfin ce que je n'avais jamais dit avant, et m'en aller en paix avec les miens.

Mais de toute façon, c'est l'opinion de mon père qui prévaut.

Horaires des visites en soins intensifs : de 12 h 30 à 13 heures, de 19 h 30 à 20 heures. Le matin, il faut arriver dès midi, car c'est l'heure à laquelle on nous communique les données médicales, toujours plus ou moins les mêmes : situation critique, très grave, stable dans la gravité. Toujours le serpent qui se mord la queue : il faut recourir aux antibiotiques pour tenter d'enrayer l'infection, mais les antibiotiques sont toxiques et endommagent les organes vitaux. Sans antibiotiques, on meurt ; avec eux, on meurt quand même.

Le matin, le malade ne peut recevoir que deux personnes, mais l'après-midi les proches peuvent venir plus nombreux, à condition toutefois de n'être pas plus de deux dans la pièce. Tous les matins, donc, mon père vient avec son inséparable Vicente (lui-même avec son inséparable cigarette au coin des lèvres), et nous autres devons, l'après-midi, attendre trente à soixante minutes qu'on nous laisse voir notre mère (le rendez-vous est à 19 h 30, mais il y a toujours une raison ou une autre qui fait qu'on ne peut pas entrer à l'heure), dans une salle dont les murs dénudés auraient besoin d'un bon coup de peinture, sous des néons fantomatiques qui soulignent les cernes et nous donnent un teint jaune citron, au milieu de gens que nous ne connaissons pas plus qu'ils ne se connaissent entre eux, mais qui sont comme nos frères car ils ont tous dans le regard la même expression angoissée. Pendant la demi-heure de visite qui nous est autorisée, mes sœurs et moi devons entrer à tour de rôle, de sorte que nous pouvons à peine la voir plus de cinq minutes. Je me demande parfois si c'est bien la peine de venir, étant donné qu'on nous dit qu'elle ne peut ni nous entendre ni se rendre compte de quoi que ce soit. Mais mon père vient religieusement tous les matins et tous les après-midi. Il reste auprès d'elle, lui tient la main, la caresse, lui parle sur un ton cauteleux et attentionné, légèrement affecté, presque infantile. Je ne peux pas m'empêcher de penser que je ne les ai jamais vus se tenir la main, et presque jamais échanger des gestes ou des mots d'affection.

Moi aussi, je lui parle et je la caresse, bien que le médecin m'ait assuré qu'elle ne sent rien. L'infirmière m'a dit : « On ne sait jamais. » Oui, on ne sait jamais.

Ma mère est reliée à six machines, pas moins, qui crépitent et font clignoter une multitude de petits voyants lumineux. Un respirateur, deux ordinateurs sur l'écran desquels on peut suivre les constantes vitales, trois machines dont j'ignore à quoi elles servent... et une quantité de tubes reliés à autant de perfusions : glucose, créatinine, dopamine, morphine... Le plus impressionnant est celui qui sort du nez et par où s'écoule un liquide brunâtre.

Parfois je suis découragée, je crois le médecin plutôt que l'infirmière et ne peux me retenir de penser : quel sens cela a-t-il de faire tout ce voyage et d'attendre tout ce temps pour contempler pendant cinq minutes un cyborg inerte ?

Si je lui rends visite, c'est pour mon père, pas pour elle. S'il croit vraiment qu'elle peut l'entendre, autant que nous ayons l'air de le croire aussi.

Caridad m'a montré une des perfusions et m'a dit : « Tu vois ça ? Ce sont les antibiotiques. Le problème, c'est qu'ils ont des effets secondaires... Les médecins vous l'ont expliqué, non ? Un phénomène iatrogénique, comme tant d'autres. » Je lui ai demandé : « Un phénomène comment ? » Elle m'a répondu : « Oh, pardon. À force de travailler ici, on finit par employer des termes techniques sans arrêt. Iatrogénique, c'est, comment expliquer... on choisit un moindre mal pour éviter un mal plus grand. C'est-à-dire qu'il faut lui donner des antibiotiques pour stopper l'infection, en sachant que les antibiotiques peuvent lui faire du mal aussi. »

Dès que je suis rentrée à la maison, j'ai cherché le mot dans le dictionnaire. Comme je ne l'ai pas trouvé, j'ai cherché dans une encyclopédie médicale sur l'Internet. Et il y était. *Iatrogène ou iatrogénique* . se dit d'un dommage résultant d'un acte non fautif ou d'une erreur excusable du médecin. Par exemple, quand on est obligé de pratiquer une intervention chirurgicale qui aura inévitablement des séquelles mineures. J'ai découvert au passage que le stress peut être un phénomène iatrogénique.

180

Je ne sais pas si cela inclut le stress des membres de la famille.

J'arrive toujours épuisée à l'hôpital, comme si j'étais en miettes. À cela s'ajoute le manque chronique de sommeil, dû au fait que je dois me lever toutes les trois heures pour te donner le biberon. En théorie, j'alterne avec ton père, mais tes pleurs nous réveillent tous les deux. La seule solution serait que nous dormions dans des chambres séparées, mais il n'y a pas d'autre chambre que la nôtre et la tienne, et le canapé du salon n'est pas précisément une merveille de confort, même si mon cousin Gabi, qui est venu à Madrid pour je ne sais plus quelle démarche en vue de son doctorat, y a dormi plusieurs nuits. Hier soir, je me suis endormie sur la table de la cuisine en essayant de lire un livre dont je n'ai pas pu dépasser la première page, soit parce que j'étais fatiguée, soit parce que le livre était nul, soit les deux, et comme il n'y avait pas moyen que je me lève, je me suis endormie dans cette position, et quand je me suis réveillée, j'étais allongée par terre ! Je ne sais pas comment je me suis retrouvée là, peut-être me suis-je évanouie. Le chien était couché juste à côté, veillant sur moi.

Je ne bois plus, je ne me drogue pas, je n'ai pas de crises d'angoisse ni d'accès de panique. Je ne souffre plus comme je souffrais, mais je ne suis pas heureuse non plus.

Le mot de l'année : « stable ».

Stable dans la gravité.

27 octobre

Hier soir, il faisait un froid de canard. Quand je suis rentrée de l'hôpital à 22 heures, Tibi m'a saluée très poliment et m'a demandé de tes nouvelles. Je lui ai répondu que nous ne te sortions pas par ce froid et que je ne comprenais pas comment il arrivait à supporter de rester dehors toute la nuit. « Cela fait trente ans que je travaille comme portier », m'a-t-il dit. « On s'habitue à tout. »

Gabi est installé chez moi depuis quelques jours, et dort, le pauvre, sur un lit improvisé avec des coussins. Dès la deuxième nuit, il a refusé de dormir dans le canapé, dont il assure qu'il sent le chien et lui donne de l'allergie. Moi, je suis tellement habituée au chien que je n'ai rien remarqué, sans doute parce que j'empeste moi-même les toilettes publiques à cause de cette histoire d'incontinence post-partum, mais mon cousin est trop bien élevé pour me signaler que je dégage une odeur pire que celle du canapé.

Tous les matins de cette semaine, Gabi t'a mise dans le kangourou et t'a emmenée voir des expositions en ville. Pour moi c'était formidable, car j'ai pu appeler la banque sans craindre que tes pleurs ne m'obligent à interrompre la conversation pour m'occuper de toi (je ne sais pas de quel radar tu es dotée pour savoir quel est le moment le plus inopportun pour pleurer, et je ne suis pas sûre que mon interlocuteur comprenne bien mes obligations de mère débordée). Tous les matins, donc, tu es partie avec Gabi, heureuse de vivre, bien au chaud et bien à l'abri dans son gros manteau, bercée par le mouvement de sa marche, écoutant les battements de son cœur. Une imitation presque parfaite de l'utérus que je t'ai récemment forcée à quitter. Gabi fait avec toi des promenades de trois heures durant lesquelles tu n'ouvres pas les yeux, si bien que tu ne t'es même pas rendu compte que tu es le bébé le plus cultivé de Madrid, car tu as fait, excusez du peu, le Conde Duque, le Reina Sofía, le Thyssen-Bornemisza, le musée d'Art contemporain et le Juana Mordó. Mais depuis qu'il est reparti, tous les matins tu recommences à hurler, exactement entre onze heures moins une et onze heures une. Ni la sucette, ni le biberon, ni dodo l'enfant do, ni aucune berceuse ne te calme : tu ne te tais qu'une fois qu'on t'a mis ton bonnet et qu'on te promène dans le kangourou. Et rien ne sert de te promener seulement dans le couloir, car tu te remets à hurler. Et tu ne t'endors qu'une fois que tu es dans la rue. J'ai demandé à Sonia (Sonia l'actrice, dite *Sweet* Sonia tellement elle est affectueuse, à ne pas confondre avec Sonia la DJ, dite *Senseless* Sonia en raison de son goût pour l'ecstasy, ni avec Sonia la scénariste, alias *Suicide* Sonia à cause de sa conduite téméraire, rien à voir non plus avec mon ancienne camarade de classe, Sonia la photographe, parfois appelée *Slender* Sonia du fait de son extrême minceur) si un bébé d'un mois peut vraiment avoir une idée aussi précise de ce qu'il veut. Elle m'a assuré que oui.

Je lis dans un livre de puériculture : « Pour un bébé, une promenade à l'air libre est un défilé d'images mal centrées, rythmé par un balancement rassurant. Tout ce flux hypnotique de sensations le berce comme s'il s'agissait d'un bruit uniforme et multisensoriel. »

C'est bien : dès ta plus tendre enfance, ou préenfance, tu apprends à lutter pour ce que tu désires.

En cela, tu ne ressembles pas à ta mère.

Il a plu par intermittence toute la matinée. À 16 heures le soleil est sorti, et il s'est produit quelque chose de merveilleux : pour la première fois de ma vie, j'ai vu l'arc-en-ciel. Un immense arc dans le ciel, qui brillait au-dessus des toits de Madrid. Un arc parfait, comme tracé au compas. Je ne l'avais jamais vu en vrai, seulement sur des illustrations de contes pour enfants.

Sur la terrasse, mon regard s'est posé sur un arbuste qui s'était desséché cet été et dont, par négligence, je n'avais pas jeté le cadavre aux ordures. La pluie de ces deux dernières semaines l'a fait revivre : deux petites feuilles vertes sont sorties.

J'ai pensé que c'était un double bon signe.

Sonia venait de déménager dans la 103ᵉ Rue, entre Lexington Avenue et Park Avenue, une zone qu'on appelle « El Barrio » (en espagnol), en plein cœur du Harlem hispanique. Elle n'avait pas eu beaucoup de temps pour se retourner, car Klara, la fille avec qui elle partageait un appartement dans le Bronx – et qui, mesurant quelque chose comme deux mètres sur deux mètres, travaillait comme vigile dans un sex-shop de Soho –, s'était mise en ménage avec une « danseuse exotique » (c'est ainsi qu'à New York on appelle les *strippers*), laquelle, intimidée par la présence de Sonia à la maison (présence imposante, dois-je préciser, car Sonia arbore fièrement un corps qui lui permettrait de vivre de la danse exotique ou de n'importe quelle profession où elle aurait à l'exhiber – d'où son surnom de *Slender* Sonia – mais elle ne le fait pas car elle est non seulement belle mais assez intelligente pour pouvoir gagner son pain autrement), s'était ingéniée à rendre la vie impossible à la colocataire de sa nouvelle petite amie, au moyen de trucs aussi anciens mais aussi éprouvés que d'effacer systématiquement du répondeur les messages de l'agence Magnum – pour laquelle travaillait Sonia –, d'utiliser sa crème hydratante hors de prix en laissant le pot ouvert sur le rebord du lavabo, ou de finir ses réserves de crème émolliente – scandaleusement chère elle aussi – pour traiter son abondante chevelure – ultra-teintée et permanentée, comme il sied à toute danseuse exotique qui se respecte. Finalement, Sonia avait piqué un coup de sang et dit à sa *roommate* de choisir entre sa copine et elle. Inutile de dire que la *roommate* avait choisi sa copine, et il ne restait donc plus à Sonia qu'à déménager ou à tuer la *roommate* – ainsi que Klara pendant qu'elle y était. Vu le coût prohibitif des loyers à New York et le fait que, même si toutes deux avaient trouvé et loué l'appartement ensemble, la titulaire du bail était Klara, et qu'en plus la robuste vigile avait la nationalité américaine tandis qu'elle, Sonia, n'avait même pas de carte de résidente, mon amie avait envisagé sérieusement la deuxième option, mais avait dû l'écarter à son grand regret, faute d'avoir trouvé le moyen de se débarrasser des corps.

Sonia avait donc fini par trouver un appartement dans Spanish Harlem grâce, paradoxes de la vie, à une collègue stripteaseuse de la petite amie de Klara. Cette danseuse était doublement exotique, étant mi-noire mi-philippine. Elle venait elle-même de déménager pour vivre avec sa chérie finlandaise – une blonde plantureuse qui la dépassait de deux têtes – et était disposée à sous-louer son vieil appartement à un prix plus que raisonnable, pour ne pas dire dérisoire. Mais l'hyperexotique refusait de mettre le bail au nom de Sonia, sans doute parce qu'elle envisageait, prévoyante, la possibilité que sa cohabitation avec la superblonde ne dure pas, et ne voulait pas se retrouver sans amour ni domicile fixe. Ces sous-locations illégales sont monnaie courante à New York, où les appartements sont rares et les baux en bonne et due forme un luxe, et la danseuse pouvait mettre Sonia dehors à tout moment, mais, inversement, s'il prenait un jour fantaisie à Sonia de mettre le feu à l'immeuble, toute la responsabilité retomberait sur le bel oiseau des îles, étant donné qu'officiellement, Sonia n'avait aucune raison de se trouver là.

Sur les marches qui menaient à la porte d'entrée de l'immeuble vivaient des Portoricains, que Sonia me présenta dès mon arrivée et qui, fort aimablement, me proposèrent de monter ma valise jusqu'à l'appartement, car il n'y avait pas d'ascenseur. Si j'écris « vivaient », c'est parce qu'ils campaient littéralement sur place : en quinze jours, jamais je ne les ai vus en partir. Je les voyais quelquefois faire des dribbles avec un ballon de basket, d'autres fois jouer à la PlayStation, mais ils passaient le plus clair de leur temps à parler dans ce que j'avais d'abord pris pour des téléphones mobiles et qui était en réalité des talkies-walkies. Sonia me dit qu'elle avait cru au début avoir affaire à des cibistes, jusqu'au jour où elle avait rencontré une de ses collègues de l'agence qui habitait dans la 106e Rue et qui, apprenant qu'elle avait emménagé dans un des immeubles jaunes du Barrio, lui avait dit : « Putain, tu as vraiment des ovaires… ! Venir habiter dans le carré de l'héro ! » Sur le moment, Sonia en était restée pétrifiée, mais après mûre (ce qui ne veut pas dire longue) réflexion, elle avait décidé que, vu le prix des appartements à Manhattan, il était hors de question qu'elle déménage, dût-elle avoir pour voisins des junkies ou des dealers.

Après m'avoir raconté ça, elle m'a conseillé de porter une croix au cou, comme elle, car les gens du quartier (noirs ou hispaniques pour la plupart) étaient très croyants et/ou superstitieux (dans bien des cas, les deux sont équivalents) et on pouvait parier que jamais un junkie n'aurait l'idée d'attaquer une fille que Jésus protège.

Je ne sortais guère. Sonia travaillait toute la journée, et le soir elle rentrait trop épuisée pour ressortir. Nous restions donc assises sur son balcon, elle avec une bière, moi avec un Perrier – j'avais pris la ferme résolution de ne pas boire de tout le séjour – et nous passions notre temps à regarder le groupe de rap espagnol, composé de quatre Mexicains, qui répétait dans la rue, sur la musique de leur autoradio, imité par toute la marmaille qui n'avait pas grand-chose de mieux à faire. Quand je sortais, j'allais me promener, ou bien lire à Central Park. Je ne faisais pas de shopping, comme le font généralement les Espagnols à New York, car je ne suis pas une consommatrice compulsive et je n'ai jamais rien trouvé à New York que je n'aurais trouvé ailleurs, à part certains disques de jazz ; je n'allais pas non plus dans les musées, car ils étaient trop chers et d'ailleurs je les avais déjà tous vus lors de mes précédentes visites ; ni dans les librairies, car depuis que j'ai découvert Amazon, j'achète sur l'Internet les livres que je ne trouve pas en Espagne, ce qui m'évite au passage de payer des taxes pour excédent de bagages lors du voyage de retour. J'étais venue pour faire un break et pour voir une amie, pas pour faire du tourisme.

Je voulais voir aussi Tania, plus par obligation que pour autre chose, car si nous avions été intimes dans le passé, ces dernières années le contact entre nous s'était peu à peu réduit à un échange sporadique d'e-mails faméliques. Je n'ai jamais bien compris les raisons de cet éloignement, bien que Sonia m'ait assuré qu'il s'expliquait simplement par le fait que Tania avait été amoureuse de moi tout au long de nos trois années de collège plus cinq de fac, sans que j'aie la délicatesse de m'en rendre compte. Mais quand bien même tel aurait été le cas, elle ne m'en a jamais rien dit. Tout ce que je sais, c'est que du jour où j'avais fini mes études et que je ne la croisais plus chaque jour dans les couloirs de l'université, les coups de téléphone s'étaient espacés. De quotidiens, ils étaient devenus hebdomadaires, puis mensuels, jusqu'au jour où il n'y en avait plus eu du tout, car Tania, après avoir passé son doctorat, avait reçu une proposition du département de lettres hispaniques de Stony Brook, et suivi Sonia dans son aventure new-yorkaise. Elle écrivait depuis je ne sais combien d'années une thèse d'habilitation sur genre et représentation dans le roman espagnol au XIXe siècle sous la direction de Lou Charnon-Deutsch, et partageait la vie d'une fille à cheveux courts et petites lunettes, professeur à Columbia, qui écrivait elle aussi une thèse sur genre et quelque chose.

Je suis allée déjeuner avec elle dans un restaurant végétarien très snob de Chelsea, où j'ai été très impressionnée par la beauté des serveuses, toutes lesbiennes ainsi que m'en avait averti Tania, et qui devaient aspirer, selon mes propres déductions, à devenir mannequins, actrices ou chanteuses. Au dessert – un gâteau au son et à la carotte qui avait un goût de galette rance –, une fois que nous eûmes fini de nous informer mutuellement du cours pris par nos vies respectives, Tania s'est mise à me parler de son travail, sujet de conversation quasi unique et exclusif chez elle, car elle était trop réservée pour évoquer sa vie amoureuse et n'avait pratiquement pas de vie sociale, étant doublement *workaholic* en tant que new-yorkaise et enseignante dans une université anglo-saxonne. Elle m'a dit, en particulier, qu'on l'avait chargée d'organiser les cours d'espagnol que l'université dispensait pendant l'été, tâche qui l'ennuyait au plus haut point, car elle était trop occupée à rédiger sa thèse et à corriger les examens pour s'occuper de recruter un prof de langue.

— Tu ne connaîtrais pas quelqu'un que ça intéresserait ? Je cherche un diplômé en philologie hispanique dont la langue maternelle soit l'espagnol.

— Il y a moi.

— Mais non, il faut quelqu'un qui vive à New York, le salaire est dérisoire, il ne couvrirait même pas le prix du billet et le loyer.

— Ce n'est pas grave, je ne le ferais pas pour l'argent.

— Ne dis pas n'importe quoi, c'est un job qui n'est pas de ton niveau.

Tania, qui avait d'abord pris à la blague ma candidature, a eu du mal à comprendre quelle mouche me piquait de postuler pour un emploi destiné en principe à de jeunes diplômés et pour lequel j'allais être si mal payée. J'ai fini par réussir à lui expliquer mes raisons. J'avais besoin de changer d'air et j'envisageais de passer l'été à New York en profitant de ce que mon émission de radio était suspendue en juillet et en août, que rien ne me retenait à Madrid, et encore moins la perspective de vacances à Santa Pola où j'enchaînerais ces nuits éthyliques que je cherchais précisément à fuir. Mais il y avait un léger inconvénient : je ne connaissais presque personne à New York, je savais ne guère pouvoir compter sur la compagnie de Sonia, trop prise par sa double activité et je n'avais pas envie de passer deux mois complètement seule. Donner des cours me permettrait d'occuper mes matinées, et peut-être de me faire des amis, en plus de couvrir une partie de mes dépenses – une petite partie seulement, car Tania m'avait bien dit que le salaire était inférieur au loyer d'une simple chambre dans Manhattan. D'un côté, il allait de soi que je ne pouvais prétendre rester deux mois entiers dans le minuscule appartement de Sonia, dont le canapé était si défoncé que les ressorts dépassaient et m'avaient laissé, en une semaine seulement, tant de marques dans le dos qu'on aurait dit que j'étais une esclave sexuelle, ou que j'avais reçu toutes les nuits la visite du même incube dont était possédée la malheureuse Mia Farrow dans *Rosemary's Baby*. Mais de l'autre, j'étais au moins sûre de pouvoir trouver à me loger, et puis j'avais déjà été lectrice d'espagnol dans ma vie : juste après la fin de mes études, peu avant de rencontrer l'homme dont le nom est écrit sur un parchemin enfermé dans une bouteille enterrée dans un terrain vague du côté de Cuatro Vientos, j'avais donné des cours pendant six mois à l'université de Manchester, où j'avais eu le grand plaisir – et la grande surprise – de découvrir que j'avais un bon contact avec les étudiants. Je me demande en fait si ce qui m'attirait dans l'activité d'enseigner n'était pas de devoir me mettre symboliquement dans la peau de José Merlo, faute d'avoir jamais pu me mettre dans son lit.

En fin de compte, Tania a semblé accepter l'idée que je parlais sérieusement, et m'a promis de m'obtenir le job.

28 octobre

Affreux. J'ai passé toute la journée à classer des papiers. Je ne suis même pas sortie une minute. Il me faudrait des journées de quarante heures.

29 octobre

Chère Paz !

En réponse à ta lettre, je veux te dire que j'ai choisi le cadeau que veut Amanda.

J'ai décidé pour elle parce qu'elle ne sait pas encore parler, mais si elle savait parler, elle demanderait le Kit Bag, « élégant et fonctionnel ».

Je te recopie la publicité parue dans Padres :

« Un sac à dos conçu pour emporter tout l'équipement nécessaire aux sorties avec bébé. Si élégant et fonctionnel que papa aussi peut le porter. » *(Bien entendu, maman ne porte rien d'élégant et de fonctionnel, elle sort toujours attifée comme l'as de pique, et avec des sacs aussi grossiers que malcommodes. On sait comment sont les femmes... Il est bien entendu que papa ne portera le sac à dos que dans des occasions spéciales, par exemple quand maman sera malade ou quand il voudra emmener bébé au foot, car il n'est jamais trop tôt pour les endoctriner.)*

« Ses larges bretelles matelassées permettent d'avoir les mains libres à tout moment. » *(Ça, j'en ai besoin, car avec le sac que j'ai, pas moyen, il a dû être conçu pour des divinités indiennes à six bras de type Shiva.)*

« Sa poche latérale isotherme en Thinsulate conserve les biberons chauds pendant plusieurs heures. » *(Indispensable, Paz, vraiment indispensable, car un de ces jours la petite va faire une gastro-entérite si elle continue à boire son biberon glacé, tu n'imagines pas le froid qu'il fait en ce moment à Madrid.)*

« S'y ajoutent encore d'autres poches pour les petits pots, le linge de rechange et vos objets personnels. » *(Indispensable également, car dans notre sac actuel tout est mélangé, et en plus de sa gastro-entérite, la petite va attraper une infection du feu de Dieu parce que le linge sale aura été mis à côté de la tétine.)*

Car quand on sort avec un bébé, il faut emporter, en plus de ses clés, de son porte-monnaie et de son téléphone portable, un biberon, une Thermos avec de l'eau chaude, du lait en poudre, des lingettcs, deux couches (ou plus, selon le temps que tu comptes passer à l'extérieur), un matelas à langer (sorte de petit coussinet en toile cirée rembourrée pour le cas, plus fréquent que tu ne l'imagines, où il n'y a pas d'autre solution que de le changer par terre), une tétine de rechange (pour le cas où il perdrait la sienne ou la ferait tomber dans le caniveau), ainsi qu'un pantalon, un bavoir et un tricot de rechange (au cas où il les souillerait de vomi ou de caca). Et, bien sûr, un sac suffisamment énorme pour contenir tous ces impedimenta. Et gare à toi si tu oublies un seul des articles de la liste !

L'expérience m'a fait découvrir cette vérité axiomatique : un bébé n'admet pas de marge d'erreur.

30 octobre

5,600 kilos. Et tu n'as même pas un mois et demi. Tu me rappelles ce conte de Roald Dahl sur l'apiculteur dont la fille, nourrie de gelée royale, se met à grandir démesurément au point de se transformer en une énorme abeille. Nous devons te mettre du trois mois. Et tu as grandi dans tous les sens du terme. Maintenant tu dors toute la nuit dans ton couffin sans exiger, comme avant, que nous dormions avec toi. De toute façon, tu es trop grande et je ne crois pas que nous tiendrions à trois.

Et déjà, tu souris. Tu souris VRAIMENT. Ce n'est pas le sourire d'avant, qui exprimait tes états d'âme à toi, quand tu souriais parce que tu venais de te lever ou que tu avais fini ton biberon. Le sourire qui était la conséquence de ta propre satisfaction a fait place à un sourire qui cherche à provoquer celle d'autrui : désormais, tu souris quand on te parle, pour essayer de montrer que tu comprends ce qu'on te dit. Il t'arrive même de rire quand on te fait des chatouilles. Jusqu'à ce qu'elles te voient, mes sœurs m'ont prise pour une folle, elles disaient qu'il n'était pas possible que tu ries. Maintenant, elles ne disent plus rien.

31 octobre

Comme dit Laureta, on trouve toujours plus malheureux que soi. Et je ne dis pas ça seulement parce que je sais qu'en Éthiopie ou au Mozambique il y a des femmes qui voient leurs enfants mourir de faim, pendus à leurs seins desséchés. Je n'ai pas besoin, pour m'en rendre compte, de penser à d'autres pays, ni même à d'autres quartiers, à ces supermarchés de la drogue où vient s'approvisionner la jeunesse dorée de Salamanca ou de Chamartín et où survivent comme ils peuvent des enfants mal nourris, nés de pères drogués et de mères battues, à ces ceintures de la honte tapissées de cabanes poussant comme des champignons autour des quartiers résidentiels. Non, je n'ai pas besoin de cette distance géographique, étant donné qu'il me suffit de dix mètres carrés pour dessiner l'échelle du malheur. Quand on croit aller mal, on peut toujours se dire qu'il y a des gens qui vont plus mal encore. Et ça ne console de rien, ça ne fait que rendre plus triste, on se sent encore plus impuissante si c'est possible.

Moi qui me plaignais de perdre chaque jour trois heures pour voir ma mère cinq ou dix minutes à peine, j'ai fait la connaissance, dans la salle d'attente des soins intensifs (salle est un bien grand mot, c'est plutôt un vestibule, un espace ouvert et glacé, aussi glacé que les carreaux minables au sol, avec quatre fauteuils inconfortables dans les coins, et même pas une méchante reproduction des *Tournesols* pour égayer les murs), d'un monsieur qui vit à soixante kilomètres de l'hôpital et qui met plus d'une heure pour venir. Et le pire est qu'il lui arrive de perdre tout son après-midi pour rien, car si les médecins tardent trop à nous laisser entrer, il est 20 h 30 et il lui faut repartir sans avoir vu sa femme, pour ne pas rater le dernier autobus.

Il y a toujours plus malheureux que soi. Et il y a encore plus malheureux que les plus malheureux que soi. Dans l'ascenseur, j'ai rencontré une des infirmières de la première unité de soins intensifs où ma mère avait été admise, et qui m'a reconnue parce qu'elle doit être une fan de David et faire partie du million de lecteurs qui ont acheté ce maudit numéro de *Cita*. J'ai eu l'idée, je ne sais pas pourquoi, de lui demander des nouvelles du garçon qui était dans le lit à côté de celui de ma mère. Je suppose que tu as deviné la réponse.

J'étais à New York depuis douze jours quand Sonia m'a prévenue, sur un mode ironique, qu'elle avait arrangé pour ce soir-là un double rendez-vous. Un petit jeune qui travaillait comme stagiaire au *Black Star* insistait depuis des mois pour qu'elle aille prendre un verre avec lui, et elle avait finalement accepté, de guerre lasse et à court de prétextes pour refuser, mais à condition de pouvoir m'amener. Elle avait recouru à la vieille excuse de l'amie venue en visite et qu'on ne peut pas laisser toute seule à la maison, car elle n'avait nulle envie de se retrouver en tête à tête avec le journaliste en herbe, qui lui avait alors dit que lui aussi viendrait avec un ami.

La description que Sonia m'avait faite de son soupirant collait parfaitement au jeune homme qui nous attendait à 20 heures à l'Alphabet Lounge : distingué, plutôt beau gosse, et cultivé dans la mesure où peut l'être un New-Yorkais, c'est-à-dire très calé sur l'art moderne et la photographie contemporaine, mais à qui le nom de la Pompadour évoque une tenancière de lupanar chic. Bref, il n'était pas mal, mais ce n'était pas le genre d'homme que Sonia recherchait. Elle les préférait plus carrés et moins jeunes. Quant à l'autre, celui qui m'était assigné, il ne m'a fait, au premier abord, ni chaud ni froid. Il était plutôt bien de sa personne, mais pas de quoi se pâmer, même s'il avait de beaux yeux – un singulier mélange de tons bruns, verts et ambrés – et un air intelligent qui donnait un peu d'animation à son visage, relativement grossier quoique adouci par ses cheveux châtain clair qui tombaient en mèches raides sur son front. Ce qui m'a le plus plu chez lui, ce sont ses mains, blanches, fines, longues. Des mains d'artiste, me suis-je dit. Mais ce n'était pas un artiste, c'était un scientifique, ou un futur scientifique. Il faisait un doctorat de biologie, du moins à ce que j'ai cru comprendre, car il parlait avec une voix très faible, voilée et tremblante, une voix de grand timide. Je me disais qu'il devait venir d'un trou perdu de l'Alabama ou quelque chose comme ça, et j'ai donc été très étonnée d'apprendre qu'il était roumain, tant il parlait un anglais impeccable. Il m'expliqua qu'une partie de sa famille avait émigré au Canada, où il avait vécu depuis l'âge de seize ans. Il y avait près d'un an qu'il était installé à New York.

Au début, j'ai eu un comportement d'ascète et n'ai bu que du Coca et du jus d'orange. Depuis treize jours que j'avais quitté Madrid, je n'avais pas ingurgité une goutte d'alcool et j'en étais fière. Quand les deux garçons nous ont proposé d'aller danser en boîte, j'ai accepté avec joie, persuadée de pouvoir résister encore toute la soirée. Mais dès notre arrivée au club – le Nell's, je crois, une boîte immense et pleine de Noirs –, j'ai réagi à la façon du chien de Pavlov. La musique, les lumières, l'ambiance festive étaient indéfectiblement associées, dans mon esprit, au besoin d'alcool, de sorte que sans même m'en rendre compte, je me suis retrouvée au bar et j'ai commandé un cocktail. Le premier a été suivi d'un deuxième, le deuxième d'un troisième, et au quatrième ou cinquième je me croyais la reine de la piste.

Je me suis réveillée le lendemain matin avec la bouche pâteuse, un mal de crâne familier mais non moins insidieux, un vide béant dans la mémoire, et un inconnu qui ronflait à mon côté dans le canapé-lit défoncé du salon de Sonia. Pas tout à fait inconnu, au demeurant, car son profil m'était vaguement familier. Oui, je connaissais ces mèches châtain et cet air de chérubin. Je me suis alors mise à haïr le pauvre garçon de toute mon âme, car je projetais sur lui toute la rage que je ressentais contre moi-même. Sonia était déjà partie travailler, et je n'osais pas demander au dormeur comment il s'était retrouvé là, car je ne l'imaginais que trop bien. Ne sachant comment le prier poliment de s'en aller, je lui ai dit assez peu poliment que j'avais envie de rester seule. Il m'a regardée avec des yeux d'animal blessé, a pris ses affaires et s'en est allé.

Lorsque, donc, je me suis enfin trouvée seule dans l'appartement de Sonia, j'ai été soudain prise d'une nausée pressante, comme si quelqu'un était en train de m'essorer l'estomac à deux mains. J'ai eu à peine le temps d'atteindre les toilettes pour vomir. Les spasmes étaient si violents qu'ils en étaient douloureux, j'avais l'impression que mon œsophage était sur le point d'éclater. Je suis restée là je ne sais pas combien de temps, penchée sur la cuvette, en train de vomir. Chaque fois que je croyais en avoir enfin fini, avoir l'estomac complètement vide, un autre spasme, plus sauvage que le précédent, me détrompait cruellement. À la fin, il ne sortait plus qu'une bile jaunâtre évoquant davantage la fillette de *L'Exorciste* qu'une trentenaire aux prises avec une banale et vulgaire gueule de bois.

Je suis parvenue, je ne sais pas comment, à me traîner de nouveau jusqu'au lit de Sonia, qui était impeccablement fait. J'ai soupçonné qu'elle n'avait pas dormi là, car elle ne faisait jamais son lit en partant (il m'a fallu du temps, étant donné l'unique neurone en état de marche qui me restait, pour me demander pourquoi, sachant que mon amie était allée dormir ailleurs, nous

nous étions couchés dans le canapé). Je ne tenais littéralement pas debout, je sentais la chambre tourner autour de moi. La lumière du jour qui pénétrait par la fenêtre me paraissait aveuglante, et j'étais prise, pardessus le marché, d'un tremblement irrépressible qui me faisait vibrer comme un diapason.

J'aspirais à me gorger d'eau fraîche et de paracétamol, et je me disais que Sonia devait bien en avoir dans sa salle de bains, mais je me sentais si mal que j'étais incapable de me mettre debout et de faire les vingt ou trente pas nécessaires.

Je savais ou devinais ce qui était en train de m'arriver, car je n'avais pas écrit pour rien un livre sur les addictions, comportant qui plus est un chapitre très documenté sur l'alcoolisme. Ce phénomène s'appelle quelque chose comme « hypersensibilisation des récepteurs dopaminergiques postsynaptiques », ce qui veut dire, traduit en langage courant, que l'organisme ou la chimie du cerveau s'est habitué à fonctionner à l'éthanol, de sorte que, quand celui-ci fait défaut, les récepteurs se trouvent « sevrés ». Et lorsqu'ils sont alimentés à nouveau en alcool, ils se hâtent, dans leur angoisse, de le synthétiser, provoquant l'intoxication. En d'autres termes, si je réagissais de façon si exagérée à l'absorption d'alcool au terme d'une période d'abstinence, c'est que je n'étais pas une simple pocharde : je pouvais me considérer officiellement comme une Alcoolique avec un grand A. Mon cas n'allait pas s'arranger comme ça.

Et, à cet instant, quelqu'un a frappé à la porte.

Je n'avais naturellement pas la moindre envie d'aller ouvrir, je n'étais pas en état de me lever pour parler au facteur ou au gardien. Mais les coups continuaient, suivis bientôt d'un boucan assourdissant, comme si on tentait d'enfoncer la porte. J'ai pensé que c'était peut-être le propriétaire qui venait réclamer des loyers impayés, ou bien la police qui s'était enfin décidée à faire un coup de balai chez les dealers du quartier et qui fouillait l'immeuble appartement par appartement. Il ne faisait pas le moindre doute pour moi que si je leur ouvrais, ils me prendraient pour une junkie, mais j'ai fini par me lever quand même, pour la simple raison que chaque nouveau coup contre la porte résonnait dans mes tympans comme un gong. Je suis parvenue, sans savoir comment, à me traîner jusqu'à la porte et à ouvrir. Ce n'était ni le gardien, ni le facteur, ni la police, mais la dernière personne que je me serais attendue à voir : le Roumain qui avait, dans son départ précipité, oublié sa sacoche et ne s'en était aperçu qu'arrivé à la bouche de métro. Les Portoricains, qui l'avaient vu sortir de l'immeuble, lui avaient rouvert la porte. Voyant que je ne répondais pas à ses appels, et jugeant peu probable que je sois justement sortie pendant les cinq minutes à peine qu'il lui avait fallu pour aller jusqu'au métro et revenir, il s'était dit qu'il avait dû m'arriver quelque chose et avait tenté d'enfoncer la porte, sans succès car c'était un garçon plutôt fluet, qui n'avait rien de l'homme de Cro-Magnon.

Je devais avoir une mine plus que piteuse, car il m'a demandé immédiatement si je voulais qu'il appelle un médecin. Je lui ai dit que non, que je me contenterais d'un verre d'eau et d'un analgésique quelconque. Il m'a tout de suite apporté le verre d'eau, et l'analgésique un peu plus tard, car il fallait qu'il aille le chercher à la pharmacie. Il en a rapporté un tube d'Alka-Seltzer, un autre de paracétamol, des ampoules de vitamine B12, un paquet de Rennie, deux Tétrabriks de jus de pamplemousse et un sachet de feuilles de camomille pour faire une infusion. Outre la camomille, il m'a préparé aussi du riz au citron, dont la vue ne m'a pas fait spécialement frétiller de plaisir, mais dont l'ingestion m'a aidée à me sentir mieux. Et grâce au riz et aux médicaments, une heure plus tard j'étais plus ou moins remise, c'est-à-dire que j'arrivais à rester assise dans le canapé en me calant contre des coussins. Mais j'avais toujours mal au crâne, comme si on m'avait tapé dessus à coups de marteau. Le Roumain m'a alors suggéré un remède miracle : me plonger dans un bain chaud où j'aurais préalablement dissous tout le tube de paracétamol. Il paraît que l'eau chaude dilate les pores et facilite l'absorption du composé par voie locale. L'ennui, c'était que la baignoire de l'appartement de Sonia donnait l'impression de ne pas avoir été nettoyée depuis des années, au point que je craignais d'attraper, si je m'y immergeais, toutes sortes de maladies connues et inconnues. Lorsque je l'ai dit au Roumain, il s'est fait fort de résoudre le problème et, joignant le geste à la parole, s'est armé d'une éponge et de détergent, si bien que la baignoire s'est trouvée propre comme un sou neuf et qu'il ne me restait plus qu'à m'y tremper. Je lui ai dit qu'il pouvait rentrer chez lui s'il voulait, qu'il n'était pas obligé d'attendre que je sois sortie du bain, car la situation me mettait plutôt mal à l'aise, mais il a insisté pour rester, car l'eau chaude fait baisser la tension et je risquais, disait-il, de m'évanouir en sortant. Au bout d'une bonne demi-heure passée à barboter dans l'eau, je suis sortie régénérée – le remède avait merveilleusement fonctionné – et j'ai vu que le Roumain avait préparé une soupe de vermicelle avec les quatre boîtes qu'il avait trouvées dans la cuisine de Sonia.

D'un côté naturellement, je me sentais reconnaissante, et même plus que cela, mais de l'autre j'étais accablée par tant de générosité, soit parce que je m'en sentais indigne, soit parce que j'étais fatiguée de porter le fardeau des sentiments, quelque nom qu'on leur donne, qu'on éprouvait pour moi – car il était évident que j'avais éveillé quelque chose de ce genre chez ce jeune homme, sans quoi il ne se serait pas donné tant de mal, à moins qu'il n'ait une vocation affirmée de bon Samaritain, ce qui ne pouvait être exclu non plus. J'éprouvais de la gratitude à son égard, bien sûr, mais une gratitude abstraite, plus forcée que sincère, dictée par la raison plus que par le cœur. Je ne sais pas si, sans cette conscience de l'obligation que j'avais contractée envers lui, j'aurais passé, comme je l'ai fait, tout l'après-midi avec le Roumain, tous les deux vautrés dans le canapé, à regarder des cassettes et à bavarder, dans une atmosphère de routine casanière totalement asexuée. Aussi asexuée que la nuit qui avait précédé, car Anton, c'était son nom, m'avait garanti qu'il ne s'était absolument rien passé entre nous. Lorsque nous étions sortis du Nell's, Sonia était partie avec le soupirant pour qui elle soupirait pourtant si peu en apparence, et Anton et moi avions pris un taxi. Celui-ci devait d'abord me déposer chez moi, puis continuer sa route jusqu'au Bronx, où habitait Anton. Mais je m'étais endormie comme une souche en cours de route, et quand nous étions arrivés devant ma porte, j'avais à peine réussi à articuler d'une voix mourante le numéro de l'étage et celui de l'appartement et à sortir mon jeu de clés de la poche de ma veste, de sorte qu'il avait bien été obligé de me traîner tant bien que mal jusque chez moi (j'étais assez lucide pour me laisser traîner, et même pour collaborer à l'opération de remorquage en esquissant à grand-peine quelques pas, mais insuffisamment réveillée pour prononcer une phrase à peu près cohérente), puis il était resté dormir à côté de moi : d'abord, parce qu'il ne pouvait pas me laisser seule dans un état pareil ; ensuite, parce qu'il lui aurait été impossible de trouver un taxi dans Spanish Harlem à cette heure de la nuit. Je me suis abstenue de lui dire qu'il aurait pu en appeler un par téléphone, car je sentais bien, en toute immodestie, qu'il passait sous silence la troisième raison : je lui plaisais.

Entre deux vidéos, la conversation est venue sur mon éventuel séjour estival à New York, et je lui ai demandé s'il connaissait quelqu'un qui accepterait de sous-louer un appartement ou une chambre en juillet et août. Il me répondit qu'il poserait la question autour de lui, mais qu'il ne pensait pas que ce serait très difficile, car la plupart des étudiants quittent New York en été, à commencer par son propre colocataire, un étudiant de la section de danse de l'École d'art de New York (ce qui m'a fait irrésistiblement penser au personnage de Leroy dans *Fame*), qui partait tous les étés, le plus souvent en tournée avec une compagnie ou, s'il ne trouvait pas d'engagement, pour travailler comme serveur. Je l'ai remercié, mais me suis gardée de lui dire que je n'avais aucune envie d'habiter le Bronx.

Sonia est réapparue à son heure habituelle, 21 heures, avec des cernes de panda sous les yeux, et n'a accepté de ressortir que parce qu'elle savait que je repartais le lendemain pour Madrid. J'ai donc donné congé au Roumain, car je voulais consacrer cette dernière soirée à mon amie, et nous avons échangé téléphones et adresses électroniques, plus par politesse qu'autre chose, car tant de prévenance, comme je te l'ai dit, finissait par me peser, et je me sentais trop gênée vis-à-vis de lui pour avoir vraiment envie de le revoir.

Le dîner a été plutôt terne. Sonia et moi étions toutes les deux très fatiguées, et en outre, au cours de ces deux semaines, nous nous étions déjà dit tout ce que nous avions à nous dire. Nous avons à peine évoqué le journaliste stagiaire et le Roumain, qui ne nous avaient marquées ni l'une ni l'autre, et en rentrant nous nous sommes trouvées nez à nez, devant la porte de l'immeuble, avec une escouade de policiers qui emmenaient nos amis les Portoricains menottes aux poignets. Sonia ne les a plus jamais revus par la suite, non plus qu'aucun des junkies qui jusqu'alors entraient et sortaient sans arrêt de l'immeuble.

Le lendemain, mon vol a décollé avec du retard, si bien que j'ai eu tout le temps de fureter au duty free, de regarder tous les gadgets et autres tentations qui ne m'intéressaient pas et auxquelles je n'avais pas l'intention de succomber. Soudain, sans savoir pourquoi, je tombai en arrêt, dans une boutique de jouets, devant une montagne de petits oursons en peluche bleus et roses : il y avait écrit sur les peluches bleues *It's a boy*, et sur les roses *It's a girl*. Alors que j'aurais dû me mettre en colère devant une telle ineptie sexiste, je me suis inexplicablement retrouvée avec une peluche à la main, qui semblait réclamer à grands cris que je l'emporte avec moi. J'avais l'idée de l'offrir à l'un des enfants de Laureta, mais ils avaient passé l'âge des peluches. J'ai compris alors qu'en réalité je la voulais pour moi. Pire encore, je me suis surprise à penser que je la voulais pour mon bébé. C'était parfaitement absurde, car j'étais alors persuadée, comme je te l'ai dit, que jamais je n'aurais d'enfant. Et pourtant j'ai eu, comme un éclair dans ma conscience, la vision d'un bébé qui était à moi et à qui je dirais un jour que je l'avais imaginé avant même de le désirer. Si bien que j'ai acheté l'ours en peluche. Rose : c'est une fille.

Quelque temps après le coup de filet inopiné, on a annoncé que les époux Clinton avaient acheté une des maisons du quartier, ce qui expliquait le soudain zèle purificateur de la police. Le prix du mètre carré a doublé en moins d'un mois, menaçant même de continuer à grimper, et tout un tas de familles blanches bien propres sur elles ont emménagé dans des bâtisses jusqu'alors en ruine, et rénovées aussi subitement que diligemment.

J'ai écrit que Sonia ne devait jamais revoir les Porto-ricains. Ce n'est pas tout à fait exact, car un jour, dans le métro, elle a rencontré l'un d'eux, qui lui a dit que ses amis et lui étaient ressortis libres du commissariat, faute de preuves. Sans doute avaient-ils eu le temps, grâce à leurs camarades qui les avaient prévenus de l'arrivée de la police par talkie-walkie, de se débarrasser de la marchandise. Ils avaient aussitôt émigré vers le sud du Bronx pour continuer leur commerce, et sans doute y sont-ils encore.

Quant à la danseuse exotique, elle a quitté Klara, et deux ans plus tard, quand Sonia est venue à Madrid passer l'inévitable semaine de Noël en famille, elle l'a vue à la télévision, dans un de ces films porno qui passent la nuit sur Canal Plus. Elle était en train de sucer un étalon dont l'engin n'aurait pas tenu dans un verre à cocktail. C'est maintenant une star, et elle a changé de nom pour s'appeler Bonita Sweetlove.

1er novembre

Les médecins nous disent toujours la même chose : stable dans la gravité. Ma mère reste branchée à ses appareils, et j'ai l'impression qu'il y en a encore plus qu'avant. J'ai entrepris de les compter : il y en a neuf, neuf bouteilles renversées, le goulot en bas, reliées chacune à un tube se terminant par une aiguille plantée dans son corps inerte, et depuis lesquelles on lui injecte les substances qui la maintiennent en vie, ou endormie, ou les deux. Peut-être est-ce à cause de tous ces liquides que ma mère est œdémateuse, gonflée comme un ballon de fête foraine, bien qu'elle ait aussi une sonde reliée à un piston. Le liquide qui sort par ce tube est d'un vert brunâtre : une étrange mixture de détritus et de résidus, l'égout collecteur du corps de ma mère. Ses mains sont bouffies et informes comme celles d'une poupée de chiffon, ce sont des mains inutiles, incapables de saisir, encore moins d'écrire ou de caresser, qu'on dirait prêtes à éclater à tout moment. Elle a aussi un double menton qui lui donne l'aspect d'un énorme crapaud endormi, croisement de batracien et d'humain tout droit sorti d'une nouvelle de Lovecraft, et la ressemblance est d'autant plus frappante que ma mère, comme les créatures de Lovecraft, est visqueuse. Elle suppure : l'aiguille de la perfusion lui a fait une plaie qui sécrète un liquide transparent.

Mon père a maigri à vue d'œil au cours de ces onze (onze ?) jours. Comme il est plutôt grand, il commence à ressembler à un personnage du Greco, avec cet air dont on se demande s'il est exalté ou simplement lugubre. Je suis en train de perdre la notion du temps, les après-midi se suivent et se ressemblent, procession monotone d'heures successives. Je remarque néanmoins qu'il a mis une cravate pour venir, ce qui me paraît bon signe. Une infirmière vient, que nous ne pouvons nous empêcher d'interroger, comme toujours, et tout en sachant qu'elle ne peut nous donner plus d'informations que celles que nous ont données les médecins. Mais elle nous les donne. Plutôt que des informations, c'est surtout, en fait, un point de vue différent, une autre façon de répondre à nos questions, sa version personnelle du *carpe diem* : « Pensez à la journée d'aujourd'hui. Dites-vous qu'aujourd'hui elle est toujours là, et que c'est déjà ça. N'essayez pas d'imaginer comment elle sera demain, dites-vous seulement qu'aujourd'hui elle est toujours là, qu'elle résiste. » Elle dit ça avec un sourire qui n'a pas l'air étudié, même si je ne peux pas m'empêcher de me demander si, depuis le temps qu'elle travaille ici, elle n'a pas appris à s'en servir comme outil thérapeutique à l'usage des familles. Elle ne nous a consacré que trois minutes, mais elle nous a ouvert des horizons : son sourire, étudié ou non, a resurgi comme par contagion sur le visage émacié de mon père.

Plus tard, Caridad, l'infirmière lectrice, après les salutations d'usage et le comment vas-tu aujourd'hui (comme elle nous voit tous les jours, elle nous traite avec familiarité), m'explique, pendant que j'attends dans le couloir que mon père sorte (mon frère est venu prendre ma relève), que les médecins sont forcément moins chaleureux, qu'ils ne connaissent ni le patient ni sa famille, qu'ils se bornent à passer cinq minutes par jour, à vérifier l'historique, à le confronter aux graphiques des machines, à émettre un diagnostic. « Ils ne sont pas là au pied du lit comme nous, qui n'avons pas fait les mêmes études, mais qui suivons l'évolution minute par minute, qui arrivons même à nous attacher à des malades sans jamais avoir parlé avec eux, et pour cause. » Elle me raconte qu'un jour elle s'est aperçue qu'un patient avait reçu pendant huit jours un médicament qui, normalement, ne s'administre que sept jours au maximum, et encore dans des cas extrêmes. Après une rapide enquête, elle s'est rendu compte que les hématologues censés suivre le malade (le médicament avait quelque chose à voir avec les leucocytes) n'avaient pas mis les pieds en soins intensifs depuis neuf jours. Caridad n'a pas fini ses études de médecine, elle s'est arrêtée au milieu, m'a-t-elle dit, mais elle m'assure qu'elle ne regrette rien. Elle pense qu'être infirmière peut apporter bien plus de satisfactions. D'un autre côté, si les hématologues passent neuf jours sans venir, c'est peut-être aussi parce qu'ils ne peuvent pas être partout et que l'hôpital manque de personnel. Et une fois de plus, je me demande comment, alors que nos impôts sont les plus élevés d'Europe, on peut dépenser notre argent à envoyer des troupes dans un pays qui ne nous a rien demandé, au lieu de régler les questions de santé publique ou de faire en sorte que tu puisses aller à la garderie.

Hier, ton père m'a dit en rentrant : « Toi qui te plains toujours que la vie n'a pas de sens, tu aurais dû prendre le métro avec moi aujourd'hui. Dès que je suis monté dans la rame avec le bébé, plusieurs personnes se sont levées pour me céder leur place, et quand je leur ai dit que ce n'était pas la peine, une dame a insisté et m'a pratiquement assis de force. Et la moitié du wagon y allait de son petit mot sur le bébé, comme elle est mignonne et comme son papa a de la chance. » Une dame lui a même offert une médaille de la Vierge de Lourdes, pour qu'elle te protège. Superstitieuse comme je suis – tu auras le loisir de le découvrir –, je te l'ai cousue dans ta poussette.

Mais ce que ton père me raconte ne suffit pas à me redonner confiance dans la bonté intrinsèque du genre humain. Quand, moi, je suis rentrée de l'hôpital en métro, il est monté dans la rame un Noir famélique qui faisait la manche. C'était un squelette ambulant aux yeux jaunes, qui avait beaucoup de mal à marcher. Je pense qu'il avait le sida. À mesure qu'il avançait dans le couloir, la main tendue, comme un zombie suppliant, les passagers détournaient le regard. Je suis la seule à lui avoir donné quelque chose : tout ce que j'avais dans mon porte-monnaie, sous l'impulsion du sentiment de culpabilité et de la honte que j'avais pour mes congénères.

Les gens aiment voir apparaître une vie nouvelle, mais ils ne supportent pas de voir la mort de près : cela leur rappelle trop l'inévitabilité de la leur.

C'est pour cela que ton oncle Julián, mon beau-frère, le mari de ta tante Asun, refuse de venir voir ta grand-mère. Il dit qu'il ne supporte pas les hôpitaux. Moi, au contraire, les hôpitaux ne me dépriment pas, peut-être parce que je les associe à quelque chose de bon. À cause de ma trachéite chronique, j'y ai passé la moitié de ma vie à partir de l'adolescence, et je me souviens très bien que mes arrivées au centre ne marquaient pas le début de la douleur, mais sa fin. Dès qu'on m'avait mis la perfusion ou l'inhalateur, je savais que c'était bientôt fini, que la douleur ou l'oppression allait disparaître. Et cette association entre hôpital et soulagement s'est confirmée quand tu es née. La situation de ma mère est évidemment très différente, mais je m'efforce malgré tout de ne pas associer soins intensifs et douleur, au contraire. Je préfère me dire que si ta grand-mère survit, ce sera grâce à l'hôpital, que si elle était restée à la maison, je parlerais d'elle au passé, et que si on ne lui injectait pas de morphine par perfusion, elle hurlerait de douleur.

Fernando Pessoa a écrit qu'« être pessimiste, c'est prendre les choses au tragique, attitude qui est à la fois une exagération et une incommodité ».

Cela fait quelque temps que ma sœur Laureta, la mère de Laurita, veut se séparer de son mari. Ou du moins qu'elle le dit. Laureta s'est mariée pour la première fois à vingt-trois ans avec un Français de très bonne famille au nom à rallonge, qui vivait et vit toujours de la fortune de sa famille, et qu'elle a connu à Ibiza. Jusqu'à vingt ans elle avait fait des études de psychologie et travaillé l'été comme serveuse au Pachá de la plage de San Juán, la boîte la plus *fashion* de toute la province d'Alicante, qui n'embauche que des beautés pour travailler derrière le bar (inutile que je redise que ma sœur en était et en est toujours une), mais comme c'était malgré tout un univers un peu trop étriqué pour elle, un beau jour elle a pris, sur un coup de tête, le ferry direct pour Ibiza, avec un sac à dos et quelques paréos pour tout bagage. Je te parle d'il y a plus de vingt ans, quand l'île n'était pas encore un repaire de hooligans et de cocaïnomanes, mais un havre de paix pour les poètes, les peintres, les écrivains, les hippies en tout genre, les aventuriers de tout poil et les déracinés en général. Ma sœur avait choisi Ibiza parce qu'elle s'était toujours voulue plutôt excentrique, et que cette île était alors le fin du fin – je suppose qu'aujourd'hui elle irait à Goa – pour quelqu'un qui se considérait – et se considère toujours – comme une personne aux idées brillantes et originales, et qui passe ses journées à déplacer beaucoup d'air sans grand résultat : elle s'intéresse à tout ce qui, d'une façon générale, lui paraît nouveau, original, progressiste et risqué, elle bouge et parle beaucoup – elle est très éloquente, voire emphatique dans sa façon de s'exprimer – mais en définitive elle agit peu. Elle est pleinement consciente de son apparence, de sa séduction, de son charisme, et c'est pourquoi elle est parfois – voire souvent – un peu narcissique. Elle a toujours obéi à ses propres règles, et peut devenir, si on la contredit, passablement agressive et intolérante : dès son plus jeune âge, ses accès de mauvaise humeur étaient aussi célèbres qu'imprévisibles. Un jour, par exemple, elle m'avait lancé une assiette de soupe chaude à la figure quand je lui avais fait remarquer qu'elle mangeait salement, et je m'étais, Dieu merci, écartée à temps, sans quoi je ne pourrais me flatter aujourd'hui de cette peau de porcelaine que ton père aime tant. Mais elle apprécie également d'être en société, et se montre agréable et prévenante quand elle est de bonne humeur, ce qui lui permet d'utiliser son charme pour obtenir ce qu'elle veut sans avoir à trop se forcer.

C'est ainsi que, lorsqu'elle s'est lassée d'Ibiza, elle a choisi, pour quitter l'île, la voie la plus facile : le mariage. Cela paraissait évident car, pourquoi le nier, travailler ne convenait guère à Laureta, qui était un article de luxe et non pas un objet utilitaire. Étant donné qu'elle avait toujours attiré les hommes comme le miel les ours, elle n'a pas eu de mal à se trouver un beau parti, et même plus que cela. Car il émanait et émane toujours d'elle un parfum pénétrant de féminité, une aura d'intense sensualité qui rend les hommes fous, justement parce qu'elle n'a pas l'air de s'adresser à eux mais plutôt de les repousser, comme si elle appartenait à une caste très supérieure. C'est cette conscience exacerbée de sa propre valeur qui, je le suppose, a conquis le richissime et bellissime Français qui, en deux temps et trois mouvements, entre deux joints au cours d'une fête à bord, lui a proposé le mariage. Serge, ainsi que s'appelait ce prince charmant, a tapé dans l'œil de toutes les femmes de la famille (tante Reme incluse), sauf moi, qui étais curieusement celle qu'il voulait le plus éblouir (le jour même du mariage, ce noceur invétéré n'a pas hésité, figure-toi, à peloter sa jeune belle-sœur d'à peine quinze ans. Je ne l'avais encore jamais raconté à personne, sauf à ton père). À vingt-six ans, Laureta avait déjà deux enfants (et restait aussi mince que si elle n'était pas intervenue personnellement dans leur conception), deux maisons (une à Madrid et une autre à Ibiza), deux voitures, deux bonnes (une pour le ménage et l'autre pour s'occuper des enfants), deux cernes permanents sous les yeux et une terrible amertume, car son Français, bon vivant habitué au grand luxe, s'était vite lassé de ses humeurs et voyageait sans arrêt pour n'avoir à s'occuper d'elle que le strict minimum. Il n'était même pas là pour la naissance de ses enfants car, selon la version officielle, il était les deux fois en voyage d'affaires (s'il était capable, le jour même de ses noces, de jeter son dévolu sur une mineure, sœur de sa fiancée qui plus est, tu imagines où il pouvait être, sachant en outre que ses uniques « affaires » consistaient à s'entretenir de temps en temps avec son gestionnaire de patrimoine). Avant de te mettre au monde, je trouvais déjà ça mal quand Laureta me parlait de l'absence de Serge à ses accouchements, mais je trouve ça encore pire maintenant que j'en ai moi-même vécu un – accouchement dont je ne sais pas si j'aurais su le surmonter sans la présence de ton père. Donc, comme je te disais, Serge avait d'abord semblé à Laureta *tellement* moderne, original, français, vivant, glamour, mais dès qu'elle l'avait épousé, ça avait été terminé. Car avec le caractère qu'elle avait, elle n'aimait pas qu'on lui dise ce qu'il fallait qu'elle fasse, et encore moins ce qu'il fallait qu'elle pense. Elle qui n'avait jamais accepté d'ordre de son père, n'allait évidemment pas obtempérer à ceux de son mari. Elle avait besoin, en bon Verseau, d'un environnement non structuré, qui lui permette de prendre ses propres décisions en fonction de ses besoins et de son inspiration du moment, au lieu de suivre une routine ou des règles rigides. Elle avait besoin de vivre dans une atmosphère excitante et stimulante, que bien souvent le mariage cesse vite d'offrir.

Comme on pouvait s'y attendre, Laureta s'est plainte pendant des années de Serge, qui était certes fier du corps de reine de son épouse mais de moins en moins présent à la maison, jusqu'à ce jour d'été où elle a rencontré, également à Ibiza, celui qui serait son second mari, un Allemand cette fois, et où elle a quitté Serge sans crier gare alors qu'elle connaissait Christian, ainsi que s'appelait le nouvel homme de sa vie, depuis un mois à peine. Car son cerveau fonctionne de façon intuitive, non linéaire, et les coups de foudre surgissent comme ça, *ex nihilo*. Le seul ennui, c'est que Christian adore Laureta et ses enfants, mais n'a pas un rond. À Ibiza, il gagnait sa vie en nettoyant des bateaux (dont le yacht de Serge, c'est d'ailleurs comme ça qu'elle l'avait rencontré) et en servant dans des bars, et lorsqu'il est tombé amoureux d'elle, il l'a suivie à Madrid parce que ma sœur ne voulait changer les enfants ni de collège ni de cadre de vie, mais il ne pouvait plus continuer à travailler comme serveur car sa nouvelle compagne ne voulait pas qu'il passe ses soirées en dehors de la maison. Il a fini par trouver un emploi de professeur à l'Institut allemand. Pas mal payé, me semble-t-il, mais pas suffisamment pour maintenir le train de vie auquel ma sœur était habituée. Fini les vacances à Ibiza, et il avait en outre fallu vendre une des deux voitures et congédier les bonnes. Puis déménager, car l'appartement n'était que loué, et appartenait en fait à Serge qui l'avait mis au nom d'une de ses sociétés. Et une chose est de vivre une passion illicite dans un décor paradisiaque, tout autre chose est de vivre une vie banale avec un professeur d'allemand certes beau (car il l'est), mais pas plus que ne l'était le premier mari, et de surcroît hautement prévisible et ennuyeux, comme tout Allemand qui se respecte.

Aujourd'hui, à l'hôpital, on nous a fait attendre plus que d'habitude, et Laureta a eu le temps de se répandre en confidences, marchant en long et en large dans le couloir en attendant que les médecins aient fini de faire ce à quoi ils étaient occupés (un respirateur en panne ? un écran montrant des constantes vitales en baisse ?). Laureta dit qu'elle se séparerait à l'instant même si elle pouvait racheter à Christian la moitié de l'appartement (qu'ils ont acheté ensemble après son divorce à elle), mais qu'elle ne peut pas, car où irait-elle avec deux

enfants, au prix où sont maintenant les appartements ?
Comme les enfants sont de son premier mari et qu'il ne
saurait incomber au second de pourvoir à leur bien-
être, elle est certaine qu'un juge ne lui attribuerait pas
l'appartement, et la bulle immobilière est donc en quelque sorte responsable du fait qu'elle se retrouve piégée
dans ce mariage malheureux.

— J'étais si désespérée que j'en suis arrivée à penser
que si maman mourait, au moins je pourrais me séparer. Avec l'héritage, tu comprends.

— Non, enfin si. Il m'est venu la même idée, que je
pourrais payer mes dettes au fisc et rembourser mon
hypothèque.

— Je l'ai dit à Vicente, et il m'a répondu qu'il avait
pensé la même chose, qu'avec l'héritage il pourrait
enfin financer les réparations de sa maison.

— Nous sommes vraiment des enfants indignes…

— Oui…

C'est le syndrome de Pollyanna, cette petite fille qui
vit dans un orphelinat et qui, recevant pour Noël, par
erreur, au lieu de la poupée qu'elle espérait, une paire
de béquilles, s'écrie qu'elle est si heureuse de ne pas en
avoir besoin.

De toute façon, l'héritage ne rapporterait pas tant que
ça.

C'est encore à voir. Je m'efforce de chasser les mauvaises pensées, le souvenir, par exemple, de ce repas de
famille où, au milieu de commérages sur les querelles
de famille de nos voisins, ma mère avait dit à tante
Reme : « J'ai toujours trouvé que mes enfants avaient
leurs défauts, mais quand je vois des choses pareilles,
je me rends compte qu'ils ne s'en tirent pas si mal », ce
à quoi Vicente avait répondu, en ne plaisantant qu'à
moitié : « Attends un peu que tu meures, et nous nous
disputerons pour ton argent. »

3 novembre

Personne ne se connaît vraiment soi-même, et il faut devoir vivre une situation extrême pour s'en apercevoir. Chacun de nous peut avoir l'impression d'entrevoir un petit aspect de son moi profond – je suis nerveuse, je suis sensible, jamais je ne dirai une chose pareille, jamais je ne ferai une chose pareille, je ne suis pas du tout attirée par telle ou telle personne, voilà une limite que je ne franchirai jamais – mais ce n'est là qu'une illusion intime, et le jour où nous nous y attendons le moins, dans la situation la plus banale qui soit en apparence, nous découvrons que toutes les limites sont franchissables. Nous vivons plus ou moins heureux tant que nous ne savons pas ce que nous sommes, mais ce que nous sommes est en fait ce que nous ne sommes pas, car nous sommes toujours trompés par nos certitudes.

La nuit a été terrible. Je n'arrivais pas à trouver le sommeil, car je repensais toujours à mes problèmes d'argent en même temps que me revenait la vision de ma mère à l'hôpital, et quand enfin, à 3 heures du matin, j'étais sur le point de m'endormir, tu t'es mise à pleurer en réclamant ton biberon et que je te change ta couche, ce qui m'a encore tenue éveillée jusqu'à 4 heures. Comme j'avais rendez-vous avec mon père à 9 heures à l'hôpital, il fallait que je me lève à 7 h 30 pour avoir le temps de me maquiller, de me coiffer et de m'habiller assez chic pour qu'il ne me débite pas sa tirade habituelle sur mon allure et mon accoutrement, à laquelle j'avais généralement droit dès qu'il me voyait arriver.

Quand je suis rentrée, à 15 heures, ton père est sorti promener le chien et m'a laissée seule avec toi. Et alors, sans que je sache pourquoi, tu as piqué la première colère de ta vie. Tu ne voulais ni tétine, ni biberon, ni poupée, ni chanson, ni que je te berce, ni que je te mette dans ton couffin, ni que je te promène dans la poussette d'un bout à l'autre du couloir, tu criais et tu criais toujours plus fort, ta figure devenait rouge comme celle d'un antichérubin, d'un petit démon d'un mois et demi, et tu gigotais comme si tu voulais briser les particules d'air autour de toi. J'étais fatiguée, épuisée, j'avais l'impression que tes hurlements étaient un interrupteur qui activait soudain ce que j'ai de pire en moi, toutes mes angoisses et mes peurs, et une voix intérieure me disait que j'étais une mauvaise mère, que je n'étais bonne à rien, pas même à quelque chose d'aussi simple que de m'occuper d'un bébé, et avant que j'aie le temps de m'en rendre compte, je me suis surprise à te secouer. Les phrases du livre me sont alors immédiatement apparues, en lettres noires d'imprimerie comme si j'avais devant moi un écran blanc : « Ne JAMAIS secouer un bébé, même sous le coup de la colère ou par jeu. Secouer un bébé peut lui occasionner des lésions cérébrales et provoquer sa mort. » J'ai aussitôt repris mes esprits, je t'ai déposée, toujours hurlante, dans ton berceau, et j'ai changé de pièce. Jamais je n'avais eu une telle envie de boire.

J'avais lu je ne sais plus dans quel livre que si, un jour, je me trouvais dépassée par les événements et que je craignais de te maltraiter, il fallait que je compose aussitôt un certain numéro de téléphone. Mais il m'a semblé me souvenir que c'était un livre américain, car jamais je n'ai entendu parler d'un service téléphonique d'assistance aux mères débordées en Espagne. Je me suis donc contentée d'attraper un coussin du salon et de le frapper de toutes mes forces, jusqu'à épuisement. Quand ton père est arrivé, il nous a trouvées toutes les deux dans un océan de larmes.

Je n'avais pas eu aussi peur depuis que j'avais vu *Les Dents de la mer* au cinéma, à l'âge de huit ans.

Dès mon retour de New York à Madrid, ma vie était devenue un échange frénétique d'e-mails, grâce auxquels mon été prenait tournure. D'e-mails avec Tania, qui me confirmait que j'étais recrutée comme professeur d'espagnol aux cours d'été de Stony Brooks. D'e-mails avec Sonia, qui m'avait trouvé un *sublet*, une sous-location dans un appartement de Manhattan occupé – décidément ! – par une *stripper* qui partait pour l'été chercher fortune au Japon (il semble qu'au Japon les *strippers* blanches et blondes gagnent des sommes astronomiques, surtout si elles ont encore l'air d'enfants, raison pour laquelle cette fille devait être la seule de toute la très prospère *sex industry* de New York à ne pas s'être fait opérer de la poitrine : caprices du yen obligent). D'e-mails avec le Roumain, qui m'envoyait de temps à autre des billets très affectueux auxquels je répondais par politesse, et davantage parce qu'il pouvait être utile d'avoir en ville un ami sur qui compter, que parce que le type m'intéressait outre mesure. D'e-mails aussi avec l'étudiant français avec qui j'avais fait affaire par l'Internet pour lui louer mon appartement de Madrid pendant l'été, ce qui non seulement m'aiderait à en payer les traites, mais m'assurait que quelqu'un ferait un semblant de ménage et s'occuperait des plantes en mon absence (étant entendu que Consuelo, qui héritait par ailleurs du chien, avait aussi un jeu de clés et passerait chaque week-end pour vérifier que tout allait bien). D'e-mails enfin avec Claudia, une amie de Paz qui travaillait dans une agence de voyages et qui s'était chargée de me trouver le billet le moins cher sur le vol charter Madrid-New York le plus miteux qui existe.

Si bien qu'à la fin du mois de juin tout était prêt, et que je pouvais me vanter d'une efficacité et d'un sens de l'organisation dignes de mon frère Vicente. Mais soudain, comme si quelqu'un m'avait jeté un mauvais sort, tout cet échafaudage si ingénieux s'est effondré en quelques jours comme un château de cartes.

J'ai d'abord reçu un message de Tania qui m'annonçait que les cours d'espagnol de Stony Brook étaient annulés faute de participants. Il n'y avait, paraît-il, même pas dix inscrits, de sorte qu'on devait hélas se passer de mes services, et comme je n'avais signé aucun contrat, je n'avais aucun recours. Le surlendemain – un malheur n'arrive jamais seul –, Sonia m'a écrit que la seule *stripper* non opérée de New York avait glissé en tentant une acrobatie sur une barre de pompiers (oui, cette barre verticale que nous avons tous vue dans les films américains) et avait atterri les jambes écartées sur la scène, de sorte qu'elle s'était cassé le pelvis et devait observer le repos absolu pendant plusieurs mois. Adieu, donc, le voyage au Japon et ma sous-location à New York. Que faire ? Écrire au Français en prétendant m'être cassé, moi, le pelvis et être obligée de rester à Madrid tout l'été ? Mais il m'avait déjà versé le prix de la location, et c'est avec cet argent que j'avais acheté le billet d'avion – non remboursable. Je pouvais, bien sûr, le lui rendre, mais cela aurait signifié me mettre au pain sec et à l'eau pendant deux mois, car en prévision de mon séjour à New York et du salaire que je devais recevoir pour mes cours (même si c'était une misère, c'était tout de même quelque chose), j'avais refusé tous les travaux qu'on m'avait proposés et ne pouvais escompter aucune rentrée d'argent avant septembre.

J'ai raconté l'histoire au Roumain, au cas où il connaîtrait quelqu'un qui me sous-louerait son appartement pour l'été. Par retour d'e-mail, il me répondit que son colocataire, le fameux étudiant en chorégraphie, partait travailler à Ibiza comme animateur des soirées Manumission et songeait à sous-louer sa chambre, laquelle me reviendrait exactement à la moitié de ce que m'aurait coûté l'appartement de la danseuse blessée, ce qui compenserait en partie le manque à gagner des cours que je ne donnerais pas. Le seul problème, écrivait-il, était sa fiancée – celle du Roumain, pas celle du gogo dancer ibérique – dont il ne m'avait jamais parlé jusqu'alors. Apparemment, c'était une fille très jalouse, qui n'apprécierait guère qu'il partage son appartement avec une femme. Comme on peut s'en douter, ce détail a presque achevé de me décourager : aller habiter le Bronx pour me faire agresser par une névrosée qui croyait que j'allais me taper son fiancé, dont je ne savais d'ailleurs même plus si je me l'étais tapé ou pas, était bien la dernière chose dont j'avais envie.

J'ai écrit une nouvelle fois à Sonia. Réponse : compte tenu du délai, il était impossible de trouver à se loger à New York, à moins de payer des sommes astronomiques. Je n'étais pas la seule Espagnole à vouloir y passer l'été, encore moins la seule Européenne. D'autre part, le Roumain habitait le Bronx-Nord, pas le Bronx-Sud. Or c'est le Sud qui est le Bronx dangereux, alors que le Nord est un quartier paisible pour Juifs aisés, un havre de paix aux vénérables immeubles victoriens. Je n'avais pas vu l'appartement, mais je me disais que, dans ces conditions, ce ne serait peut-être pas si mal. Et d'ailleurs, elle se proposait d'aller voir. Je lui ai répondu : « Vas-y. Et vas-y vite, car le temps presse. » E-mail de Sonia dans les vingt-quatre heures : « Je reviens du Bronx, l'appartement est merveilleux, immense, très lumineux. Et pas la moindre trace de fiancée. » Elle avait inspecté la salle de bains de fond en comble sous couvert de faire pipi et n'avait trouvé ni trousse de maquillage, ni sèche-cheveux, ni paquet de Tampax, rien. Soit la fiancée jalouse se déplaçait avec son nécessaire chaque fois qu'elle rendait visite à son bien-aimé, soit elle ne venait que rarement, soit encore le Roumain, va savoir, l'avait inventée de toutes pièces. En tout cas, concluait Sonia, tu peux toujours venir chez moi, mais je ne sais pas si tu auras envie de dormir toutes les nuits sur le canapé pendant deux mois.

Non, je n'en avais pas la moindre envie. Mon dos portait encore les stigmates de ma dernière visite, et surtout, j'avais beau savoir que Sonia était généreuse et me l'avait proposé de tout cœur, je savais aussi que mon amie, en bonne artiste, est une névrosée jalouse de son espace privé, et qu'envahir ainsi son intimité serait mettre en danger de mort une amitié de près de vingt ans.

Empêtrée dans cet écheveau d'incertitudes, et incapable de décider par moi-même, j'ai appelé le journaliste féru d'ésotérisme, celui-là même qui m'avait tiré les cartes et interprété les indications de la boussole.

— Tu vas trouver ça bizarre, lui ai-je dit, mais je me demande si tu ne pourrais pas me tirer les cartes par téléphone en urgence.

— Eva, je ne suis pas un numéro vert. Passe plutôt me voir, disons mercredi, nous prendrons un café et je te les tirerai tranquillement.

— J'en serais ravie, mais c'est que l'affaire est vraiment urgente et je ne peux pas attendre mercredi pour décider. J'ai besoin de savoir maintenant.

— Une affaire amoureuse, à ce que je vois…

— Non, rien à voir. Il s'agit d'un voyage que j'avais prévu, tout était réglé, et tout s'est cassé la figure au dernier moment. Ce serait long à raconter, mais… en résumé : je ne sais pas si je dois annuler ou pas.

— D'accord, faisons une chose. Je vais tirer trois cartes. Si elles me donnent une réponse sans équivoque sur laquelle tu peux te fonder, je te le dirai. Et sinon, j'aime mieux ne rien te dire du tout, parce que tirer les cartes par téléphone, c'est quelque chose que je n'ai jamais fait, ni rien d'approchant.

— Mais il y a un mage qui fait ça.

— Il ne le fait pas, c'est son équipe qui le fait, et puis ne me dis pas que tu crois à ce genre de choses…

— Bon, tire-moi ces trois cartes, on va bien voir.

— Attends, je prends le paquet… Voilà, je bats. Maintenant, concentre-toi bien sur ce que tu veux savoir, et essaie de projeter l'énergie sur les cartes.

— Voilà.

— Parfait. Je tire.

Quelques secondes ont passé, un silence fracassant sur fond de grésillement de la ligne.

— Eva, c'est incroyable.

— Qu'est-ce qui est incroyable ?

— Trois arcanes majeurs… C'est presque impossible, vraiment. Les trois arcanes majeurs ne sortent presque jamais à la suite l'un de l'autre. À moi, en tout cas, ça ne m'était jamais arrivé.

— Ah oui ?…. Est-ce qu'ils sont bons, ou mauvais ?

— La Roue de Fortune, les Amoureux et l'Impératrice… Et tous les trois à l'endroit… Eva, il faut que tu fasses ce voyage, il n'y a pas le moindre doute.

— Pas le moindre ?

— Pas le moindre.

Ce ne sont pourtant pas les cartes qui m'ont convaincue de partir : je ne suis ni couarde ni sceptique, et pas davantage experte en statistiques, mais étant donné qu'il y a soixante-dix-huit cartes dans un jeu de tarot dont vingt-deux arcanes majeurs, la probabilité que, dans un tirage, trois d'entre eux se suivent n'était pas aussi faible que le journaliste voulait bien le croire.

Il se trouve surtout que, le lendemain matin, j'ai reçu un appel de Nenuca.

Nenuca ne s'était pas encore retirée dans sa petite villa de Marbella, et habitait toujours Madrid. Comme elle ne faisait rien du matin au soir, elle s'ennuyait énormément et accordait à ses problèmes sentimentaux (les seuls qu'elle connaisse, car elle n'avait jamais eu de problèmes d'argent ni de travail) une importance exagérée. De ce point de vue, on aurait dit qu'elle avait encore quinze ans. Je redoutais ses appels, car elle était capable de passer des heures au téléphone (je dis bien des heures, car un soir elle m'avait tenu la jambe pendant trois heures chrono) à m'exposer *in extenso* les détails de sa relation avec Mirta, la fille avec qui elle sortait depuis trois ans, une Cubaine qui travaillait de temps à autre comme serveuse dans un bar de la rue Argumosa, même si, en réalité, elle vivait de l'argent de son amante, qui était en fait l'argent des parents de

Nenuca, selon une étrange version de la redistribution nord-sud des richesses. Je pensais alors, et je pense encore, même si je me suis toujours bien gardée – avec cette hypocrisie dont nous sommes tous capables, y compris les plus sincères d'entre nous, quand nous parlons avec un ami et évitons délibérément de lui dire ce que nous pensons de ses actes ou, en l'espèce, de ses relations – d'expliquer ma théorie à Nenuca, que la Cubaine éprouvait au fond un immense ressentiment envers la main qui la nourrissait, car le fait de se savoir entretenue la faisait se sentir inférieure ; mais d'un autre côté, bien sûr, Mirta avait besoin de Nenuca, car elle ne pouvait, au sens le plus littéral et le moins romantique du terme, vivre sans elle. Elle s'interdisait donc toute faiblesse et la soumettait au régime de la douche écossaise : aujourd'hui tu viens me voir au bar et je ne te regarde même pas, demain je passe la journée à te répéter que tu es la plus belle et que tu es toute ma vie, après-demain je te fais de but en blanc une scène de jalousie terrible en hurlant que pendant tout le temps où j'étais derrière le comptoir tu n'as pas arrêté de faire de l'œil à la fille qui était sur le tabouret du bout alors qu'en fait tu ne l'avais même pas remarquée. Et, bien sûr, plus Mirta était odieuse avec elle, plus Nenuca était accro, en proie à cette variante du syndrome de Stockholm qui veut qu'on tombe amoureux de son propre tortionnaire. Les épisodes du feuilleton Mirta étaient des plus prévisibles, et au bout de quelques mois j'en avais tellement assez que je ne décrochais même plus mon téléphone mobile si je voyais clignoter le nom de Nenuca sur l'écran.

Ce jour-là, pourtant, j'ai décroché car depuis plusieurs semaines que j'évitais mon amie, j'éprouvais un certain remords. À ma grande surprise, Nenuca ne m'appelait pas pour se plaindre, car sa relation avec Mirta traversait alors une de ces périodes idylliques qui succédaient invariablement aux disputes retentissantes (en l'occurrence, la bonace faisait suite à une tempête au cours de laquelle Mirta était allée jusqu'à lever la main sur Nenuca, si bien que la Cubaine, se rendant sans doute compte qu'elle était allée trop loin et risquait de perdre la victime dont elle dépendait, ne s'était jamais montrée plus gentille et attentionnée que depuis la réconciliation postérieure à cette algarade), mais pour me raconter l'étrange rêve qu'avait fait Mirta à mon propos. « On verra si tu sais l'interpréter, car moi ça ne m'évoque rien, mais Mirta insiste pour que je te le raconte, tu sais le prix qu'elle attache à ses rêves. »

Au début, nous nous amusions des rêves de Mirta, qui était capable d'interdire à Nenuca de prendre sa voiture et de l'obliger à voyager en métro toute la semaine si jamais elle avait rêvé d'un accident (Nenuca ! la fille la plus snob de Madrid, qui avant de rencontrer Mirta n'avait jamais pris de sa vie les transports en commun !), mais avec le temps nous avions appris à nous fier à ses visions, notamment après qu'elle nous avait annoncé que le 103 gagnerait le gros lot de Noël de la loterie nationale et prédit avec deux jours d'avance la mort, à La Havane, de sa tante Kerly. Mirta était tout étonnée que nous soyons épatées de la précision de ses rêves prémonitoires, car dans sa famille, de longue tradition *santera*, on évoluait entre le visible et l'invisible avec autant d'aisance qu'une grenouille entre l'eau et la terre. Et justement, Mirta avait rêvé de moi et en était si excitée qu'elle voulait absolument que Nenuca me téléphone pour me le raconter. J'en ai déduit que Mirta ne m'appelait pas elle-même parce qu'elle avait deviné, grâce à son intuition privilégiée ou paranormale – ou tout simplement à son sens commun, étant donné que je lui faisais toujours grise mine –, que je ne l'aimais pas.

Le rêve était le suivant : Mirta et moi marchions en nous tenant par la main dans un champ bordé de buissons d'aubépines. Autour de nous bourdonnaient des millions d'abeilles qui recueillaient le pollen des fleurs, mais nous n'avions pas peur car nous savions qu'elles ne nous piqueraient pas. De toutes parts, le paysage environnant offrait à la vue de beaux arbres chargés de fruits appétissants : pêches, mangues, papayes, poires, toutes bien mûres et bien juteuses. À un moment donné, je m'étais arrêtée pour manger un abricot dont le jus me sortait par la bouche. J'avais ensuite enterré le noyau, et à cet instant il s'était mis à tomber une averse d'été, une petite pluie fine qui rafraîchissait plus qu'elle ne mouillait. Alors Mirta m'avait donné l'anorak qu'elle portait, et je lui avais dit quelque chose comme : « Merci beaucoup, Marta, j'avais besoin d'un anorak pour mon voyage. » Puis nous nous étions séparées sous l'arbre, et j'avais continué mon chemin vers la ligne d'horizon.

Mirta avait insisté pour que Nenuca me fasse remarquer que la lettre A revenait constamment tout au long du rêve : aubépines, abeilles, arbres, abricot, averse, anorak…

— Est-ce que ce rêve a du sens pour toi ? me demanda Nenuca.

— Beaucoup. Dis-le à Mirta. Et dis-lui aussi que je la remercie infiniment d'avoir insisté pour que tu me le racontes.

A comme avion, comme Amérique et comme Anton.

Si bien que j'ai écrit un e-mail au Roumain pour lui dire que j'acceptais sa proposition, que je me présenterais chez lui le 2 juillet et qu'il n'avait qu'à dire à sa fiancée que j'étais lesbienne ou quelque chose comme ça.

4 novembre

Tu pèses 5,750 kilos. C'est-à-dire presque 6 kilos. Je ne peux même pas imaginer te tenir dans les bras quand j'écris. Alors tais-toi. Et arrête de pleurer.

Grâces soient rendues à Sonia, *Suicide* Sonia, Sonia la scénariste (à ne pas confondre avec les autres Sonia), qui m'a offert le hamac pour bébé où tu es en train de dormir. Je peux ainsi te bercer du pied pendant que j'écris. Avec ça et les suites pour violoncelle de Bach, tu m'as l'air calmée pour un moment.

J'ai loué hier la cassette de *Thelma et Louise* et j'ai pu vérifier, une fois de plus, que la fiction n'est rien d'autre qu'un miroir dans lequel nous contemplons notre propre reflet, et c'est pourquoi notre avis sur une œuvre en dit plus long sur nous-mêmes que sur son auteur. Ainsi, la première fois que j'avais vu le film (à l'Alphaville, au dernier rang, j'avais vingt-quatre ans), il m'avait semblé que Louise était stupide, dans cette scène, de repousser le si craquant Michael Madsen :

Une chambre de motel. Louise est avec Jimmy, son fiancé. Elle l'a appelé pour lui dire qu'elle avait besoin d'argent et pour lui demander un service : retirer de l'argent de son compte (à elle) et lui envoyer un virement. Au lieu de le lui envoyer, Jimmy est venu la voir.

JIMMY : Mais enfin, dis-moi où est le problème.

Louise reste un moment à le regarder.

LOUISE : Je ne peux pas te le dire maintenant. Un jour tu comprendras, mais en ce moment je ne peux pas te le dire, alors il vaut mieux que tu ne demandes pas.

Jimmy est impressionné par l'expression grave de Louise.

JIMMY (*presque sans articuler*) : Bon, d'accord, mais dis-moi, est-ce que je peux te poser une question ?

LOUISE : Peut-être.

JIMMY : Est-ce qu'il y a quelqu'un d'autre ? Est-ce que tu es amoureuse de quelqu'un d'autre ?

LOUISE : Non, ce n'est rien de ce genre.

Jimmy explose de rage et se met à casser des objets dans la chambre.

JIMMY (*criant*) : Alors quoi ? Qu'est-ce qui se passe, putain, Louise ? Où est-ce que tu pars, merde ? MERDE ! Est-ce que tu me quittes ou quoi ?

LOUISE : Arrête ! Arrête tout de suite ou je m'en vais ! Je suis très sérieuse.

JIMMY (*se calmant*) : C'est bon, j'arrête. Je suis désolé.

Jimmy retrouve son calme.

JIMMY : Est-ce que je peux te demander quelque chose ?

Jimmy sort une petite boîte de sa poche.

JIMMY : Est-ce que tu veux mettre ça ?

Il tend la boîte à Louise, qui l'ouvre. La boîte contient une bague.

JIMMY : Tu ne veux pas l'essayer ?

LOUISE : Jimmy… mais elle est trop belle !

JIMMY : Tu ne t'y attendais pas, hein ?

Louise acceptera-t-elle la bague ? Non, bien sûr, puisque nous savons, au bout de près de trois quarts d'heure de film, que Louise est une fille intelligente, et une fille intelligente ne se marie pas avec un type dont le passe-temps favori est de tout casser dans les chambres d'hôtel pour la seule raison qu'il soupçonne que sa petite amie envisage peut-être de le quitter. En outre, un type à peu près normal ne fait pas sa déclaration en hurlant, ni à un moment aussi inapproprié. À trente ans plus que passés, je sais identifier les problèmes quand ils se présentent à moi. Mais à vingt-quatre, je croyais encore au mythe du Prince Charmant, et je me disais que si quelqu'un qui ressemblait à Michael Madsen m'offrait une bague en diamant, je pourrais m'estimer heureuse. De là à sortir avec un cinglé dont la vie se résumait en tout et pour tout à ne rien faire et qui, quand il me parlait, criait chaque mot comme s'il était écrit en majuscules noires bien épaisses, il n'y avait qu'un pas. Tant qu'il était gentil et me disait quinze fois par jour qu'il m'aimait, peu m'importait qu'il me parle en hurlant et me traite comme si j'étais sa propriété. (Je mens : sa guitare, au moins, avait droit à ses égards et à sa considération.) Mais en grandissant on ouvre les yeux, et c'est pour cela que maintenant je vois le film autrement : les yeux ouverts. Car des années durant j'avais vécu les yeux hermétiquement fermés, prenant pour de l'amour ce qui n'était que dépendance. Le fait que je réagisse désormais différemment à la même scène du film montre combien j'ai changé, et comment : par à-coups.

Dans mon dernier e-mail, je n'avais guère été chaleureuse avec le Roumain, mais je n'avais pas envie de tomber de Charybde en Scylla. Tant pis si ce garçon avait mal pris, le lendemain matin de cette soirée où nous avions fait connaissance, que je le congédie comme un malpropre, mais je ne me sentais pas le courage de m'excuser, encore moins de me répandre en amabilités. Après ce que j'avais enduré, je m'abstenais, à tout hasard, d'être trop encourageante avec quiconque.

6 novembre

À l'entrée de l'hôpital, j'ai rencontré l'interne qui s'est occupé de ma mère à son admission aux urgences. Je l'ai tout de suite reconnu car il a l'air de tout sauf d'un médecin : il a une queue-de-cheval et une boucle d'oreille. En revanche, je ne m'attendais pas à ce qu'il me reconnaisse, car il doit s'être occupé de tellement de malades que je m'étonne qu'il se souvienne des visages de leurs proches. Je l'ai salué avec un sourire et l'habituel salutçava. Il s'est arrêté et m'a retourné mon salutçava.

— Nous venons voir ma mère, qui est toujours en soins intensifs.

Je lui dis ça parce que l'infirmière m'a expliqué qu'un médecin ne suit pas les patients dont il s'est occupé.

— C'est votre mère ?

— Mais oui.

— Je pose la question parce que je croyais que c'était votre grand-mère. Vous faites tellement jeune…

Sur ce, je suis montée toute contente au neuvième étage. Là, dans le hall d'attente (je ne dis pas salle, parce que, en fait de salle, c'est un immense palier), je me suis trouvée au milieu d'une foule bigarrée qui jouait des coudes, et au début j'ai cru qu'il s'était passé quelque chose de grave, une catastrophe de grande ampleur, un déraillement de train, un accident d'autocar, ou un attentat terroriste. Puis, à bien regarder, je me suis rendu compte que la plupart des gens qui étaient agglomérés là étaient des Gitans, et que, en outre, ils avaient plus qu'un air de famille : le même nez répété sur des tas de visages différents, tous âges confondus. Presque tous les hommes avaient d'épaisses chaînes en or au cou, toutes les femmes avaient les cheveux très longs et des boucles d'oreilles à l'avenant (longues). Une vieille très ridée, vêtue de noir de la tête aux pieds et entourée de quatre autres grand-mères à son image et ressemblance, c'est-à-dire ratatinées comme des raisins secs, se lamentait : « Mon Dieuuuuuuu, mon fiiiiiiiiiiiils qui se retrouve ici, quel malheuuuuuur ! Seigneur, pourquoi ne me prends-tu pas à sa place, moi qui suis si vieiiiiiiiiiille ? » Le *cante jondo* dans toute sa splendeur.

Depuis trois semaines que je viens presque tous les jours, c'est aujourd'hui seulement qu'on me dit de ne pas oublier, si j'ai des enfants en bas âge, de me laver les mains à la Bétadine en rentrant chez moi avant de les toucher ! Mais grâce à Dieu, ou à la Déesse, ou à la Divine Providence ou au Tout Cosmique, tu es résistante. Comme ta grand-mère.

Comme me l'avait assuré Sonia, l'appartement du Roumain était mieux que bien. Il était très clean, relativement grand pour les normes new-yorkaises et, surtout, il avait quelque chose qui le rendait magique à mes yeux : toutes ses pièces étaient lumineuses car elles donnaient sur l'extérieur, y compris la cuisine et la salle de bains. La chambre qui m'était réservée, celle du gogo dancer, était meublée d'un futon, d'un portant métallique en guise de penderie, et de quatre boîtes en carton empilées dans un coin. Rien d'autre. Pas d'étagères, pas de table ni de siège, car selon toute apparence, et ainsi que me le confirmerait plus tard le Roumain, le danseur ne lisait jamais et écrivait encore moins, pas même des e-mails. Et pas plus que Sonia, je n'ai trouvé trace de présence féminine dans tout l'appartement, à l'exception d'un paquet de bandes de cire dépilatoire et de pinces à cils qui en fait, comme je devais le découvrir plus tard, n'appartenaient pas à une femme, mais au danseur.

Le Roumain était encore plus grand et plus maigre que dans mon souvenir, long comme un jour sans pain ou un dimanche sans Alka-Seltzer, comme dit mon cousin Gabi. Il m'attendait sur place quand je suis arrivée de JFK dans un taxi qui coûtait l'équivalent de mon budget repas pour trois semaines, et à peine m'avait-il ouvert la porte et montré l'appartement et ma chambre, qu'il m'a annoncé, passablement gêné, qu'il avait rendez-vous avec sa fiancée et qu'il devait, à son grand, à son très grand regret, me laisser seule. Il ne m'a laissé aucun numéro de téléphone où le joindre. Dès qu'il est parti, j'ai posé mes deux valises et mon ordinateur portable dans un coin de la pièce et je me suis laissée tomber de toute ma hauteur sur le futon. Je n'avais pas dormi dans l'avion car les sièges de cette compagnie charter étaient réduits à leur plus simple expression et j'avais voyagé comprimée, les genoux pratiquement contre le menton, ce qui faisait que, sur onze heures de voyage (une de chez moi jusqu'à l'aéroport, deux pour l'enregistrement et l'embarquement, huit de vol), plus l'heure passée à faire la queue debout à l'immigration, plus encore une heure de taxi dans les embouteillages new-yorkais, j'étais restée vingt-quatre heures de suite sans dormir et j'avais mal à chacun des os de mon corps ankylosé, de sorte que je me suis endormie sans même m'en rendre compte, et lorsque j'ai rouvert les yeux, j'étais recroquevillée sur le futon, habillée de la même façon qu'à mon arrivée à New York, avec mes chaussures aux pieds. Entendant au même instant le bruit de la porte qui s'ouvrait, je me suis levée et trouvée nez à nez avec le Roumain qui rentrait. Comme la lumière du soleil était encore éclatante, j'ai supposé que son rendez-vous n'avait pas duré très longtemps.

— Quelle heure est-il ? lui ai-je demandé.
— Midi, a-t-il annoncé après avoir consulté sa montre.
— Tu ne t'es pas beaucoup attardé, alors ?
— Comment ça ?
— Je veux dire que ton rendez-vous n'a pas duré longtemps…
— Mais je suis parti hier, hier matin…
Il me regardait comme si j'étais folle.
J'avais dormi, tout habillée et avec mes chaussures, vingt-cinq heures d'affilée.

7 novembre

Hier soir, nous avons donné un dîner qui a été un désastre gastronomique car je suis rentrée de l'hôpital à 21 h 30 et, comme ton père a beaucoup de bonne volonté mais peu d'expérience de la cuisine, nous n'avons rien eu le temps de préparer d'autre que le couple éternel, mais si pratique, spaghettis et salade. Vu les circonstances, personne n'a eu l'idée de se plaindre, sauf *Suicide* Sonia, qui n'a daigné avaler que deux feuilles de salade, alléguant que ça lui était égal de manger : ce qui comptait pour elle, c'était d'être là. Nous étions quatre couples : Consuelo et Jorge, Sonia l'actrice (*Sweet* Sonia) et Esteve, Sonia la scénariste et un certain Ángel avec qui elle couche de temps à autre, ton père et moi. J'ai été très déprimée de constater qu'après le repas nous nous sommes divisés, presque sans nous en rendre compte, en deux groupes : un groupe masculin, sorti en bande sur la terrasse pour fumer (je ne permets pas qu'on fume dans l'appartement car je refuse de te transformer si jeune en fumeuse passive) et, au passage, examiner le plant de marijuana pour discuter de ses possibles débouchés (limités, je le crains, car le malheureux est plus mort que vif) ; et un groupe féminin, resté au salon pour théoriser sur un seul et unique sujet, à savoir les avantages et inconvénients de la maternité. Je dis « théoriser » car il n'y avait que deux mères, et comme c'étaient les autres qui parlaient le plus, leurs arguments ne pouvaient se fonder sur la praxis.

Quelle ironie, n'est-ce pas, que d'être à ce point féministes et postmodernes et de reproduire les schémas les plus traditionnels : les hommes au fumoir et les dames papotant autour d'un café de sujets propres à leur sexe.

Au beau milieu de notre conversation, nous t'avons entendue qui pleurais de faim, et nous sommes allées te chercher pour te donner le biberon. Ton père, qui t'avait entendue du balcon, est venu donner un coup de main, geste qui a suscité d'admiratifs « ooooooh » et « aaaaaah » chez mes amies, qui ne cessaient de répéter : « Quel père, vraiment quel père formidable ! Quelle chance tu as, Eva ! » Sauf *Suicide* Sonia, qui s'était enfilé à elle seule la moitié de la bouteille de Campo Viejo 96 et qui a dit ce qu'il fallait dire : « Si je comprends bien, quand elle se lève pour prendre la petite parce qu'elle pleure et qu'elle la met sur sa poitrine pour lui donner le biberon, ça vous paraît normal, alors que lui est un papa formidable du seul fait qu'il passe la tête pour jeter un œil. Quelles étranges féministes nous sommes devenues ! »

Sonia a raison : il n'y a pire machiste qu'une femme machiste. C'est comme si un Noir était adhérent du Ku Klux Klan.

8 novembre

Je n'avais pas d'autre solution que de t'emmener avec moi à l'hôpital, étant donné que ton père avait une obligation impérative : Gabi l'invitait au cinéma et je ne voulais pas leur gâcher leur après-midi. Je pensais que ce ne serait pas si compliqué, mais ça s'est révélé l'exploit du siècle, car les transports publics ne sont vraiment pas conçus pour les bébés. Je ne peux pas te porter dans le kangourou parce que tu pèses déjà 6 kilos et que, comme la grossesse et le gonflement de la poitrine qui s'est ensuivi ont accentué ma déviation de la colonne vertébrale, le médecin m'interdit de porter des charges, donc avec moi tu sors dans ta poussette. Or, la station de métro qui dessert l'hôpital a beaucoup d'escaliers, mais pas un seul escalator, alors même qu'elle est censée être fréquentée par des gens en fauteuil roulant. Je ne m'en suis sortie que parce qu'un jeune gars baraqué m'a aidée à soulever la poussette – et encore, il a fallu que je lui demande, ne crois pas qu'il me l'ait proposé spontanément. Comme c'est pareil dans presque toutes les stations, je ne peux pas envisager de t'emmener loin, c'est-à-dire à une distance que je ne puisse parcourir à pied. Celui qui a aménagé le réseau des transports urbains de Madrid devait être un copain de Tibi, et considérer que femme qui relève de couches reste allongée sur sa couche. Et il devait se dire aussi que les personnes à mobilité réduite font tache dans le paysage urbain.

Tu aimes bien Asun, tu souris toujours quand tu la vois. Tu es sans doute attirée par son parfum français, sa voix douce et ses manières aimables. Je vous ai donc laissées toutes les deux au rez-de-chaussée de l'hôpital, car les enfants n'ont pas le droit de monter et il fallait bien que quelqu'un te garde. Il y avait un tas de familles avec des enfants de tous les âges, qui jouaient à se courir après ou à se cacher sous les inconfortables sièges en plastique rigide de la salle d'attente. Contrairement à leurs parents, ils ne semblaient pas plus impressionnés que ça d'être ici. Il y avait une dame qui pleurait à chaudes larmes pendant qu'à côté d'elle une petite fille de trois ans était tout heureuse de faire de grands discours à sa poupée. Je suppose qu'il y a beaucoup de gens qui vont voir un proche à l'hôpital et qui emmènent leurs enfants parce qu'ils ne peuvent pas faire autrement, mais ça ne doit pas être de gaieté de cœur. Il me semble que ça ne coûterait pas très cher d'aménager une petite garderie, mais on doit considérer ça comme les escalators dans le métro : un luxe inutile.

Quand je suis arrivée au neuvième étage, j'ai eu l'impression saisissante que l'endroit était désert, et j'ai tout de suite compris pourquoi : ce qui me manquait, c'était la tribu gitane de la veille. J'ai demandé de leurs nouvelles à Caridad, que j'ai trouvée en grande discussion avec mon père devant le lit de ma mère, et elle m'a raconté que le jeune Gitan dont la mère se lamentait si fort n'était resté qu'une nuit en soins intensifs et qu'il était reparti chez lui dès le matin. Et que toute sa famille était venue pour monter la garde. Sa famille au sens le plus large du terme : sa mère, ses frères et sœurs, ses cousins germains et issus de germains, ses tantes, ses grand-tantes... Apparemment, c'était un junkie qui s'était étouffé avec son propre vomi. Selon Caridad, quand un Gitan est à l'hôpital, tout le clan accourt à son chevet.

— Nous avons beaucoup de problèmes avec eux à la maternité, car ici ce n'est pas trop grave s'ils restent dans le hall, mais là-bas ça dérange, et pas moyen de leur faire comprendre qu'ils ne peuvent pas venir si nombreux. Ils en sont même venus à nous menacer et tout.

Mon père opine du chef, très intéressé. Il parle à Caridad comme s'il la connaissait depuis toujours. À Caridad et à tout le personnel des soins intensifs, d'ailleurs, médecins et infirmières, avec qui il est devenu très ami, de même qu'avec les proches des autres malades. Il connaît tout le monde, demande comment va le frère, la mère, le père, s'intéressant à l'évolution du malade et concluant chacune de ces mini-conversations sur des paroles d'encouragement et/ou de consolation. J'ai hérité de lui cette sociabilité excessive, moi qui suis certes timide mais pas sauvage (ton père n'arrive pas à comprendre pourquoi, chaque fois que nous sortons, nous devons nous arrêter tous les trois pas pour saluer le kiosquier, le concierge de l'immeuble d'à côté, les commerçants du marché, et les dizaines de vagues connaissances qui m'arrêtent dans la rue), et tu en as hérité aussi, car quand tu sors dans ta poussette, tu adresses un de tes radieux sourires, récemment appris, à chacune des multiples petites vieilles qui s'arrêtent, en extase, pour répéter « mais qu'il est mignooooooooon ! » – comme tu n'es pas habillée en rose et que tu n'as pas de boucles d'oreilles, personne ne pense que tu puisses être une fille. Le chien aussi en a hérité, car chaque fois que quelqu'un vient à la maison, qu'il s'agisse d'un ami, du facteur, du télégraphiste ou de l'employé du gaz, il salue en remuant la queue immodérément et en faisant des bonds de champion olympique. C'est l'anti-chien de garde.

Oui, mon père a été, et reste l'homme le plus sociable qui soit, le plus attentif et le plus séducteur, au moins en apparence. Et il fait toujours grande impression partout où il passe, tout le monde le trouve toujours *tellement* merveilleux. C'est un Lion, c'est le Soleil autour de qui nous autres planètes sommes condamnées à graviter. J'ai toujours entendu dire qu'il était plus amoureux de ma mère qu'elle de lui, malgré leurs tempéraments diamétralement opposés et le fait qu'ils étaient rarement d'accord sur quoi que ce soit, et dans le petit monde où je vivais cette affirmation était acceptée comme un dogme, que mon père était d'ailleurs le premier à professer. Cela n'a jamais fait l'ombre d'un doute, personne n'a jamais imaginé qu'il puisse en être autrement, et cette affection asymétrique était toujours sous-entendue dans les attitudes et les conversations des autres. Ma mère répétait ainsi à qui voulait l'entendre qu'elle s'était fait un jour tirer les cartes par la sorcière Juli, la plus célèbre voyante d'Elche et d'Alicante – province qui compte sans doute plus de voyantes, de sorcières, de guérisseurs et de spirites que toute autre en Espagne, à l'exception peut-être de la Galice –, dont le prestige a atteint des sommets le jour où, ainsi qu'elle l'avait annoncé, le gros lot de Noël de la loterie nationale a été gagné à Elche, et qui prescrivait des sortilèges aussi étranges que celui qui consiste à séduire un homme en versant dans son café ou son chocolat un peu de sang menstruel (le sien, bien sûr, pas celui de la sorcière). Je l'ai donc entendue raconter plus d'une fois comment elle était allée se faire tirer les cartes, entraînée par tante Reme (car elle-même, ainsi qu'elle aimait à le souligner, ne croyait guère à ces choses, sans doute parce qu'elle était bonne catholique, mais elle y était tout de même allée pour ne pas faire de peine à sa belle-sœur, qui aimait tellement consulter Juli), pour savoir combien de temps son mariage tiendrait, et que ladite Juli, après avoir disposé les cartes en deux rangées parallèles, l'une pour elle et l'autre pour son mari, lui avait répondu que l'union durerait tant qu'elle le souhaiterait, car la première carte de la rangée opposée à la sienne était les Amoureux, ce qui signifiait que son mari ne la quitterait jamais, car il était et serait toujours fou d'elle.

Et bien que personne n'ait jamais contesté cette affirmation, et que tante Eugenia ait toujours dit qu'elle ne comprenait pas comment son Eva avait fini par épouser ce moins que rien alors que, belle comme elle l'était (on sait de qui tient Laureta), elle n'avait qu'à choisir entre les meilleurs partis de la province, mon père semblait avoir, vu du dehors, toutes les qualités requises, sinon plus, pour rendre amoureuse n'importe quelle femme. Il était si grand, si fort, si blond (c'est de lui que je tiens, à cette subtile mais non négligeable différence près que l'adjectif *fort* n'est flatteur qu'au masculin), si *homme*, si brillant, spirituel (son esprit était vif au point d'en être parfois mordant, avec une tendance au sarcasme dont j'étais la principale destinataire), si bon avec ses amis (phrase qui me paraissait quelque peu absurde, tant il va de soi que personne n'est bon avec ses ennemis), si ceci, si cela... La liste de ses innombrables qualités, si volontiers soulignées par ceux qui le connaissent depuis toujours, serait aussi longue que sa silhouette : aussi loin qu'il m'en souvienne, je le vois entouré en permanence d'alliés inconditionnels – des deux sexes – prêts à rire de toutes ses saillies et à ignorer toutes ses mesquineries. Et ce serait mentir que d'affirmer que jamais je n'ai soupçonné aucune des dames de son cénacle (qui étaient en général les épouses de ses amis) de porter sur lui un regard plus tendre que la bienséance ne l'aurait permis.

Tout cela pour te dire que mon père, ton grand-père, était roi chez lui, que ses désirs étaient des ordres pour tous les autres, et avant tout pour ma mère, qui jamais n'a discuté aucune de ses décisions, énoncées d'une voix mâle, tranchante, possessive, séductrice ou menaçante selon la nuance que son maître voulait lui imprimer, mais immuable. C'est un homme qui a toujours été habitué à imposer sa volonté, et qui supportait mal qu'elle ne soit pas accomplie avant même d'avoir été signifiée. Si nous passions nos étés à Santa Pola, où ma mère disait pourtant s'ennuyer, c'était parce qu'il y avait acheté un appartement par l'intermédiaire d'un ami promoteur. Si nous sommes allés vivre à Madrid, c'est parce qu'il l'a voulu (et aussi, bien sûr, parce qu'il y avait trouvé une situation), et il l'a voulu parce qu'il considérait qu'Alicante n'était pas à sa mesure, alors que ma mère ne se privait jamais de dire que, dût-elle vivre cent ans, jamais elle ne s'habituerait aux hivers castillans. Si, à Santa Pola, la seule *horchata* à avoir droit de cité était celle de Melchior, c'était parce que mon père affirmait qu'il n'en existait pas de meilleure et qu'il serait sacrilège de simplement goûter une *horchata* qui n'ait pas été confectionnée selon la tradition artisanale séculaire, tradition qui, à Alicante, s'était hélas perdue. Si l'office regorgeait de conserves d'aubergines marinées que l'on aurait presque pu qualifier d'industrielles, c'est parce que lui – et lui seul – en raffolait, et si l'on ne servait jamais de riz à table – hérésie impardonnable pour une famille alicantine –, c'est parce qu'il l'avait en horreur (j'ai mangé du riz pour la première fois à six ans, à la cantine de l'école) depuis qu'à vingt ans il avait été intoxiqué par une *paella d'arpó* frelatée et qu'on avait dû l'emmener à l'hôpital. Et c'est pour cette même raison que ma mère, les rares fois où elle allait au restaurant sans mon père, avec Reme ou Eugenia, en profitait toujours pour manger du riz, je le sais parce que ma tante biologique et ma tante postiche me l'ont toutes deux raconté, chacune de son côté, en me priant de ne pas la dénoncer à l'autre. Mais aujourd'hui, pour la première fois, tout ne va pas comme mon père le voudrait, car je l'ai très souvent entendu affirmer qu'il préférerait mourir le premier, qu'il ne pourrait pas vivre sans elle. Et le fait est qu'il ne pourrait pas vivre sans elle : il ne saurait même pas se faire cuire un œuf ni préparer son café ! C'est d'ailleurs pourquoi la première chose qu'a faite mon frère quand ma mère a été hospitalisée – ou plutôt la seconde, après avoir fait modifier la signature à la banque – a été de donner à la bonne de mes parents des instructions, assorties d'un supplément de salaire, pour qu'elle fasse déjeuner mon père le matin et à midi et qu'elle lui laisse son dîner prêt en partant.

Ce n'est pas que mon père ne saurait pas vivre sans ma mère, c'est qu'il ne sait pas vivre seul.

9 novembre

Les tubes auxquels est reliée ta grand-mère lui injectaient, entre autres choses, du chlorure de morphine pour qu'elle ne sente pas la douleur : elle ne la supporterait pas. Mais il arrive parfois que le remède soit pire que le mal, et comme la morphine est hautement addictive, les médecins ont décidé, avant-hier, d'arrêter la sédation. Ta grand-mère aurait dû revenir à elle, mais non. Elle est aussi inconsciente qu'avant.

Au retour de l'hôpital, je suis tombée sur Tibi, que je n'avais plus vu depuis plusieurs jours, car il commence à 22 heures, un peu plus tard que l'heure à laquelle je rentre. Il avait fière allure avec son costume et sa cravate couleur café.

— Bonsoir, Tibi, comme tu es élégant !

— Il faut bien donner un peu de cachet à l'établissement.

— C'est vrai, il en manquait.

10 novembre

Je n'ai pas pu faire autrement que de t'emmener encore à l'hôpital, cette fois dans le kangourou, car Gabi et ton père sont allés aux puces chercher une étagère pour ta chambre, et ils seront assez chargés comme ça au retour pour ne pas avoir à s'encombrer de toi en supplément. Je croyais que ce serait plus facile que l'autre fois, mais je suis rentrée avec un mal de dos si intense que j'en avais presque les larmes aux yeux. J'aurais bien besoin de morphine, moi aussi.

Record de durée dans le coma pour cette unité de soins intensifs : vingt-trois jours. Le précédent record, de vingt-deux jours, était détenu par une jeune fille du nom de Nuria – nous a dit Caridad – dont la voiture a été emboutie à un carrefour par un irresponsable qui conduisait en état d'ivresse avancée. Quand elle est arrivée en soins intensifs, personne n'aurait parié un sou sur sa survie. Mais elle a survécu, au bout de vingt-deux jours elle a été transférée dans une chambre normale, et au bout de trente elle est sortie de l'hôpital.

Ta grand-mère est toujours inconsciente, elle ne cligne même pas des yeux. Ça commence à me rappeler l'agonie de Franco.

Julián – le mari d'Asun –, qui campe sur ses positions et persiste à ne pas vouloir venir, nous a raconté que, dans les hôpitaux d'Andalousie, quand un monsieur qui a un peu de bien tarde trop à mourir, la famille recourt à un ingénieux stratagème. Imaginons un Andalou qui possède des propriétés agricoles d'une superficie considérable, qui tombe malade, qui est hospitalisé, et qui au bout de cinq à six semaines, comme dit la chanson, ne se réveille toujours pas. Sa famille s'angoisse car il n'a pas désigné de mandataire pour gérer ses propriétés en son absence, et elle n'a pas le droit de toucher à ses comptes. Alors elle embauche un traîne-savates qui vient avec eux en visite à l'hôpital et marche par inadvertance sur le tube du respirateur. Et le tour est joué. En tout cas, c'était comme ça il y a vingt ans, quand les médecins légistes ne s'empressaient pas d'enquêter sur les responsabilités. C'était tellement passé dans les mœurs qu'il y a même un mot d'argot andalou pour ça : « marchetubes ». Julián le sait parce qu'il a de la famille à Séville, bien qu'il soit d'Elche depuis toujours.

Ensuite, on a remplacé les « marchetubes » par un autre procédé qui s'appelle « non-assistance ». C'est ce que m'a expliqué Caridad. Le principe, c'était que si un malade en phase terminale n'avait plus de chances de survie et devait affronter une agonie longue et douloureuse, ses proches pouvaient demander qu'on ne l'assiste plus. En d'autres termes : adieu perfusions, adieu respirateur. Mais de nos jours c'est fini, car aucun professionnel n'ose plus cesser l'assistance, par crainte des réactions ultérieures de la famille.

— Je n'ai jamais vécu ce genre de situation, mais on m'a cité des cas, m'a dit Caridad. Des enfants ou des frères et sœurs qui demandaient, qui suppliaient même qu'on débranche les appareils, et qui, ensuite, quand le patient était décédé, poursuivaient l'hôpital pour négligence.

— Il faut vraiment être un connard.

— Non, c'est plus compliqué que ça, me répond Caridad, toujours si compréhensive. Ça peut être le chagrin, ou le sentiment de culpabilité, va savoir… Quand ils voient que leur mère ou leur père est mort, le remords les ronge tellement qu'ils oublient ce qu'ils disaient avant. Quelquefois aussi, tout le monde avait l'air d'accord, mais en fait il y en avait un qui ne voulait pas, et c'est lui qui faisait un procès.

— La non-assistance, est-ce que c'est ce qu'on appelle euthanasie ? demandé-je.

— Non… Enfin, je ne crois pas. L'euthanasie, c'est autre chose, c'est un suicide assisté. Mais à vrai dire, je ne connais pas très bien toutes ces notions juridiques. Je suis infirmière, pas avocate.

Je n'ai pas parlé encore de ta tante Asun, l'aînée de nous quatre, cette femme discrète et souriante, qui s'habille toujours dans des tons clairs. C'est une femme foncièrement sensée et équilibrée, en bonne Balance qu'elle est. Agréable, sociable, au goût sûr et raffiné, avec cette façon chaleureuse et en même temps un peu infantile de s'exprimer qui lui permet de se lier facilement tout en gardant ses distances : elle a toujours l'air de donner plus qu'elle ne reçoit. Elle est serviable, courtoise, diplomate, elle veille à ne pas heurter les sentiments d'autrui et évite pour cela les affrontements directs, quitte à taire parfois son opinion véritable. Même sa manière si caractéristique de marcher, le corps tendu vers l'avant, atteste sa gentillesse et son envie de plaire. Asun aimerait peindre le monde en tons pastel, comme sa propre maison, afin de vivre toujours en paix et en harmonie avec les autres. Mais son aspiration à la concorde universelle est si forte qu'on ne sait jamais avec certitude ce qu'elle pense, car elle se garde bien d'exprimer ses opinions personnelles dès lors qu'elle soupçonne qu'elles pourraient entrer en conflit avec celles d'autrui. Et l'une des difficultés qu'elle rencontre le plus souvent est l'indécision qui la saisit au moment de faire des choix importants, qu'il s'agisse d'acheter un nouveau tailleur, de choisir l'école des enfants ou de changer la décoration de l'appartement, car ma sœur succombe facilement à l'inertie du doute, et a généralement besoin de s'appuyer sur l'opinion d'autrui pour former la sienne, de sorte qu'elle est incapable de faire du shopping toute seule ou d'élaborer le menu d'un dîner sans avoir préalablement téléphoné une cinquantaine de fois à ma mère. Je soupçonne qu'elle a bien plus de problèmes avec elle-même que ne le devineraient les autres au vu d'un caractère si équilibré et si paisible en apparence. En fait, elle manque profondément de confiance en elle, qui se traduit par une soif maladive de plaire, démesurée au regard de l'étendue véritable de ses obligations. La pauvre Asun vit dans une atmosphère de perpétuelle tension, que dissimule mal son sempiternel sourire avenant. On dirait qu'elle s'est donné pour but, dès son plus jeune âge, d'atteindre à l'harmonie suprême tout en sachant cette ambition irréalisable. C'est pourquoi elle n'est à l'aise que dans les lieux silencieux, harmonieux, décorés avec goût, et déteste la mauvaise éducation, la brutalité et la grossièreté (elle est capable de se fâcher pour de bon, par exemple, lorsque ses enfants lâchent un gros mot). Elle ne boit pas et, bien sûr, elle ne se drogue pas. Et jamais, ou presque, elle ne sort le soir, car elle n'aime pas aller dans les cafés, à l'atmosphère bruyante et enfumée. Elle est, ou du moins le paraît, une excellente mère, très affectueuse avec ses enfants, et une maîtresse de maison compétente, voire inventive, qui sait toujours anticiper les besoins et jusqu'aux caprices de son mari et de sa progéniture.

Asun s'est mariée à peu près au même âge que Laureta, mais à la mode ibérique, c'est-à-dire qu'elle n'a pas connu son mari à Ibiza mais à Elche, qu'il n'était pas rentier mais grossiste en chaussures, et qu'au lieu d'être beau et glamour comme Serge, il était plutôt quelconque et peu cultivé – pour ne pas dire moins –, mais doué de beaucoup de bagout et d'entregent, qualités qui lui valent de représenter dans la capitale les plus grands fabricants d'Elche (Paredes, Panamá Jack, Pikolinos, Sendra, Mustang…), avec voiture de société et salaire à plusieurs zéros. Mais au fond, mes deux beaux-frères n'étaient pas aussi différents qu'ils le paraissaient à première vue, et se sont finalement comportés de façon assez semblable, accordant à leur légitime tout l'argent et le confort qu'elle réclamait, mais peu de temps et très peu d'attention – et trop, en revanche, à leur jeune belle-sœur, même si je dois rendre à Julián cette justice qu'il ne s'est mis à me faire du gringue, et du pied sous la table aux repas de famille, que quand j'ai eu vingt et un ans. Cependant, Asun, contrairement à Laureta, ne s'est jamais plainte de rien ni n'a cherché à s'échapper de façon romantique de sa cage dorée. On dirait même qu'elle adore son mari, et quand elle parle de lui, n'importe qui aurait l'impression que Juliette, en comparaison, n'avait qu'aversion pour Roméo, tant il est pour elle un modèle de vertu et de perfection, et le fait est que Julián est le meilleur et le plus gentil des papas (la si raisonnable Asun n'ose tout de même pas dire qu'il est le plus beau car ce serait trop s'avancer, d'autant qu'il a beaucoup grossi depuis leur mariage, et personne ne pourrait prendre pour un adonis un pot à tabac frisant les 100 kilos), et s'il est si peu présent à la maison, c'est qu'il se tue à la tâche pour le bien de sa femme et de ses enfants, il n'a aucune gêne à travailler et à voyager autant, Madrid-Elche et Elche-Madrid, ni à sortir jusqu'à des heures indues avec les clients de passage dans la capitale. Aveuglée par le bandeau de l'amour, ma sœur feint d'ignorer, avec une obstination presque touchante, ce que tout Elche sait : que lorsque les patrons des usines viennent à Madrid pour le Salon de la chaussure, ils en profitent pour aller se taper la cloche à Tolède, puis quelques putes sur le chemin du retour, et qu'il en va de même ou à peu près lors des foires de Düsseldorf et de Milan, auxquelles mon beau-frère se rend chaque année – c'est bien pourquoi, d'ailleurs, les épouses des-dits patrons refusent qu'ils embauchent des stylistes femmes, car les stylistes vont aussi aux foires et salons, et une chose est de feindre d'ignorer qu'on vous fait porter des cornes, autre chose est de tolérer que ce soit avec des personnes de votre connaissance, ça non.

Le cas de mes deux sœurs est tout à fait frappant. Chacune est l'opposée de l'autre, mais d'une certaine façon elles sont semblables. Je m'explique : j'ai, comme je t'ai dit, un père qui est beau, sympathique, séduisant et séducteur, et comme il est bien connu que toutes les filles sont amoureuses de leur papa, il est tout à fait logique que mes sœurs aient été amoureuses du leur. Mais c'était aussi un papa cyclothymique, qui un jour était adorable, nous emmenait au parc et nous achetait des glaces, puis passait les cinq jours suivants enfermé dans son bureau sans nous laisser entrer parce qu'il disait que nous le dérangions. Il n'y avait pas moyen, dans ces moments-là, d'attirer son attention étrangement absente, car non seulement il avait à notre égard une attitude qui n'était plus paternelle, mais il semblait même s'enorgueillir de son absence d'intérêt pour sa progéniture, comme s'il ne l'avait engendrée que par accident, ou par pure bonté d'âme envers son épouse, une bonté à laquelle il refusait par modestie de faire la moindre allusion. Et, pour couronner le tout, ma mère était du genre à critiquer les défauts d'un enfant en les opposant aux vertus d'un autre (« Est-ce que jamais tu ne vas cesser de gigoter, Laureta, tu ne vois pas comme Asun est sage, elle ? » ou bien « Mais si, Asun, tu vas mettre la robe rose pour aller à la messe, il ne manquerait plus que ça, et ne me dis pas que ça te fait honte, regarde Laureta, est-ce que ça lui fait honte, à elle ? »), de sorte que mes deux sœurs, dès leur plus jeune âge, se sont toujours senties en concurrence pour gagner l'affection de leurs parents, et ont donc toujours cherché à se différencier le plus possible l'une de l'autre. Laureta étant, comme je l'ai dit, la plus belle, la plus séduisante et la plus excentrique, il ne restait plus à Asun, qui n'avait pas le physique exceptionnel de sa sœur, qu'à être la plus gentille, la plus polie et la plus raisonnable, et j'ai quelquefois l'impression que si elle est restée avec son mari et s'emploie à jouer à la perfection la mère parfaite et l'épouse dévouée, respirant un ennui tranquille et uniforme, c'est parce que Laureta a divorcé, et qu'en demeurant envers et contre tout aux côtés de son mari volage, elle se distingue d'autant plus de sa sœur, qui n'a pas su faire preuve de la bienséance et de l'esprit de sacrifice que l'on est en droit d'attendre d'une mère. Asun a fait de la fidélité un trait si essentiel de son caractère que n'importe qui mettrait sa main au feu que jamais, au grand jamais elle n'a désiré un autre homme que son mari, et je suis même sûre qu'elle n'a jamais non plus fait la moindre infidélité à son parfum, car aussi loin que je m'en souvienne, je l'ai toujours associée à *L'Air du temps*, dont le sillage la précède et qui, lorsqu'elle est là, se répand dans un rayon de plusieurs mètres autour d'elle, persistant même après son départ. J'ai toujours vu le flacon sur sa table de nuit, elle doit l'utiliser depuis l'âge de quinze ans, quand il était encore à la mode, et je me demande bien dans quelle parfumerie elle le trouve encore. Peut-être avait-elle déjà conscience, à quinze ans, que ses efforts démesurés pouvaient paraître plus ridicules qu'héroïques, mais elle n'en était pas moins résolue à tenir son rôle, à s'efforcer de rendre la vie agréable à tous ceux qui l'entouraient, de la même façon que Laureta était la Divine, celle que l'on remarquait, celle qui jamais ne sortait sans avoir vérifié plusieurs fois dans son miroir qu'elle offrait bien l'image de la perfection. Sortir acheter le pain en survêtement et pantoufles ? Plutôt mourir. Mais leur rivalité ne s'exerçait que l'une vis-à-vis de l'autre, qui avaient à peine un an de différence. Vicente n'était pas leur rival, puisque c'était un garçon, et moi non plus, puisque j'étais bien plus jeune. C'est ainsi que chacune des deux est le miroir de l'autre, la face opposée d'une même médaille, il y a la bavarde et la silencieuse, l'extravagante et la discrète, l'aventurière et la raisonnable. Mais au fond ce sont deux Agulló, bien plus semblables l'une à l'autre qu'elles ne voudront jamais le reconnaître.

Puisque j'évoque la famille, est venue aussi à l'hôpital la fiancée de Vicente, ou plutôt la *dernière* fiancée de Vicente, consultante chez Arthur Andersen, grande (au moins cinq centimètres de plus que lui, car mon frère, comme tant d'hommes petits, a un faible pour les femmes qui le dépassent d'une tête), mince (ce type de minceur qui suggère qu'on y a consacré beaucoup d'argent, entre les clubs de gym, la mésothérapie, les comprimés de carnitine, les crèmes raffermissantes, etc.), blonde (ses cheveux courts dénotent également un investissement monétaire non négligeable, en dulcifiants, mèches et balayages), arborant un jeans impeccable, une chemise archi-repassée, des bijoux discrets mais chers (boucles d'oreilles en perle, collier Tous), et caricaturalement BCBG. En d'autres termes, un clone de la précédente fiancée de Vicente, qui était elle-même une quasi-jumelle de la précédente, car mon frère, parfait compendium du célibataire yuppie, est ce qui s'appelle un monogame en série, et collectionne les conquêtes comme d'autres les timbres ou les papillons, à cette différence près qu'il n'a aucune chance de revendre un jour sa collection. Ses fiancées lui durent entre deux et trois ans en moyenne, jusqu'à l'arrivée de la remplaçante. C'est le principe de la mayonnaise : quand elle retombe, on la jette et on en monte une autre. Car mon frère est un cas d'école : il n'habite plus chez ses parents car il a tout de même passé l'âge, mais jusqu'à présent il allait y déjeuner tous les jours, et ma mère lui préparait ses plats préférés car, cela va sans dire, il ne sait pas faire la cuisine, ni repasser, ni faire la vaisselle – il n'a jamais rien fait à la maison, pas même débarrasser la table –, et une femme de ménage s'occupe de son appartement. Il a la belle vie : travail bien payé, vacances luxueuses dans des pays exotiques (croisière dans les îles de la mer Égée, escapade à Bali, safari au Mali à la recherche des Dogons…), week-ends dans les meilleurs *paradores* d'Espagne, dîners dans les restaurants les plus huppés de Madrid – de ceux qui sont décorés par des artistes célèbres et recommandés par les suppléments « loisirs » des quotidiens –, costumes sur mesure, abonnement au club de gym Abasota… Même son tabac est choisi avec soin, pour rien au monde il ne s'abaisserait à fumer des Ducados, non, il fume exclusivement des gauloises (qu'il rapporte par cartouches du duty free à Paris) ou des havanes (Montecristo, Farias ou Entrefinos, achetés dans une petite boutique de la rue Arapiles qui ne vend que des *puros* et qui, selon lui, est le seul établissement de Madrid où on les conserve exactement à la bonne humidité, bref, tu l'as compris, Vicente n'est pas snob pour un sou). Il ne veut ni enfants ni engagements, ainsi qu'on le devine même s'il ne le dit pas explicitement, et pourtant il défend les valeurs les plus traditionnelles et conservatrices, vote pour le parti populaire et pourfend les toxicomanes chaque fois qu'il en a l'occasion (surtout quand je suis là, bien entendu), ce qui ne l'empêche pas de bien arroser ses dîners. Par ailleurs il est et a toujours été, comme je te l'ai déjà dit, très efficace et très bien organisé, il possède une grande capacité de concentration et a toujours aimé les études. Il détecte rapidement les failles ou les confusions dans la pensée d'autrui, ce qui fait de lui un adversaire redoutable dans les discussions familiales. Il est conscient de son avantage et en profite, il n'ignore pas qu'il sortira toujours vainqueur d'un affrontement avec ses sœurs, car aucune de nous n'osera le contredire : nous avons peur de lui, de sa langue tranchante et de ses accès de colère, rares mais impressionnants (je me souviens encore de cette dispute avec Laureta à propos du pull-over chipé, à laquelle j'ai déjà fait allusion), qui donnent l'impression qu'il a programmé avec précision le meilleur moment pour déployer son arsenal, afin de n'attaquer que quand il ne fait pas de doute que l'offensive sera fulgurante, sans gaspiller ses munitions dans des combats de moindre enjeu. Comme tu vois, Vicente garde la tête froide jusque dans les moments où il semble céder à ses impulsions, et le genre de travail qui lui convient est celui qui exige réflexion, précision et méthode. Comme, en outre, il affectionne les tâches que d'autres jugent ennuyeuses, répétitives ou techniques, il est devenu assureur, un excellent assureur en vérité, l'étoile montante de La Estrella, ainsi que s'appelle la société pour laquelle il travaille. Son infortunée *dernière* fiancée, dont je n'arrive pas à me rappeler le nom – quelque chose comme Natalia, ou Olga, ou Tatiana, ou Anushka, un prénom de roman russe en tout cas –, et qui doit être avec lui depuis un certain temps déjà car on peut déceler une nuance de tabac brun sous le nuage de parfum coûteux qu'elle respire, doit se dire, comme se le sont dit les précédentes, que tôt ou tard il va s'assagir, qu'ils vont s'acheter une villa à Pozuelo et qu'ils auront deux enfants et un chien, et donc elle se sent déjà suffisamment de la famille pour venir à l'hôpital et supporter toute cette attente et cette tension, mais pas au point d'entrer voir ma mère, car au dernier moment elle a préféré opter pour la solution Julián : ne pas voir pour ne pas souffrir.

Et aucun d'entre nous ne le lui a reproché.

On ne peut pas savoir si les cartes devinent ce qui va se passer ou si elles vous conditionnent. Si par exemple elles t'annoncent, comme il m'est arrivé un jour, qu'en septembre tu vas te disputer avec ton fiancé et rompre avec lui, et qu'arrive septembre et qu'effectivement tu te disputes avec ton fiancé parce que tu te disputes avec lui une fois par mois dans le meilleur des cas, et que tu te dis : « Voilà, c'était écrit, il faut que je rompe », et que tu le quittes, est-ce que cette rupture était vraiment écrite, ou est-ce que tu l'as décidée parce que tu t'étais convaincue que c'était écrit ? Et si, ensuite, d'autres cartes t'annoncent qu'au cours d'un voyage tu vas rencontrer l'amour avec un grand A, et que par-dessus le marché un rêve qu'a fait une de tes amies t'annonce la même chose, est-ce que ça ne va pas te rendre plus confiante en toi, est-ce que ça ne va pas t'inciter à t'habiller mieux, à te coiffer mieux, à être plus élégante ? Est-ce que, au lieu de te dire que de toute façon personne ne va faire attention à toi, tu ne vas pas être certaine du contraire, puisque les cartes te l'ont dit et que jamais à ce jour elles ne t'ont trompée ? Et est-ce que tu ne vas pas être plus aimable avec le premier inconnu qui t'abordera dans un café, et lui répondre avec le sourire aux lèvres et l'esprit ouvert à toute éventualité ?

Donc, quand l'exceptionnel s'est produit, c'est-à-dire quand, le surlendemain de mon arrivée à New York, je suis sortie et que j'ai rencontré celui que tout me désignait comme étant l'homme que me destinait la grande loterie de la vie, j'ai considéré cela comme la chose la plus naturelle du monde, non pas parce que les cartes me l'avaient prédit, mais parce que c'était ce que je cherchais.

C'était un vendredi, le premier vendredi du mois et, bien entendu, j'avais rendez-vous avec Sonia, qui m'avait dit au téléphone qu'elle mourait d'envie de me voir et qu'elle voulait m'emmener à un club de jazz qui avait rouvert après rénovation et où jouait ce soir-là sa dernière conquête, « un des plus beaux mecs avec qui je sois jamais sortie », m'a-t-elle assuré, mais elle disait la même chose de tous les hommes avec qui elle sortait, et dont je ne suis pas certaine que tous aient été des Apollons, car n'importe quel mâle pas trop mal foutu éveille en elle l'instinct acquisitif du collectionneur de trophées. Et si elle était restée à New York en dépit du fait que les loyers y soient astronomiques, les relations personnelles quasi inexistantes, les hivers sibériens et la nourriture répulsive, c'était, devait-elle m'avouer un jour – en soulignant avec le plus grand sérieux qu'elle parlait sans la moindre trace d'ironie –, parce qu'à Madrid elle ne pourrait jamais coucher avec les hommes qu'elle rencontrait ici, car notre pauvre capitale ne possède pas une aussi forte densité d'acteurs et de modèles au mètre carré, ni cette seconde génération du melting-pot, ce mélange de races qui produit tant de spécimens de musée, ni ce rituel de l'heure de gym quotidienne, et c'est donc pourquoi Sonia, s'assumant comme mangeuse d'hommes, était restée vivre à New York tout en jurant ses grands dieux que Madrid, ses amis et sa famille lui manquaient énormément.

Le club auquel elle m'avait emmenée, The Lenox Lounge, était une salle assez vaste et obscure, fréquentée en majorité par des Noirs, au milieu desquels nous étions aussi visibles que deux mites sur un tas de charbon. L'objet des désirs de Sonia était le bassiste du groupe, lancé dans une improvisation free jazz au phrasé souple et tactile, s'aventurant dans de lointaines digressions harmoniques pour revenir soudain, sans prévenir, au point de départ ; il était aussi impressionnant que Sonia l'avait décrit – un mètre quatre-vingt-dix environ, crâne rasé et visage lisse, beau mais anodin, les traits peu marqués, suggérant une affable autosatisfaction – mais en plus il était bon musicien, même si je soupçonne que cette dernière vertu n'avait pas été décisive au point de distraire l'attention de Sonia d'autres qualités plus évidentes, car, que je sache, elle n'avait jamais été amatrice de jazz. Mais moi si, et je lui étais reconnaissante de m'avoir amenée là, tout en sachant que sa motivation n'avait rien à voir avec mes goûts musicaux ni avec l'envie de me faire plaisir à moi. C'est alors que le bassiste, remarquant notre présence, nous a adressé (surtout à Sonia, d'ailleurs) un très large sourire et nous a indiqué de la tête une table libre située presque sous l'estrade, et qui nous était destinée. Nous nous sommes dirigées vers elle en sentant, moi en tout cas, que toute la salle nous regardait, car étant toutes deux blondes et portant, qui plus est, des tee-shirts blancs (non, nous ne l'avions pas fait exprès), nous faisions figures de lucioles dans la nuit.

Entre-temps, le groupe avait attaqué un standard aisément reconnaissable, *Take Five*, et la ferveur du public était à son comble, presque personne ne disait un mot, tous les spectateurs avaient le regard fixé sur la scène, battant la mesure de la tête comme une armée de métronomes. Je souriais de contentement et cherchais le regard de Sonia afin de lui témoigner muettement ma gratitude pour m'avoir amenée dans cet endroit merveilleux, mais ce n'est pas son regard à elle que j'ai accroché. C'est son regard à lui. Joshua Redman en personne. En fait, un examen plus attentif m'a fait me raviser presque tout de suite : ce n'était pas Joshua Redman, c'était un autre musicien, qui lui ressemblait, et qui était tout aussi connu, sinon plus[1]

1. Allons, cherchez un peu : un très beau et très célèbre musicien métis aux yeux bleus. Vous y êtes ? Mais oui, c'est lui. Pour des raisons évidentes, son nom ne figure pas dans la version imprimée, seulement dans celle destinée à Amanda.

J'étais si surprise et si fascinée que mon regard était rivé sur lui, et je me suis rendu compte en même temps que la blonde à la table voisine de la sienne le buvait littéralement des yeux, et qu'il lui répondait par un sourire profond, presque fluorescent, d'une pure et chaude blancheur comme l'applaudissement de la foule, qui faisait rougir cette blonde – c'est-à-dire moi – jusqu'au sommet du crâne. La première chose que j'ai remarquée a été la couleur de ses yeux, des yeux bleu électrique comme ceux des poupées de mon enfance et comme les lentilles que mettent les starlettes. Et la deuxième chose qui m'est venue à l'esprit a été que, si j'avais un jour le projet d'avoir des enfants, ce serait sans doute avec un homme beau comme lui.

Armée de la conviction que l'homme d'au-delà des mers dont m'avaient parlé les cartes était forcément celui que j'avais devant moi et pas un autre, j'ai vidé mon verre d'un trait et décidé de faire le premier pas. Le groupe avait commencé à jouer *So what ?* et j'y ai vu un signe des dieux. J'ai pensé : je vais lui parler, et s'il s'intéresse à moi, c'est que c'est lui, et sinon... sinon, *so what ?*

11 novembre

Quelqu'un a dû prévenir tante Reme car je l'ai rencontrée aujourd'hui dans la salle d'attente. Oui, la fameuse tante Reme qui s'enivrait les soirs de Noël et à cause de qui je n'arrête pas d'avoir des paroles de tango qui me trottent dans la tête (elle fredonnait ceux de Gardel du matin au soir, et presque aussi faux que moi). Comme elle s'était trouvée veuve relativement jeune et n'avait pas d'enfants, elle s'était précipitée à Madrid dès qu'elle avait su que sa belle-sœur était enceinte de moi et que le médecin lui avait prescrit le repos le plus absolu, et était restée pour aider à la maison jusqu'à ce que j'aie six mois, avant de rentrer à Alicante. Depuis lors, elle passait toujours les fêtes de Noël chez nous – ainsi qu'une grande partie de l'année. Et elle nous rejoignait à Santa Pola tous les étés et à Pâques.

Quand elle a su ce qui se passait, donc, Reme a pris le premier avion, et elle va loger chez Asun. Je l'ai vue si abattue que j'ai cru bon, pour détendre l'atmosphère, de mettre la conversation sur le dernier sujet d'actualité : le mariage du prince des Asturies. Mais avant même que j'aie le temps d'en dire plus, elle s'est mise à pleurer.

— Qu'est-ce que j'en ai à faire, du prince ? m'a-t-elle dit entre deux sanglots, en portant son mouchoir à ses yeux. Qu'est-ce que ça peut me faire qu'il se marie ou qu'il renonce à se marier ? Et à ta mère, donc... La pauvre... Ton grand-père était un pur républicain, il avait même fait changer sa date de naissance !

Et c'est ainsi que j'ai appris, cet après-midi seulement, qu'en réalité ma mère était née le 13 avril et non le 14, comme je l'avais toujours cru, car mon grand-père avait menti exprès à l'état civil pour que la date coïncide avec celle de l'instauration de la IIe République.

— Mais pourquoi est-ce que tu ne me l'avais jamais dit ?

— Mais parce que c'était un secret, voyons – m'a-t-elle répondu en inspirant profondément. (Retrouvant son calme, elle a poursuivi :) Tu te doutes bien que sous Franco ce n'étaient pas des choses à dire. La famille avait eu déjà assez de problèmes pour ne pas en rajouter. Et je crois que ta mère elle-même ne l'a su qu'assez longtemps après, car ton grand-père ne voulait mettre personne en difficulté, il ne faisait guère état de ses opinions, il n'a d'ailleurs pas pris part à la guerre, et en plus il avait un cousin germain, ou issu de germain, je ne sais plus, qui avait été fusillé par les rouges, et c'est justement le père de cet homme, le père du fusillé, donc, qui Dieu sait pourquoi l'a protégé, sans doute parce que les liens du sang sont les plus forts et que l'affection compte plus que la politique, et qui lui a trouvé du travail dans l'entreprise de textiles de la famille. C'est grâce à ça que tes grands-parents n'ont pas eu à subir de représailles, heureusement car je ne sais pas si je t'ai déjà raconté que la pauvre Sabina, ta grand-tante, ils l'ont tondue et lui ont fait boire de l'huile de ricin, elle s'est même retrouvée en prison, alors qu'elle n'avait pas seize ans, à Benalúa, dans la prison de femmes qu'ils avaient aménagée dans l'institut d'exercices spirituels des Jésuites, à ce qu'on disait en tout cas, car à l'époque on ne parlait pas beaucoup de ces choses-là, et je n'en ai jamais su tellement plus...

— En prison ? Tante Sabina, en prison ? Jamais je ne l'avais entendu dire...

— Bien sûr que non, on n'en parlait pas, comment en aurait-on parlé, on gardait ça pour soi, bien caché, car on ne savait jamais. Donc tu comprends bien que cette histoire de changement de date, personne n'y a jamais fait la moindre allusion. Moi-même, je ne l'ai appris que très tard, et pas par ta mère, mais par mon mari, et c'est sa mère à lui qui le lui avait dit. Et au début j'ai même pensé que ma belle-mère l'avait inventé, car elle ne pouvait pas voir ta mère, elle la détestait...

— Et pourquoi ça ?

— Mon Dieu, elle avait un caractère très particulier... Elle était même franchement bizarre... Figure-toi qu'elle s'était fait faire son cercueil de son vivant, et aussi son linceul, cousu dans l'habit des sœurs de Notre-Dame-du-Bon-Remède, et qu'elle gardait les deux sous son lit, et que de temps à autre il lui venait la fantaisie de se recouvrir du linceul, de se coucher dans le cercueil et d'appeler ses servantes pour qu'elles lui disent comme elle serait belle et élégante à son enterrement...

— Tu te fiches de moi, ce n'est pas possible.

— Je te le jure, je te le jure sur la tête de ma mère, je sais que ça a l'air incroyable, mais c'est la pure vérité. Elle avait un grain, la bonne dame… Elle était très bigote, elle faisait partie de l'Action catholique et de l'ouvroir ecclésiastique. C'est en 1941 ou 1942, je crois, que l'Action catholique a imposé à Alicante la semaine du Sacrifice, une semaine entière de jeûne, de prière et de pénitence, et elle a toujours prétendu que l'idée venait d'elle, que c'était elle qui l'avait suggérée à son mari, tu vois un peu le genre de femme que c'était, ma belle-mère… Et l'hommage d'Alicante à la Vierge du Bon Remède, ce devait être en 1950, c'était son idée à elle aussi, du moins à ce qu'elle disait, bien sûr, car elle avait beaucoup d'imagination, pour dire les choses gentiment… Mais arrêtons de parler de ça, car à l'heure qu'il est la pauvre est en train de manger les pissenlits par la racine, et ce n'est pas bien de dire du mal de ceux qui ne sont plus là pour se défendre… Tout ça pour te dire que moi, au début, comme je te l'ai dit, je n'ai pas cru à cette histoire du 14 à la place du 13, j'ai pensé qu'elle l'avait inventée par malveillance. Mais il y a des années, à un anniversaire de ta mère, je crois que tu n'étais même pas née, une des personnes qui étaient là, peut-être ton oncle Gabriel, que tu n'as pas connu, a dit sur le ton de la plaisanterie que l'anniversaire était fêté avec un jour de retard. Et au regard que lui a lancé ta mère, un de ces regards qui jettent des flammes et qui vous disent : tais-toi, j'ai compris que ma belle-mère avait dit vrai.

Encore une histoire de famille qui va te plaire : celle selon laquelle mon oncle Miguel, le mari de Reme, avait été pendant de nombreuses années – avant son mariage – fiancé avec ma mère. À l'époque, ils étaient toute une bande d'amis, et je ne sais pas comment Miguel a fini par épouser Reme et Eva Vicente, qui avait dix ans de plus que sa sœur. Je ne sais ni où ni quand j'ai entendu dire ce que je vais t'écrire, mais un jour, quand j'étais petite, j'écoutais les vieilles qui faisaient leurs commérages. Elles devaient considérer que j'étais trop petite pour comprendre de quoi elles parlaient, à savoir que si ma mère avait épousé Vicente, c'était en réalité pour pouvoir rester près de Miguel. Vraie ou non, l'histoire est en tout cas des plus romanesques, mais elle n'explique pas l'affection très profonde que portait et que porte toujours tante Reme à ma mère, sauf à y voir l'effet d'une compassion ou d'une curiosité morbide, voire, pourquoi pas, d'une bisexualité latente, puisque, selon Freud, le jaloux obsédé par la possible infidélité de son conjoint recourt en fait à une ruse du subconscient pour imaginer quelqu'un de son propre sexe dans une situation érotique sans en ressentir de culpabilité. En tout cas, une telle interprétation serait carrément rocambolesque, et comme l'oncle Miguel est mort avant ma naissance, une éventuelle liaison clandestine pour *telenovela* vénézuélienne – regards à la dérobée suivis de rougissements gênés, tremblement suspect au moment de servir le potage ou de porter la cuiller à la bouche, comme dans *Les Épices de la passion* – m'aurait par définition échappé, mais je doute fort qu'elle ait existé, et les propos que j'avais surpris n'étaient, je le crains, que des ragots malveillants, colportés par de vieilles femmes frustrées.

J'allais oublier : le *Kit Bag* est arrivé ! Et il est encore mieux que je n'imaginais, il a même un matelas à langer amovible en toile cirée matelassée. Je vais pouvoir être enfin une mère bien organisée.

J'ai retrouvé des photos du mariage de mes parents à la basilique Santa María d'Elche, un caprice de ma mère qui vouait un véritable culte à Notre-Dame-de-l'Assomption (si son pauvre grand-père avait vu ça…). Ça a dû leur coûter très cher en dons aux œuvres de la paroisse, car même à l'époque il y avait déjà une liste d'attente interminable, mais comme le chef de chœur était un cousin (ma mère avait toujours habité Alicante, mais elle était née à Elche, et apparentée à toute la bonne société de la ville), tout s'est arrangé, et en plus elle a eu droit au chœur de la basilique pour sa messe de mariage. Elle s'est mariée à près de trente ans, un âge plutôt tardif pour l'époque. Et quand je suis née, elle en avait plus de quarante, ce qui était considéré comme trop vieux pour accoucher. Ma naissance a donc été un miracle, tout comme la tienne.

12 novembre

Quand je suis arrivée tout à l'heure à l'hôpital, on m'a dit que ta grand-mère avait été transférée dans une chambre individuelle au sein de l'unité de soins intensifs. Un luxe quasi oriental, car il n'y en a que trois pour toute l'unité. J'ai demandé à Caridad la raison de ce changement. Tu te souviens du monsieur qui venait de la lointaine banlieue pour voir sa femme ? Eh bien, elle est décédée. Et c'est ma mère qui occupe sa chambre.

Asun, qui était là ce matin, dit que le monsieur avait sangloté tout doucement, comme un petit garçon.

Ma mère n'a toujours pas repris connaissance. J'ai demandé à Caridad si elle pensait que c'était mauvais signe. Elle m'a dit que si ça continuait comme ça, il faudrait faire un scanner pour voir si elle avait des lésions cérébrales. Je lui ai demandé : et si elle en a ? D'abord, elle est restée silencieuse, comme si elle ne savait que répondre, puis elle m'a expliqué qu'il y a beaucoup de gens qui tardent à se réveiller après la sédation, que ce n'est pas normal mais que ce n'est pas forcément grave non plus, que le fait de rester inconscient ne signifie pas nécessairement qu'on ait des lésions.

— Oui, je comprends. Mais s'il y avait des lésions, qu'est-ce qui se passerait ?

— Je crois qu'il faudrait la débrancher.

Sur ce, comme pour détourner la conversation, Caridad m'a demandé si ma mère buvait beaucoup. Je lui ai répondu que non, presque jamais. Qu'on m'avait toujours dit que depuis sa jeunesse les médecins le lui interdisaient à cause d'un souffle au cœur qu'elle avait eu. Il semble que ce ne soit pas fréquent d'avoir une pancréatite quand on ne boit pas. Ça pourrait s'expliquer aussi par un accident à l'occasion duquel elle aurait reçu un coup à l'abdomen. Je lui ai dit qu'en effet, elle avait eu plusieurs accidents (le plus spectaculaire avait été au retour d'un voyage à Fatima avec tante Eugenia, apparemment la Vierge ne les avait pas assez bien protégées), mais aucun accident grave. Et j'ai dû reconnaître que je ne savais pas grand-chose de son passé, qu'elle ne m'avait presque rien raconté, que les rares anecdotes que je connaissais m'étaient parvenues par des proches ou des amis de la famille. Je n'ai pas voulu lui dire qu'en fait, nous nous parlions assez peu, ma mère et moi.

En rentrant à la maison, je trouve Tibi littéralement appuyé contre l'encadrement de la porte. Toujours habillé très classe, veste et cravate, une tenue manifestement insuffisante, cependant, pour le protéger du froid de canard qu'il fait ce soir.

— Tibi, mais tu dois être gelé ?

Il défait un bouton de sa chemise et me montre d'un signe de tête le tee-shirt épais qu'il porte en dessous.

— Isolation thermique, m'explique-t-il.

13 novembre

Elle ne se réveille toujours pas. Les médecins disent que ce n'est pas bon signe et qu'il faut lui faire un électroencéphalogramme.

Sa douleur est stable, comme son état général, elle ne se manifeste ni par des cris ni par des larmes, elle reste à l'intérieur au lieu de s'extérioriser, comme un cœur qui se viderait peu à peu, ou une jarre brisée.

14 novembre

Il est presque 2 heures du matin et je suis là, devant l'ordinateur, maquillée avec soin et vêtue de l'unique tenue habillée dans laquelle j'entre encore, un ensemble noir de Schlesser que j'appelle *illusion d'optique*, car il me retire 3 kilos comme par magie. Tu vas me demander pourquoi diable je me suis mise sur mon trente et un, si c'était pour rester à la maison à taper sur mon clavier. Alors je vais te répondre.

20 h 45. Consuelo passe me prendre à la maison. Nous allons à un dîner, un événement pour moi, qui meurs d'envie depuis si longtemps de sortir et de voir des gens.

21 h 30. Mon rejeton adoré se met à pleurer comme une Madeleine. Et juste au moment où je finissais de me faire les yeux et de revêtir mes plus beaux atours, ce qui est beaucoup dire, car mes plus beaux atours sont toujours un peu négligés, surtout en ce moment : post-partum et glamour sont incompatibles.

Le matin, nous étions allés chez la pédiatre, qui nous avait dit que tu avais une petite infection à l'oreille, mais rien de grave, il fallait te mettre des gouttes, et que *surtout tu ne prennes pas froid*. Et ton père, pourtant si prudent et avisé d'habitude, t'a sortie cet après-midi sans te mettre ton bonnet, alors qu'il faisait un vent à geler le café.

21 h 35. La crise de larmes continue, inextinguible. Elle a même plutôt l'air de s'aggraver. On dit que si un bébé a de la fièvre et pleure plus d'une heure de suite, il faut l'emmener immédiatement aux urgences. Je prends ta température. Tu as juste un peu plus de trente-sept.

21 h 45. *Abort mission*. Consuelo va toute seule au dîner. Je reste à la maison, complexe de culpabilité oblige. Tu continues de pleurer.

21 h 50. Nous décidons de t'emmener aux urgences.

22 h 00. À l'instant exact et précis où nous sortons tous les trois (parents et bébé) par la porte (après l'habituel branle-bas pour préparer le sac du bébé avec les couches, le biberon, le matelas à langer, le linge de rechange et patati et patata, chercher ma carte de Sécurité sociale, ton carnet de vaccination et ton livret de famille), subitement tu te tais. Je me dis alors que j'aurais encore le temps de sortir en courant et de sauter dans un taxi, mais le dîner est au diable, à Aravaca, et s'il t'arrivait quelque chose, ton père pourrait évidemment m'appeler sur le portable, mais comment trouver un taxi pour revenir de là-bas ?

22 h 10. Je me résous à devoir rester à la maison avec mes cheveux tout coiffés, mes yeux tout maquillés et ma tenue de gala. Je me rappelle cette phrase selon laquelle la frustration renforce le caractère. Maigre consolation.

Je te déteste.

Tout marchait comme sur des roulettes. Pratiquement dès mon arrivée à New York, j'étais devenue la compagne quasi officielle d'un homme talentueux, beau, riche, ébouriffant : le Célèbre Musicien Noir[1], qui me faisait grimper aux rideaux comme personne avant lui. Au début, je ne repassais à l'appartement du Bronx que pour me changer, et même plus du tout ensuite, car le CMN m'avait acheté assez de fringues pour que je n'aie pas à remettre les mêmes tout le temps. On dit que l'argent ne fait pas le bonheur, mais il aide tout de même beaucoup une fois qu'on l'a trouvé, car il y a une différence abyssale entre sortir au cinéma avec son chéri et aller boire deux bières ensuite, et sortir dîner avec son chéri chez Bouley ou Le Bernardin et faire ensuite la tournée des boîtes les plus branchées de Manhattan, où, bien sûr, pas besoin de faire la queue derrière la foule immense à la porte pour que le portier vous laisse entrer, et où on peut commander toutes les boissons qu'on veut et même du champagne, étant donné qu'il n'y a pas de problèmes de budget, la Visa Platine de ton chevalier servant est là pour ça (cela dit, je ne commande jamais de champagne, et insiste encore moins pour que ce soit du vrai champagne français, ça fait trop nouveau riche, mais il n'empêche que c'est un soulagement de savoir qu'on peut avoir tout ce dont on a envie). Certes, l'amour n'a besoin de rien, il peut se vivre toujours et partout, mais ça ne fait pas de mal si c'est dans un loft à Tribeca (plus exactement, dans l'immeuble même où avaient vécu John John Kennedy et sa femme), un petit éden en pleine ville, à l'écart de la pollution et de la saleté (notamment grâce aux bons offices d'une femme de ménage qui venait tous les matins, mais que j'ai vue une seule fois, car en général elle était déjà partie quand nous nous levions,

1. Que dorénavant nous appellerons, pour faire plus court, le CMN, et vous comprendrez, je l'espère, pourquoi il ne figure pas sous son vrai nom.

et nous laissait des draps propres et bien repassés que nous n'avions plus qu'à déplier sur le lit), comme dans un reportage d'*Architectural Digest*, et ça ne fait pas de mal non plus, quand il fait chaud et humide et que tu as les vêtements qui collent à la peau, que le loft ait l'air conditionné, évidemment régulé par un petit ordinateur qui parle, mais oui, qui te demande d'une voix féminine et charmeuse de lui indiquer l'intensité lumineuse souhaitée, la température adéquate et le type de musique que tu désires écouter, tout l'appartement étant contrôlé par le même dispositif – qui parfois, pourquoi le nier, est un peu envahissant et rappelle HAL dans *2001 : Odyssée de l'espace*. Il n'y avait pas un seul interrupteur dans tout l'appartement, étant donné que le fin du fin en matière d'architecture intérieure postmoderne, ainsi que devait me l'expliquer le CMN, était de les éliminer, car ils sont inesthétiques et perturbent l'harmonie minimaliste des murs. Et si la chaleur devenait vraiment excessive (en ville, la température dépassait facilement les quarante degrés, faisant presque fondre l'asphalte), il y avait toujours la possibilité de prendre la voiture et d'aller à la petite villa au bord de la mer que possédait le CMN dans le New Jersey, car l'amour a beau n'avoir besoin de rien, ça ne fait pas de mal non plus quand les amoureux peuvent passer le week-end à faire la sieste et à folâtrer dans le jardin en piquant de sporadiques têtes dans la piscine et en se faisant une ligne par-ci par-là pour tuer le temps.

Bref, j'étais sur un petit nuage, fascinée, obnubilée, énamourée, et tout autre adjectif qui rimera et te viendra à l'esprit. L'amour suppose cependant, au moins dans un premier temps, une idéalisation de l'être aimé, et j'ai beau avoir une imagination très développée (d'où, justement, ma grande capacité à idéaliser), je relevais néanmoins, çà et là, quelques petits détails de nature à faire tanguer quelque peu le piédestal sur lequel j'avais moi-même placé l'objet de mes désirs.

Ainsi, le CMN ne lisait pas. Et quand je dis qu'il ne lisait pas, je veux dire qu'il ne lisait *rien*, pas même le journal, puisqu'il se tenait au courant des nouvelles par CNN. Sa merveilleuse petite maison du New Jersey avait tout : un bar bien rempli, des chaises de Philippe Starck, des lithographies de Taaffe (achetées à la boutique du MOMA et accrochées, je suppose, par l'architecte d'intérieur, car je devais découvrir que le CMN ne savait même pas qui était Philip Taaffe), un Jacuzzi plus grand que la chambre à coucher de mon appartement de Madrid... Mais pas un seul livre. Ou plutôt si, un seul : un album de photos sur Chet Baker, je crois. Je me rappelle qu'un jour j'avais mentionné *Madame Bovary* dans une conversation (je ne sais plus à quel propos) et que le CMN m'avait demandé qui était Mme Bovary.

— Tu ne sais vraiment pas qui c'est ?

— Euh... c'est un nom qui me dit quelque chose. C'est un opéra, non ? Je dois dire que je ne connais pas grand-chose à l'opéra.

— Mais non, mon amour. L'opéra, c'est *Madame Butterfly*.

J'étais déjà sortie avec toutes sortes d'hommes, dont certains étaient loin d'être des érudits, mais jamais encore avec quelqu'un comme lui. Au début, je n'y attachais guère d'importance, je me disais que rares sont les Américains qui lisent, et aussi qu'il y a différents domaines de culture : le CMN, par exemple, avait une connaissance quasi encyclopédique des disques et enregistrements de jazz (il pouvait réciter de mémoire, par exemple, la liste des albums de Miles Davis, avec l'année et le nom du producteur). Je m'efforçais donc de mettre la conversation sur d'autres sujets que la littérature, et surtout, la conversation n'était pas le principal ingrédient de notre relation. Que m'importait qu'il ne lise rien, puisque je ne prêtais pas tellement attention, au fond, à ce dont il me parlait, et que les mots finissaient par perdre leur signification sous la tiédeur caressante de sa profonde voix de basse, dont la couleur et la texture me faisaient monter et descendre au gré d'une immense vague lysergique dont j'aurais été l'écume, bien loin, de plus en plus loin du rivage des réalités quotidiennes – crédits à rembourser, factures impayées, textes urgents à remettre – qui se faisaient de plus en plus petites, jusqu'à devenir de simples points insignifiants à l'horizon.

Il y avait un autre détail qui m'avait ravi au début et qui, à la longue, finissait par m'incommoder. Je lui plaisais. Je lui plaisais *énormément*. Je lui plaisais physiquement, m'avait-il expliqué. Or, je ne m'étais jamais considérée comme la beauté du siècle, ne serait-ce que parce que, depuis que j'étais toute petite, il était entendu une fois pour toutes, à la maison, que la beauté, la vraie beauté, c'était Laureta, tandis qu'Asun et moi étions tout au plus dans une honorable moyenne. Consciente, par conséquent, des limites de mon charme physique, j'avais cherché toute ma vie durant à séduire par l'empathie et la conversation, et je crois que j'y avais plutôt réussi, en tout cas pas plus mal que mes amies. Bref, j'avais l'habitude que mes amants me disent que je leur plaisais, que j'étais tendre, drôle, voire cultivée, mais pas qu'ils exaltent ma beauté corporelle, ce que du reste ils ne faisaient guère. D'où ma surprise lorsque je constatai, dès le début, que le CMN adorait mon corps, l'adorait vraiment, en dépit de mes 7 kilos en trop, ou peut-être justement à cause d'eux. J'étais certes fière qu'on me trouve désirable, mais une fois passé ce sentiment de vanité fugace, dans lequel entrait sans doute une bonne part d'étonnement, j'avais vite éprouvé un certain sentiment de malaise, comme si l'on m'avait décerné un prix destiné en fait à une autre qui l'aurait mérité ou désiré plus que moi. Ma poitrine, par exemple, cette fameuse poitrine qui était ma principale source de complexes depuis l'adolescence, et que j'avais passé ma vie à tenter de dissimuler par des remèdes aussi inefficaces que des soutiens-gorge trop petits ou des vestes trop amples, cette poitrine par la faute de laquelle je restais allongée des heures durant sur la plage de Santa Pola avec un tee-shirt XL et n'osais me baigner qu'aux premières heures de la matinée, quand il n'y avait encore que quatre petites vieilles à l'horizon, oui, cette poitrine le subjuguait dans des proportions qui devenaient franchement gênantes, car il la caressait du matin au soir, même en public, et quand nous faisions l'amour il avait le regard tellement concentré sur elle que quelqu'un qui nous aurait vus aurait pensé que j'avais, par quelque facétie génétique, le clitoris localisé entre les seins de la même façon que Linda Lovelace l'avait dans la gorge.

Un après-midi, il m'a annoncé qu'il m'avait réservé une surprise, m'a fait monter dans un taxi (il avait une voiture imposante, de sport, ne me demande pas la marque parce que je ne connais rien aux voitures, mais elle avait dû coûter très cher, alors qu'il n'avait guère l'occasion de l'exhiber car, en bon New-Yorkais, il ne s'en servait presque jamais pour se déplacer en ville) et a donné au chauffeur une adresse sur la 5ᵉ Avenue.

La boutique Versace, pardon, l'immeuble Versace – car c'est un immeuble entier de cinq étages – est la boutique la plus tocarde où j'aie jamais mis les pieds. Les vitrines, ornées de frises rouges comme un temple dédié à Aphrodite, étaient d'un mauvais goût criard. Je reconnus le modèle que portaient plusieurs mannequins : c'était celui que portait Jennifer López pour recevoir je ne sais plus quel prix et dont on avait tant parlé, car il laissait découvrir presque toute son anatomie, à l'exception du bout des seins et du mont de Vénus. S'il n'avait pas été si chargé, ce modèle vert kaki que plus tard, en Espagne, devait imiter et porter Ana Obregón, aurait été à la rigueur mettable, mais comme maillot de bain, et encore le meilleur nageur du monde aurait-il coulé à pic sous le poids de tout ce strass et ces broderies. Et pourtant, il y en avait dans les vitrines une demi-douzaine de versions, dans différents coloris, comme si le seul fait qu'il avait habillé un cul latin et célèbre signifiait que tout New York devait l'adopter.

Sitôt entrés dans la boutique, nous avons été accueillis par quatre vendeuses qui exhibaient un sourire identique : le même rictus congelé, déshumanisé, outrancièrement faux, qu'arborent à New York les hôtesses, serveuses ou vendeuses de tous les établissements destinés à un public disposant d'un certain pouvoir d'achat. Une des employées nous a même gratifiés d'un enthousiaste « Welcome to Versace ! » comme si nous avions franchi une douane internationale ou atterri dans un paradis exotique pour touristes. Une autre nous a demandé si elle pouvait nous aider.

C'est alors que le CMN m'a informée que la mystérieuse surprise consistait à m'acheter des vêtements, et que je pouvais choisir ce qui me plaisait, Visa Platine était là pour payer. Je m'en sentais tout à fait incapable, car je n'avais vu, dans toute la boutique, rien que je puisse envisager de porter, ainsi que je l'ai avoué au CMN, avec toutefois toute la délicatesse possible, car il eût été de mauvaise éducation de lui ruiner ses effets, mais ma seule envie était de me tirer de là le plus vite possible.

— Pas de problème, *nena*, a répondu le CMN, et il a fait signe à une des obséquieuses employées, une clone de Jennifer López à l'allure de call-girl de luxe, débordante de silicone par tous les bouts : The lady is lookin'for some clothes, maybe you could help us.

J'étais très étonnée qu'il m'appelle *lady*, mais ne fis aucun commentaire. La vendeuse robot (car elle était à ce point siliconée qu'on aurait dit le produit d'un croisement entre l'humain et la technologie) m'a regardée de haut en bas comme pour évaluer mes mensurations, et nous a fait signe de la suivre. Elle marchait devant nous sur des talons vertigineux, cueillant au fur et à mesure sur les présentoirs les tenues qu'elle imaginait pouvoir correspondre à mes désirs.

Cette boutique ressemblait à un décor de peplum des années cinquante, rutilant de chapiteaux, de frises, de feuilles d'acanthe, de dorures dans tous les coins, avec naturellement des sols en marbre. On en avait mal aux yeux, et pas seulement à cause de la lumière.

À peine quelques minutes plus tard, j'étais dans une cabine d'essayage, avec les quatre robes les plus criardes que j'aie jamais eues entre les mains : la première était jaune et or, la deuxième un imprimé genre Pucci dans les tons fuchsia, la troisième était rouge bordel, la quatrième tachetée d'orange et de noir comme une peau de léopard. Le CMN m'attendait dans une sorte de fauteuil blanc, en buvant une eau minérale que l'obséquieuse demoiselle s'était empressée de lui apporter.

J'ai essayé d'abord la rouge. Il m'est revenu en mémoire pour la première fois depuis longtemps que Juliette, la première fois qu'elle avait vu Roméo, était vêtue de rouge, couleur qui symbolisait alors la noblesse – car la teinture écarlate était très chère, ce qui expliquait aussi que la pourpre soit l'apanage des cardinaux – et par extension la pureté, étant entendu qu'une demoiselle noble était forcément vierge. Le prestige de cette couleur avait dû se dégrader fortement au fil des quelques siècles écoulés depuis l'époque des Capulets et des Montaigus, car la créature blonde qui me regardait depuis l'autre côté du miroir, engoncée dans son fourreau généreusement échancré en haut et non moins généreusement fendu aux cuisses, ne respirait, c'était le moins qu'on puisse dire, ni l'aristocratie ni la pureté. Je m'étais toujours plus ou moins arrangée, jusqu'alors, pour dissimuler mes avantages sous des vêtements de style estival, aux couleurs froides, avec col en V, rayures verticales et autres trucs de styliste, que j'avais fini par assimiler à force de travailler pour des magazines féminins. Au contraire, la robe que j'avais sur moi mettait en évidence comme jamais mes formes plantureuses, et donnait l'impression que je cachais dans mon décolleté deux ballons de volley prêts à bondir. Ainsi attifée, j'avais du mal à me reconnaître dans l'image que j'avais devant moi, et j'ai même réussi à croire un bref instant que ce n'était là qu'une illusion, un pur effet de mon imagination, sans rapport aucun avec la réalité, avec moi, avec mon corps.

J'ai été arrachée à cette identification par des coups sur la porte. J'ai ouvert et me suis trouvée face à face avec la vendeuse, qui voulait savoir si tout allait bien et m'informer que « le monsieur qui m'accompagnait » était à côté.

— Peut-être voulez-vous sortir pour qu'il vous voie ?

Ah non, il n'aurait plus manqué que ça ! Je n'allais pas me montrer à lui déguisée en poule de luxe, ni à personne d'ailleurs. C'était du moins mon premier mouvement, car ensuite j'ai songé que le CMN apprécierait peut-être le côté ridicule de mon accoutrement, et que nous aurions ainsi matière à rire ensemble pour le reste de la soirée. Je suis donc sortie de la cabine en marchant sur des œufs et me suis présentée devant lui. Il n'a rien eu besoin de me dire : à la seule expression de son regard, identique à celui d'un enfant devant la vitrine d'une pâtisserie, j'ai compris qu'il ne voyait rien, vraiment rien de ridicule dans ma tenue.

Je suis donc sortie de chez Versace avec quatre robes que je n'avais pas payées, et l'intime conviction que j'étais désormais la poule de luxe du CMN, quand bien même je pouvais me consoler en me disant que les critères esthétiques, en matière vestimentaire, ne sont pas les mêmes chez les Européens et chez les Américains, et en particulier chez les Afro-Américains, dont les racines sont différentes : il est bien connu que les gens qui vivent sous un climat chaud adorent les couleurs voyantes, qui sont en harmonie avec celles du paysage – même si celui au milieu duquel vivait le CMN ne se composait pas de palmiers, de magnolias ou d'hibiscus

exubérants, mais de gratte-ciel de verre et d'acier décli-
nant toute la gamme des couleurs froides. J'essayais de
me convaincre qu'il n'y avait pas de quoi en faire un
drame, après tout c'étaient toujours des Versace (prêt-
à-porter et pas haute couture, certes, mais Versace tout
de même) et ma sœur Laureta serait morte de jalousie
en me voyant sortir de la boutique avec, dans ces quatre sacs Versace, l'équivalent de trois mois de salaire
de son (second) mari. Mais Laureta n'est pas blonde et
n'a pas mes seins opulents, et elle aurait été magnifique
dans cette robe rouge, elle aurait eu l'air d'une danseuse étoile et non pas de la fiancée d'un rappeur ou
d'une *Playboy bunny*. Il n'y a évidemment pas de honte
à ressembler à une *Playboy bunny* si on aime ça, seulement moi, je n'avais pas pris la robe parce qu'elle me
plaisait, mais parce qu'elle plaisait à l'homme qui me
la payait. Un petit détail qui faisait de ce qui aurait pu
être une simple coquetterie féminine de l'exhibition-
nisme masculin, celui du mâle qui entend faire savoir à
tous les autres mâles qu'il possède une femelle digne
de ce nom, et mes sacs Versace étaient là pour me rappeler à mon tout nouveau statut d'objet sexuel. Il n'y a
évidemment rien de mal non plus à être l'objet sexuel
de quelqu'un si et quand ça vous chante, car le sexe est
un jeu qui requiert un certain degré d'objectivation,
mais le problème, c'est que moi, jamais il ne m'était
arrivé ni ne m'arriverait de dire au CMN comment il
devait s'habiller ni de lui suggérer que ça ne lui ferait
peut-être pas de mal de lire un peu ou de chercher à
savoir qui était Madame Bovary.

Je considérais en effet, dans mon aveuglement sentimental, qu'une suggestion de ce genre aurait été insul-
tante, mais le fait de m'imposer ma façon de m'habiller
ne l'était-il pas tout autant ? En somme, je ne savais
trop que penser, c'était plus confus pour moi qu'un
traité d'herméneutique, mais j'ai fini par porter chacune des quatre robes, associées qui plus est à trois pai-
res de chaussures à talon Charles Jourdan que le CMN

m'a offertes par la suite, et tout cela parce que j'étais fascinée, énamourée, obnubilée ou tout autre adjectif qui rime et qui te viendra à l'esprit. Il est bien connu que sous l'effet de l'amour on commence par se tromper soi-même avant de tromper les autres, et quelle meilleure façon de se tromper soi-même et de tromper les autres que de porter des tenues dont on a honte au plus profond de soi ?

Pour comble de malheur, je faisais face, à New York, au même problème que j'avais tenté de fuir en quittant Madrid, mais multiplié par cinq. On dit qu'on emporte toujours son pays à la pointe de ses souliers, et donc à quoi bon changer de pays si c'est pour emporter dans ses bagages sa propre angoisse, et les problèmes d'alcool qui vont avec ? Car, évidemment, le CMN buvait, il buvait trop, et moi avec lui. Nous buvions des vodkas dans les clubs dont les portiers nous accueillaient comme le Messie, nous buvions du vin dans les restaurants chic dont il me demandait de lui lire la carte en français pour entendre comment ça sonnait, nous buvions du champagne ou plutôt du mousseux californien au Gotham où il m'emmenait souvent pour prendre le brunch et pour être vu avec moi, nous buvions du matin au soir sans presque nous en apercevoir, et je me dis parfois que c'est peut-être ce nuage éthylique sur lequel j'évoluais qui me tenait enchaînée, subjuguée, droguée ou tout autre adjectif qui rime et qui te viendra à l'esprit. Mais ce nuage éthylique ne paraissait, lui, l'affecter en aucune façon. Quoi qu'il ait bu et en quelque quantité que ce soit, son esprit semblait imperturbable. Tard dans la nuit, après avoir illuminé de notre rutilante présence le Lotus, le Roxy, le Spai, l'Oxygen, le Twilo, le Sound Factory, le Ten's et autres boîtes, et alors que je marchais en titubant et que ma langue pâteuse ne se souvenait même plus de mon nom, il était tel qu'il s'était levé le matin, avec son éternel air taciturne et blasé, le même demi-sourire las qui ne faisait qu'effleurer son visage, la même démarche souple et gracieuse de ceux qui ont dressé leurs membres afin d'obtenir d'eux ce qu'ils veulent sans que le reste du corps apporte sa contribution indiscrète et maladroite, et qui leur donne l'air de flotter, d'être en suspension dans l'air, et de fait le CMN cultivait un air absent, comme s'il marchait deux mètres au-dessus du sol et se situait sur un plan supérieur au commun des mortels, ce qui, d'une certaine façon, n'était pas faux, car il était très grand.

Partout où nous allions, le CMN arrivait naturellement précédé de sa notoriété. Serveurs, portiers, vendeurs, tous le gratifiaient de leurs sourires de robot les plus étudiés. Mais ils n'étaient pas les seuls à nous flatter de la sorte : où que nous mettions les pieds, nous rencontrions des gens. Des musiciens, des producteurs, des journalistes, des anonymes qui se plantaient devant nous et engageaient de longues conversations avec lui, en m'ignorant complètement car ils devaient penser, cela va de soi, qu'une blonde à gros seins boudinée dans une robe Versace ras la touffe était là pour décorer, pas pour parler. Et au fond, ça m'était égal qu'on fasse comme si je n'étais pas là, du moment que j'avais un verre à la main et que mon autre main était dans celle de mon compagnon (qui, de fait, ne me la lâchait jamais, sauf quand il allait aux toilettes, et à qui je me sentais donc aussi solidement attachée que par des menottes). Le sujet de conversation était invariablement le même : la musique, ou plutôt l'industrie de la musique. Avec qui Untel enregistrait, avec quelle maison de disques allait signer Untel, la critique qu'Untel avait écrite sur Untel dans *Q* ou dans *Jazz Hot*, la tournée européenne qu'allait faire Untel, etc. Il y avait trois ans que le CMN avait enregistré son dernier disque, et il s'accordait alors, disait-il, une année sabbatique, car il sortait de cinq années de tournées quasi ininterrompues (sauf pour l'enregistrement en question), mais tout le monde espérait, et lui le premier, que tôt ou tard il retrouverait son rythme de travail, rythme qu'il semblait avoir abandonné complètement, à en juger par la vie qu'il menait avec moi, et qui consistait à ne strictement rien faire. Et c'était encore une des choses qui m'étonnaient chez lui : qu'il m'ait si rapidement intégrée à son existence, comme si celle-ci ne comportait rien d'autre. Il trouvait tout à fait normal que je lui consacre la totalité de mon temps, puisque j'étais en vacances et que je ne connaissais presque personne à New York, sauf Sonia et Tania, qui étaient entièrement prises par leur travail, et le Roumain, que je n'étais pratiquement pas repassée voir depuis le premier jour, à l'exception de deux ou trois visites éclair à l'appartement, au cours desquelles je guettais sa présence. Mais le CMN, lui, devait tout de même bien avoir des amis, des relations, des gens à qui téléphoner, des engagements à honorer… À moins que, justement, son année sabbatique soit sabbatique à tous les sens du terme et qu'il ait mis tout son cercle de relations entre parenthèses, ou bien qu'étant donné ce que disait Sonia, à savoir qu'à New York on n'a pas d'amis mais des *acquaintances*, ses seuls amis étaient en fait ces hommes qui empestaient l'Armani et le Davidoff et avec qui il passait des heures à parler chiffres, ventes, tournées, contrats.

Un soir, nous étions au Blue Note et avions, une fois de plus, rencontré un de ces personnages empestant l'eau de Cologne et vêtus de noir de la tête aux pieds. Ce devait être quelqu'un de très important car, une fois n'est pas coutume, le CMN s'était dirigé vers lui au lieu de rester tranquillement assis à sa table en attendant que l'autre vienne nous faire ses civilités. Il me l'a présenté sous le nom de Dave, et je suis presque sûre, mais pas complètement, que c'était Dave Grusin. Il était accompagné d'une blonde, très blonde, encore plus blonde que moi, une blonde extrême, presque albinos, immense et ultra-mince, genre mannequin, qui portait une robe assez semblable à la mienne mais qui, reconnaissons-le, lui allait nettement mieux qu'à moi.

Comme les deux hommes étaient occupés à parler entre eux du sujet habituel, contrats et ventes, j'ai tenté d'engager la conversation avec la blonde plus blonde que blonde, mais il n'y avait pas moyen, entre autres parce qu'elle avait besoin de réfléchir plusieurs minutes avant de répondre à la moindre de mes questions, et toujours par des monosyllabes qui laissaient perplexe. Lorsque, par exemple, je lui ai confié que je m'appelais Eva et lui ai demandé son prénom à elle, il lui a fallu environ deux minutes pour articuler un « Hmmmmm, yeeeeesss » traînant, comme si elle avait la bouche pleine de bouillie chaude. J'ai vite compris que la blondissime devait être ivre ou sous l'empire de quelque substance, et que je ne tirerais rien d'elle, si bien que j'ai préféré me consacrer au double vodka-tonic qu'un serveur venait de m'apporter sur les instructions expresses de Dave, et à la musique du groupe qui était en train de jouer et qui s'appelait, si je me souviens bien, Brad Jones'AKA Alias – et comment ne m'en souviendrais-je pas, étant donné que j'ai eu tout loisir, pendant cette heure où personne ne me prêtait la moindre attention à moi, de les écouter jouer avec la plus grande concentration ? Une heure entière a passé, je le répète, sans que personne ne m'adresse la parole. Une fois que le groupe a fini de jouer tout ce qu'il avait prévu de jouer, et même un bis à la demande du public, les deux hommes, tout à leur conversation, ont continué à nous ignorer souverainement toutes les deux, la blonde synthético-narcotique et moi. C'est alors que je me suis levée pour aller aux toilettes.

Mais tu te doutes bien que parcourir une distance même aussi faible que celle qui sépare la salle du Blue Note et les toilettes n'est pas une tâche aisée quand on a non seulement une robe qui est une véritable provocation à la luxure, mais encore une longue chevelure blonde, car j'ai oublié de te dire que, pour couronner le tout, je m'étais fait faire des mèches avant de partir pour New York, mèches que la piscine de la villa du

New Jersey avait éclaircies jusqu'à les décolorer, et que je m'étais abstenue de restituer à mes cheveux leur teinte châtain clair originelle, comme j'en avais l'intention, car le CMN m'avait juré que je lui plaisais encore plus comme ça. Il aurait donc été étrange qu'avec mes mèches, mon bronzage et ma robe Versace, je passe inaperçue et parvienne aux toilettes sans que personne ne m'entreprenne en chemin. Et je n'ai donc pas été plus surprise que ça quand un autre type en costard noir empestant l'eau de Cologne, et ressemblant comme deux gouttes d'eau à tous ces encostardés encolognés qui fréquentaient les mêmes clubs que nous, m'a abordée au moment où je passais devant le bar. J'ai cru un instant qu'il allait me demander mes tarifs, mais il s'est borné à recourir au truc le plus éculé qui soit : « On s'est déjà rencontrés quelque part, non ? » J'étais sur le point de lui dire qu'il devait me confondre avec Pamela Anderson, mais j'ai pensé qu'il ne saisirait peut-être pas l'ironie, et j'ai simplement répondu non, mais peut-être pas aussi sèchement que j'aurais dû, voire pas sèchement du tout, au contraire, avec une amabilité dégoulinante, tellement j'étais en colère, tellement j'en avais marre que tout le monde me considère comme si j'étais une excroissance du CMN, un appendice de sa personne, sans autonomie ni importance propre, et même si lier conversation avec un inconnu qui ne me porterait sans doute guère plus de considération que ne m'en portaient ses semblables en costard noir, et qui de surcroît n'était sûrement pas attiré en priorité par mes qualités intellectuelles et spirituelles, n'était pas précisément la façon la plus adéquate de revendiquer le droit d'être considérée comme un être humain plutôt que comme un pot de fleurs, le destin ne m'offrait, à ce moment précis, aucun autre mode de protestation (bon, d'accord, j'aurais aussi pu rentrer chez moi sans rien dire, mais je devais avoir fini par m'identifier à mon rôle de blonde idiote), de sorte que je me suis laissé baratiner par le type en question, qui soit dit en passant n'était pas si mal de sa personne, et que je me suis retrouvée en train d'énumérer les clubs de jazz où j'étais allée depuis mon arrivée à New York, et où aurait pu avoir lieu notre hypothétique rencontre.

Nous sommes donc devant le bar et, comme il est normal, le type me demande si je veux boire quelque chose, et au lieu de lui signaler, comme il conviendrait, que je ne suis pas seule et qu'il faut que je retourne auprès de la personne qui m'accompagne, je réponds que ma foi pourquoi pas, je veux bien un vodka-tonic, le type me dit son nom, je lui dis le mien, et il s'est passé au moins une demi-heure avant que le CMN me rejoigne au bar, signe qu'il ne s'était même pas rendu compte que je n'étais plus là, tout absorbé qu'il était par sa conversation avec Dave, Grusin ou pas Grusin.

Quand survient le CMN, je le présente, faisant montre de ma meilleure éducation européenne, au type qui m'a invitée, et qui reconnaît évidemment mon accompagnateur (que, bien entendu, je présente comme « mon fiancé ») car il le regarde avec des yeux écarquillés. Je le remercie infiniment de son amabilité et lui dis que j'espère le revoir, après quoi je me dirige vers le canapé, prétendument ancien, où étaient assis Dave et sa blonde, et où ils ne sont plus. Le CMN me saisit par les épaules et le reste de la scène est prévisible. Il est furieux, moi aussi. Lui parce que je suis partie, moi parce que je m'ennuie et que j'en ai assez de jouer les potiches. Il me dit que ce Dave est important pour lui, je lui réponds que les affaires ne se traitent pas devant un verre, mais devant un bureau. Il me dit que je suis idiote et que je ne sais pas de quoi je parle. Je lui réponds que je suis peut-être idiote, mais qu'au moins je sais qui est Madame Bovary et quelle est la capitale du Pérou, et qu'en plus de ça je parle quatre langues. Il m'attrape par le bras, me traîne littéralement dehors, sort son portable de sa poche et appelle un taxi. Je lui dis d'en appeler un deuxième pour moi, car je rentre à mon appartement du Bronx. Il dit que nous irons là où il dit, et que je suis trop ivre pour savoir ce que je fais. De fait, il est bien possible que je sois ivre. Nous avons dîné dans un restaurant de la 2e Avenue qui se prétend mexicain et qui était infesté de *gringos* en chemise Paul Smith et costume Dolce & Gabbana, j'ai bu pas mal de margaritas, peut-être pour compenser la médiocrité du dîner, pourtant pas donné. Et sur le chemin du Blue Note, nous nous sommes arrêtés deux minutes à l'Alphabet Lounge, où je me suis remise des margaritas grâce à deux rails de coke, et après j'ai continué de boire et puis… Je lui dis bon, d'accord, je suis peut-être ivre mais, et là je me mets à crier, je sais parfaitement ce que je fais, merci, et j'en ai assez que tu me traites comme si j'étais une demeurée. « Sometimes I think you are a bitch. » Là, je suis prise d'un rire hystérique. « Bitch ! You've just called me a bitch ! You think you're a rapper or what ? Man, you are pathetic. » Et à cet instant, il se retourne et me colle une baffe qui me stoppe net. Le portier de l'établissement, qui a vu toute la scène, reste de marbre.

Je commence par rester, moi aussi, sans réaction, clouée sur place, abasourdie par l'humiliation, je n'arrive pas à y croire. J'avais pourtant déjà été giflée avant. J'avais été giflée par mon père, j'avais été giflée par mon frère Vicente lors d'une de nos innombrables disputes, j'avais été giflée par un petit ami ivre dans ma prime adolescence, mais jamais je ne me serais attendue à être giflée par un monsieur habillé en Dolce & Gabbana, qui petit-déjeunait au champagne (ou plutôt au mousseux californien) et dînait dans des restaurants où il faut réserver des semaines à l'avance, et en plus toute notre histoire m'avait semblé, depuis le début, si harmonieuse, si idyllique, si parfaite… Et brusquement je comprends que tout, d'une certaine façon, concorde : le shopping chez Versace, l'absence de conversation, les rails de coke au bord de la piscine, les heures passées à devoir rester là sans rien faire pendant qu'il parle chiffres et accords et contrats sans prendre la peine d'expliquer à la blonde qui le suit partout comme un caniche toutes ces choses si importantes dont il discute avec ces hommes en complet noir et qui l'empêchent de lui accorder un tant soit peu d'attention, et je reconnais, grâce à un instinct primaire du même ordre que celui qui nous fait mettre un pied devant l'autre pour marcher, une histoire semblable à tant d'histoires que j'ai vécues ou que j'ai entendues dans la bouche de ces femmes qui assistaient à la thérapie de groupe, et qui me reviennent en prenant rétrospectivement une valeur de présage, d'avertissement, et je me dis que je n'en suis qu'au début, qu'à partir de maintenant tout va s'accélérer et dévaler la pente.

Le taxi est arrivé.

— Monte, me dit-il.

— Non.

— Ne fais pas l'idiote, monte.

— Non.

Il n'est pas stupide, il ne va pas me faire monter de force dans le taxi, pas devant tout le monde, pas quand on est le CMN. Il meurt peut-être d'envie de me saisir par le collet et de me fourrer dans le taxi à coups de pied, mais il ne le fera pas.

— Bon, très bien. Alors reste ici.

Il monte, claque la portière, le taxi se fond dans la circulation.

Dix minutes après, je trouve un autre taxi qui me ramène chez moi. Durant tout le trajet, le chauffeur essaie de me persuader de venir boire un verre avec lui.

Je sais qu'il m'a prise exactement pour ce dont j'ai l'air.

15 novembre

Nous sommes reçus par deux médecins dans la petite pièce réservée à l'information des familles. À la seule expression de leurs visages, je sais, avant même qu'ils aient prononcé un mot, que les nouvelles ne sont pas bonnes. L'un des deux nous explique que le résultat des électroencéphalogrammes montre un dommage au cortex cérébral. Cela veut dire qu'à un moment il y a eu un défaut d'irrigation en oxygène, une anoxie. Il est donc assez probable, au cas où ma mère survivrait, que ses facultés mentales soient affectées. Que nous récupérions à la maison une fillette de deux ans dans un corps de quatre-vingts.

On lui fera lundi un autre scanner pour vérifier si la région subcorticale est endommagée, s'il y a une lésion plus grave.

— Et dans ce cas, dit le médecin le plus âgé, nous devrons agir en conséquence.

Pas besoin qu'il explique ce qu'il entend par « agir en conséquence » : débrancher le respirateur. Mon père devient aussi blanc que s'il venait de voir passer un fantôme dans la chambre. Le médecin le plus jeune, qui a dû remarquer l'impact des paroles de son confrère sur mon père, tente d'arranger les choses.

— De toute façon, souvenez-vous que le mot le plus important, en médecine, c'est patience.

— Et résignation, un mot hélas trop oublié dans notre culture occidentale, ajoute son aîné.

On dirait qu'ils jouent au gentil flic et au méchant flic.

— Nous faisons tout notre possible, nous pouvons vous l'assurer, dit le jeune. Quoi qu'il arrive, on ne pourra pas dire que nous n'avons pas tout tenté. Le problème est que, dans notre société, la durée de la vie humaine atteint des limites encore insoupçonnées il y a moins d'un demi-siècle, et qu'avec l'âge les facteurs de risque s'accumulent. C'est pourquoi une simple pancréatite comme celle de votre mère peut provoquer une réaction en chaîne avec un risque probable très élevé.

Il ne le dit pas, mais j'interprète le sous-texte : vaut-il mieux mourir plus jeune ou bien tenir jusqu'à cent ans au prix de très grandes souffrances dans la dernière ligne droite ?

— Je sais bien – c'est moi qui interviens – que c'est une question à laquelle il est difficile de répondre, mais quelles sont les chances, grosso modo ?

— On ne peut pas répondre à une question comme celle-là, me dit le jeune médecin. On ne peut jamais répondre. Les retournements de situation sont fréquents. Il y a des patients qui arrivent avec un problème tout simple, qui à première vue n'a rien de mortel, et du jour au lendemain les choses se compliquent et ils meurent, et il en arrive d'autres sur qui personne ne parierait et qui finissent par s'en sortir. Ici, nous sommes très habitués aux miracles.

— La vie elle-même est un miracle, conclut le vieux. Un miracle en équilibre.

16 novembre

J'ai mis le jeans usé que je portais avant d'être enceinte : j'entre dedans. Il n'y a pas eu besoin de régime ni de miracle. Je me consume d'anxiété pure. Ou peut-être est-ce à force de ne pas dormir et de passer mes journées en allées et venues.

17 novembre

Elle ne revient toujours pas à elle, mais elle réagit. C'est déjà un progrès. De temps à autre, elle cligne des yeux et on dirait presque qu'elle va les ouvrir, mais elle ne les ouvre jamais. Elle remue aussi les lèvres, nous l'avons même vue bâiller. Quand je lui ai susurré à l'oreille, j'ai vu une larme glisser sur sa joue. Caridad m'a assuré qu'il s'agissait d'un réflexe, que son œil pleure de la même façon que sa main suppure, parce qu'on lui injecte sans arrêt des liquides. J'ai accepté l'explication, mais en rentrant j'ai repensé au fait qu'on lui injecte des liquides depuis le début et que jamais encore nous ne l'avions vue pleurer.

J'arrive à l'appartement du Bronx en rendant grâces, d'une certaine façon, à la divine providence, car la veille, par une étrange inspiration qui mériterait le qualificatif de prémonitoire, j'ai décidé de transférer mes affaires de l'appartement du CMN à celui du Roumain, craignant que le CMN ne se sente envahi dans son intimité s'il trouve tous mes vêtements dans ses armoires. Je n'ai donc laissé chez lui que le strict nécessaire (brosse à dents, petits ciseaux, crème hydratante, trois slips) et j'ai emporté le reste, y compris les clés du Roumain, que j'ai heureusement oublié de retirer de mon sac pour les laisser chez le CMN, comme je le fais généralement car je trouve stupide de risquer de les perdre quand je sais avec certitude que je ne vais pas y dormir. Je monte les deux étages avec mes Charles Jourdan ridicules et je sens soudain des nausées vertigineuses me retourner l'estomac et mon cœur battre de plus en plus vite ; j'arrive je ne sais comment jusqu'à la porte de l'appartement, je réussis à me traîner jusqu'à la salle de bains, je mets ma tête entre mes genoux, j'entends la sonnerie du téléphone, à une heure pareille ça ne peut être que lui, le CMN, et je trouve étrange et absurde que dix minutes plus tôt tout ait été encore luxe et volupté, ce carrousel frénétique auquel se résumait mon existence, et que maintenant je sois là, dans le silence, sans autre compagnie que ces flots qui sortent par saccades de mon estomac et cette gueule de bois qui n'aurait normalement dû arriver que demain matin. Mais normalement, demain matin, au réveil, j'aurais dû avoir, au lit, sur un plateau (dessiné, bien sûr, par Philippe Starck), la coupe de champagne, pardon, de mousseux californien, que le CMN me sert chaque matin, et qui m'épargne la gueule de bois car je ne lui donne jamais l'occasion de se manifester, n'interrompant jamais l'ingestion d'alcool pendant un temps suffisant pour qu'apparaisse le syndrome d'abstinence, et soudain je me rends compte que si je me mets dès maintenant à vomir, à trembler et à avoir des maux de tête, je vais devoir affronter la tragédie toute seule, car le Roumain n'est pas là pour aller me chercher du paracétamol et me faire des soupettes, il doit être chez sa petite amie, cette fille que je n'ai jamais vue mais dont je suis certaine qu'elle ne boit pas et qu'elle ne s'habille pas comme une poule de luxe. Je pourrais téléphoner au CMN, je sais qu'il a son portable dans sa poche, il doit même être en train d'attendre mon appel. Mais non, un éclair de sagesse me vient tout de même au milieu de mon délire, je ne lui téléphonerai pas. Je me rappelle vaguement avoir du paracétamol quelque part, dans cette chambre où je n'ai pratiquement pas mis les pieds depuis mon arrivée, je me traîne tant bien que mal dans le couloir, toute frissonnante, je fouille mes valises de fond en comble… rien. Et puis, miracle, je trouve dans ma trousse de toilette quatre Valium que j'avais emportés de Madrid pour m'aider à dormir dans l'avion, mais que je n'avais pas utilisés parce que je m'étais dit que si je dormais dans une position aussi inconfortable, aucun chiropracteur ne viendrait ensuite à bout de mes courbatures. Je les saisis comme si c'étaient des diamants, je me dirige vers la salle de bains, je les avale tous d'un coup, avec une gorgée d'eau bue à même le robinet, de là je me traîne jusqu'au futon, et je m'endors en entendant le téléphone qui recommence à sonner, lointain comme les bruits de la rue.

Mes yeux se sont fermés si vite que je n'ai même pas eu le temps de me rendre compte que je me suis endormie, puis tout se confond, un état intermédiaire entre la veille et le sommeil, dont j'émerge l'espace d'un instant, incapable de me lever, la bouche pâteuse et les membres engourdis, et je sais qu'il ne faut pas que je reste comme ça, que je devrais au moins me déshabiller et me mettre en pyjama, mais mon corps est lourd comme si j'avais mangé des pierres et je n'arrive pas à bouger, je me remets à dormir, au bout d'un moment je me réveille et je suis tout étonnée de me trouver là, prise d'une léthargie qui me met comme des écailles devant les yeux, je me demande quelle heure il peut être, je me rendors, je me réveille un instant, juste le temps d'écouter le craquement organique du parquet en bois, de deviner, au changement de qualité de la lumière qui entrait par la fenêtre, que ce n'est plus le matin mais l'après-midi, plus l'après-midi mais le soir, et de me faire une idée approximative, pour ne pas dire lointaine, du nombre d'heures que j'ai passées à dormir. Je me rendors, dans mon rêve apparaît le CMN, mon corps sent la chaleur de son corps, je sens encore le creux de son corps dans les draps, son odeur dans mes cheveux et le contact de ses lèvres sur ma joue, peu à peu le souvenir de mon rêve se dissipe, se dissout dans un autre sommeil où je suis à nouveau immergée, voyageant à toute vitesse dans le temps et dans l'espace sur un lit transformé en tapis magique, abandonnant l'espace où je me suis endormie, et quand, plus tard, je me réveille à nouveau, que j'émerge lentement de ce temps indéfini, je ne sais plus où je suis ni qui je suis. Je me rappelle seulement avoir traversé de vastes étendues pour revenir du néant visqueux, mais je remarque au centre de ma conscience la certitude d'une tristesse, d'une tristesse qui me remémore qui je suis, c'est-à-dire quelqu'un de triste et de solitaire, et mes vêtements, suspendus au portant comme des silhouettes sans vie, comme des fantômes d'un autre temps, récent et redoutable, viennent à mon secours pour me faire prendre conscience que je suis à New York, dans un appartement du Bronx, seule, et pour me transporter vers d'autres chambres, celle de mon appartement de Madrid, celle de l'appartement du CMN, celle de l'appartement de mes parents, celle de Santa Pola, des chambres où j'ai dormi, et dont je me rappelle encore le dessin des couvre-lits, l'orientation des fenêtres, la couleur des murs, tous ces jours lointains qui paraissent, à cet instant, récents et même actuels, évocations entortillées et confuses qui s'amalgament et m'entraînent de nouveau dans les bas-fonds du rêve, nostalgies auxquelles je cède parce que je suis trop fatiguée pour leur résister, une douceur émolliente s'empare de mes os, je sais pourtant que je ne dois pas me laisser emporter, que je ne dois pas dormir plusieurs jours d'affilée. Mais rien ne semble pouvoir soulager cette fatigue infinie, et le sommeil, au lieu de m'apporter réparation, ne fait que me donner encore plus sommeil.

J'ai dormi ainsi pendant deux jours et demi, jusqu'à ce que le Roumain, qui passait tout de même de temps à autre à l'appartement, en tout cas assez souvent pour avoir remarqué ma présence, s'inquiète de me voir rester au lit et m'oblige à me lever. Je me suis douchée, j'ai mangé un morceau, mais je n'avais qu'une envie, retourner dormir. Je me suis dit que je devais couver une grippe, j'ai regagné mon futon, et le cycle du sommeil s'est réenclenché.

J'ai passé près de cinq jours sans me lever. Mon colocataire a pris peur, m'a obligée à sortir un peu, mais j'étais incapable d'aller même jusqu'au *deli* du coin de la rue sans m'appuyer à son bras, je ne trouvais pas la force de marcher. Je ne couvais manifestement pas de grippe, car elle aurait eu largement le temps de se déclarer. C'était plutôt une mononucléose ou une hépatite, du moins selon le Roumain, qui n'était pas médecin mais qui était tout de même biologiste, et à qui je pouvais donc supposer quelques connaissances sur la question. De toute façon, il fallait faire venir un médecin immédiatement, mais nous avons préféré appeler d'abord Sonia, qui a elle-même appelé le Doctor Referral's Number du Lennox Hill Hospital, où on pouvait s'enquérir des spécialistes les plus proches de son domicile. On lui a donné trois numéros, elle a appelé les trois pour expliquer ce qui arrivait à son amie, et les trois lui ont dit la même chose, à savoir que la consultation coûtait quatre cents dollars mais qu'étant donné les éléments dont elle faisait état, il serait sûrement nécessaire de faire des analyses et des examens, de sorte qu'il fallait plutôt compter six cents dollars.

— Six cents dollars ! Mais tu es folle ! Comment est-ce que je vais faire pour payer six cents dollars ? C'est le prix que j'ai payé mon billet d'avion... Il doit bien y avoir des médecins moins chers.

— N'oublie pas que nous sommes à New York, il n'y a pas un seul médecin qui prenne moins.

— Ce n'est pas possible, il doit y avoir des dispensaires publics ou quelque chose. Tu ne vas pas me dire que chaque fois que tu chopes une grippe ou une mycose, tu dépenses six cents dollars ?

— Ici, si j'ai la grippe ou une mycose, je ne vais pas chez le médecin, je vais à la pharmacie où on me vend une boîte d'antibiotiques, et si c'est quelque chose de plus sérieux je paie ce qu'on me dit de payer, et l'assurance médicale internationale que j'ai souscrite en Espagne me rembourse ensuite ce que j'ai dépensé.

— Et pourquoi n'as-tu pas une assurance ici ?

— Parce que ici seuls les millionnaires ont une assurance.

— Mais il y a bien une Sécurité sociale, non ?

— Non. Il y a une assurance médicale si tu travailles dans une entreprise qui y est affiliée. J'y avais droit quand je travaillais au Black Star, mais quand on est free-lance, comme c'est mon cas actuellement, il n'y a rien de ce genre. Et maintenant, presque tout le monde travaille en indépendant, car les entreprises ne veulent plus signer de contrats de travail.

— Et si un salarié ordinaire, un serveur par exemple, a un problème médical sérieux, qu'est-ce qu'il fait ?

— Il croise les doigts pour que ça n'arrive pas, car au moindre accident, il devra s'endetter jusqu'au cou. Si c'est pour mal gagner sa vie, il vaut mieux ne pas habiter New York. Tu le sais aussi bien que moi. Et si tu veux réformer le système de santé américain, adresse-toi à Hillary Clinton, pas à moi.

J'ai répété que ça me paraissait impossible qu'il n'y ait pas des médecins moins chers, qu'il devait bien y avoir un moyen, mais le Roumain m'a confirmé ce que disait Sonia, et m'a raconté que lorsque son colocataire, le gogo dancer dont j'occupais la chambre, avait attrapé une hépatite, ils avaient cherché en vain un médecin qui soit moins cher, et qu'ils avaient finalement atterri dans un dispensaire pour gays et lesbiennes de Chelsea, qui était un peu moins cher mais pas tellement, et qui en fait s'occupait surtout des malades du sida. Nous pouvions aussi essayer de m'emmener aux urgences, mais on n'était admis aux urgences que si on était blessé par balles ou si on s'était cassé une jambe, pas si on était simplement épuisé, et puis il faudrait quand même que je paie.

— Comment ça, qu'elle paie ? s'est exclamé le Roumain. Elle n'a qu'à partir sans payer, à eux de la chercher partout ensuite pour réclamer leur argent.

— De toute façon, je te répète que tu ne pourras pas te faire admettre aux urgences simplement parce que tu es fatiguée, a insisté Sonia.

— Et si elle a une hépatite ?

— Quelle hépatite ? Si elle avait une hépatite, elle serait toute jaune !

— Je n'ai pas six cents dollars, c'est tout. Ou plutôt si, je les ai, mais si je les dépense, je n'ai plus rien. Vraiment, je ne peux pas croire ça, je ne peux pas croire que ce soit si cher.

— Écoute, ma vieille, le moindre de ces modèles tocards que tu as là – m'a dit Sonia en me montrant les robes Versace suspendues au portant, bien visibles étant donné que, comme je l'ai dit, il n'y avait pas de placards dans la chambre – vaut bien mille dollars, il me semble.

C'est alors que je me suis souvenue de quelque chose que m'avait dit le Roumain, et à quoi je n'avais pas prêté attention jusque-là : sur le répondeur s'étaient accumulés dix messages du CMN, dont le ton allait de l'affable au menaçant, en passant par le simplement exaspéré.

18 novembre

Bien malgré moi, j'ai dû retourner au magasin de vêtements pour enfants de la rue Carretas, car il fait un froid de canard et tu n'as pas de gants. Donc, j'entre avec la poussette et je demande s'ils ont des gants de bébé.

— Oui, bien sûr, dit la vendeuse en regardant le passager de la poussette, un bébé dont la combinaison à rayures vertes et jaunes n'indique aucun genre en particulier. C'est un garçon, ou une fille ? Un garçon, n'est-ce pas ?

— Une fille.

La vendeuse se dirige immédiatement vers un présentoir plein de vêtements roses et me tend de minuscules gants. Roses.

— Vous n'avez pas d'autre couleur ?

— Seulement bleu.

— Bien, je prends les bleus.

— C'est qu'ils sont pour garçon. C'est pour un cadeau ?

— Non, c'est pour ma fille, et j'en veux des bleus, dis-je d'un ton sans réplique, car je ne vois pas pourquoi j'aurais dû fournir à la vendeuse la moindre justification.

Je sors du magasin au comble de l'indignation, car ces gants qui font à peine dix centimètres m'ont coûté pas moins de cinq euros. J'aurais pu les tricoter moi-même en dix minutes, et la laine ne me serait même pas revenue à un euro. D'ailleurs, je songe sérieusement à t'en tricoter d'autres, verts. Et jaunes, et orange, et violets…

Je me rappelle une étude d'une sociologue américaine sur « vêtement, genre et rôles sociaux », qui avait fait un certain bruit à l'époque. On avait habillé le même bébé d'abord en « garçon » et ensuite en « fille ». Selon la couleur de ses vêtements, les adultes qui le voyaient se comportaient différemment avec lui. Ils se montraient plus affectueux avec la « fille », tandis qu'avec le « garçon » ils étaient plus rétifs au contact physique, et parlaient d'une voix plus forte et plus virile.

À l'hôpital j'ai rencontré tante Eugenia, qui venait voir ma mère. Tante Eugenia n'est pas vraiment ma tante, en fait elle n'a aucun lien de parenté avec nous, c'est juste une des plus vieilles amies de ma mère, et aussi une des plus intimes. Si intime qu'elles avaient mis au point une sorte de code secret pour se comprendre à demi-mot en présence de tiers. Par exemple, si elles étaient à une réunion de famille ou autre où quelqu'un arborait une tenue affreuse, l'une des deux disait : « Tu as vu la robe de Maruchi, comme elle est belle ? » Et l'autre répondait : « Oui, belle comme Fatima. » Plusieurs années auparavant, en effet, elles avaient fait ensemble un voyage au Portugal dont elles étaient revenues non seulement blessées (dans un accident sans gravité, comme je te l'ai dit, sur le chemin du retour), mais avec l'opinion catégorique que la basilique de Fatima était l'édifice le plus hideux qu'elles aient jamais vu – ce qui n'avait pas empêché ma mère d'en rapporter tout un échantillon de médailles, de scapulaires, de bouteilles d'eau bénite – le monument avait beau être hideux, ce n'était pas une raison pour refuser de croire aux miracles.

Ma mère a toujours été fière de son amie, car c'était l'une des rares femmes de sa génération à avoir fait des études. De pharmacie, car alors la mentalité générale était assez proche de celle de l'évêque d'Orihuela, qui avait dit que « l'éducation des femmes est un luxe inutile », et ma mère ne manquait pas une occasion de proclamer qu'Eugenia était la femme la plus intelligente qu'elle connaisse.

Tante Eugenia a insisté pour rentrer en métro avec moi parce qu'elle n'est pas allée au dernier test de contrôle pour la confirmation de son permis de conduire : elle n'y voit presque plus. Elle me fatigue un peu, car elle parle à la fois sans arrêt et très lentement, comme si elle devait reprendre haleine entre chaque mot, mais ce jour-là je me suis efforcée d'être agréable et empressée, sans doute parce que je me sentais coupable de ne pas m'être beaucoup occupée de ma mère ces derniers temps. Je dois arbitrer entre mon agacement et ma compassion, car je sais qu'Eugenia vit seule et n'a pas grand monde à qui parler. Sa fille unique, qui se veut non conformiste et pose à l'artiste conceptuelle, vit à Berlin, je crois, et donc elle profite de ma présence pour me gratifier d'un de ces monologues interminables dont elle a le secret. Elle me raconte qu'elle a passé une visite récemment, et que le médecin lui a dit qu'elle devait faire une série d'examens et qu'il allait lui signer des ordonnances pour ça. Mais quand il lui a demandé son âge et qu'elle a répondu quatre-vingts, il a déchiré immédiatement toutes les ordonnances et lui a dit d'oublier toute cette histoire d'examens.

— Il a dû se dire : « De toute façon, cette vieille va mourir demain, alors à quoi bon dépenser tant d'argent en examens ? » Je me suis donc levée très dignement et je lui ai dit : « Ave Caesar, morituri te salutant. » Il a dû penser que j'étais une vieille folle, car il m'a regardée fixement, sans comprendre la plaisanterie.

— Ou peut-être qu'il ne comprenait pas le latin.

Tu as déjà deux mois. Maintenant, tu me suis du regard quand je te parle, et tu souris quand on te dit quelque chose. Quand nous te mettons à plat ventre, tu lèves la tête et tu la maintiens héroïquement dressée pendant quelques secondes, mais tu n'y arrives pas bien quand je t'assieds, tu déploies des efforts désespérés pour te tenir droite, et voyant que tu n'en es pas capable, tu te fâches et tu cries. Tu as déjà appris à saisir les objets : quand nous te donnons une peluche, tu l'agrippes avec une avidité digne de Lady Macbeth et tu la portes à ta bouche immédiatement, comme pour dire : c'est à moi ! Quand tu as une émotion, tu pédales dans le vide. Et puis tu ris et tu souris. À tout le monde, et pas seulement, comme avant, à tes parents. Et tu as un répertoire de mimiques digne de Carmen Maura : je suis fâchée, je suis surprise, je suis inquiète, je suis perplexe, je suis fatiguée, je suis émue, je m'ennuie, je suis triste… Quand je te change, tu me fais un charme incroyable. Tu n'arrêtes pas de rire et de me parler, dans un mélange enthousiaste de soupirs et de gazouillis, pour me dire combien tu es contente d'être réveillée, combien tu es émerveillée qu'on te change ta couche, bref, combien tu es heureuse de vivre.

Mais tu es aussi beaucoup plus exigeante qu'avant. On ne peut absolument plus, par exemple, te laisser seule dans ton couffin, car tu n'aimes pas qu'on te laisse seule et tu le manifestes par tes cris. Tu es très très très fâchée quand on ne s'occupe pas de toi, et tu réclames une attention constante. Et tu ne dors presque plus dans la journée. Si, en ce moment, j'écris, c'est parce que j'ai réussi à te distraire grâce à un mobile avec de petits animaux, mais je ne sais pas combien de temps va durer l'accalmie.

Je me rappelle les paroles du médecin sur nos sociétés occidentales qui ont perdu le sens de la résignation. Je me rappelle aussi que le professeur qui m'a conseillé d'aller au groupe de thérapie m'a dit qu'une des clés du bonheur est la résistance à la frustration, et je crois que notre société non seulement ne fait rien pour nous l'enseigner, mais nous condamne au contraire à la frustration même. Il suffit de passer un moment à regarder la télé, ou à feuilleter un magazine de mode, pour se retrouver avec une dépression puissance quinze, convaincue qu'on ne sera jamais assez mince, assez élégante, assez riche. Assez rien. Autre exemple, le texte de la bande dessinée du numéro de cette semaine du magazine pour lequel je travaille :

« C'est bientôt Noël. Ce que nous voyons autour de nous est suffisamment déprimant pour que nous ayons envie de rêver un peu. Imagine que :

1) Tu commences par maigrir de 4 kilos grâce à ton super-régime pré-Noël.

2) Le week-end juste avant Noël, tu sors avec un garçon qui a tout pour lui : beauté, richesse, relations.

3) Le garçon te propose d'aller à Paris avec lui.

4) Sur place, vous êtes invités à la super-fête de Karl Lagerfeld.

5) Mario Testino te prend en photo.

6) Tom Ford te demande d'être sa muse. Le garçon te demande en mariage. Et tout ça parce que tu portes un Valentino à tomber par terre. »

C'est donc à cela qu'on semble supposer que se résument les rêves des lectrices. Des lectrices qui aspirent sans doute, pour beaucoup, à rencontrer un garçon (sans plus de précisions, car ceux qui sont libres ne courent pas les rues... sauf ceux de la catégorie polytoxicomano-psychopathe), à être invitées à une fête pas trop nulle et à pouvoir encore entrer dans leur petite robe noire de Zara après l'indigestion qu'elles auront attrapée le soir du réveillon pour compenser le stress des achats de Noël.

Il y a plus mal loti : moi, qui vais passer Noël à l'hôpital, si ce n'est à une veillée funèbre. Et les millions d'enfants qui n'auront droit à aucune fête d'aucune sorte.

Au fait, qui est Mario Testino ?

Si j'ai parlé de résistance à la frustration, c'est parce que ce matin je suis sortie te promener dans ta poussette et j'ai rencontré une voisine que je ne connaissais même pas. Je ne m'étonne plus que les gens soient accro à *Big Brother* : si nous vivons dans une société assez aliénée pour qu'on puisse habiter trois ans dans un immeuble sans jamais rencontrer la voisine du sixième, comment ne serions-nous pas accro à une communauté virtuelle qui nous promet un succédané d'intimité et d'indiscrétion ? La dame, donc, qui jusqu'alors avait ignoré mon existence et ne m'adressait même pas la parole quand nous nous croisions dans la rue (je l'avais remarquée, de mon côté, à cause de son manteau de fourrure, un peu fripé mais pas synthétique, un vison authentique, chose rarissime dans le quartier), au point que j'ignorais absolument que nous vivions dans le même immeuble (elle, en revanche, le savait, et savait aussi ce que je faisais dans la vie, ainsi que je l'ai déduit de ses propos), t'a regardée avec émerveillement. Ta présence me légitime : je ne suis plus une fille de mauvaise vie et de mauvaise réputation médiatique, je suis devenue une mère de famille, ce qui me vaut l'honneur de sa conversation. C'est ainsi qu'elle m'a dit qu'elle avait deux filles, toutes les deux nées par fécondation *in vitro*. La première après sept (sept !) tentatives ratées, à 4 200 euros la pièce, soit 29 400 euros, 5 millions de pesetas de l'époque. La seconde après trois tentatives seulement. Si tu ajoutes à ces sommes les tarifs, élevés, des diverses cliniques, consultations, analyses, tu devineras sans peine que les heureux parents se sont endettés jusqu'au cou. Adieu les vacances à l'étranger, les voitures neuves, les repas au restaurant… Ils se sont mis sur le dos des crédits « que mes filles finiront de payer », m'a-t-elle dit.

— Et pourquoi ne pas avoir plutôt adopté ? ai-je demandé (j'ai gardé pour moi les mots qui me démangeaient : « ou mis le vison au clou »).

— Ah non, ce n'est pas pareil. Je voulais que ce soit la chair de ma chair, vous comprenez.

Non, je ne comprends pas. J'ai même de la peine pour ces filles couvertes de dettes dès leur naissance et à cause de leur naissance, variante moderne du péché originel. Pour ces filles qui ne pourront pas se permettre d'être rebelles, ou paresseuses, ou simplement idiotes, parce que leurs parents ont trop investi en elles pour admettre si allègrement qu'elles les déçoivent. Je ne sais pas pourquoi, mais je les imagine à vingt ans comme deux névrosées qui ne pourront même pas se payer le psychiatre parce qu'elles ploieront sous le poids financier de leurs études et des crédits qui leur ont permis de venir au monde. Et je me rappelle que ma mère, cette femme qui est en train de dormir enchaînée à des tubes et à des appareils sur un lit d'hôpital, disait à l'adolescente que j'étais, lors de nos si fréquentes disputes : « Tu me dois le respect parce que je t'ai mise au monde », et que je lui répondais : « Je n'ai jamais demandé à naître. »

Ces filles non plus n'ont jamais demandé à naître. Et toi non plus. Mais il me semble que tu paieras moins cher le douteux privilège d'être née dans ce monde privé de sens.

Je pense à tante Reme, qui n'a jamais eu d'enfants. Ma mère assurait qu'elle en avait beaucoup souffert. En tout cas, si elle en a souffert, elle ne l'a jamais montré. Jamais un seul mot à ce sujet, jamais une seule plainte, jamais un seul reproche à son mari. On voyait bien, cela dit, qu'elle adorait les enfants, car elle a toujours été extrêmement affectueuse avec nous, elle nous couvrait de baisers et de cadeaux. Et ça me rappelle, il y a quelques années, quand nous avons fait féconder la chienne de ma mère, un teckel à poil long, ébouriffée comme une serpillière, et que nous avions baptisée

Puxa, c'est-à-dire « Puce » – alors que son vrai nom était Sandra von Lehrschen Forst et j'en passe, car elle nous avait été donnée avec tous les papiers qui attestaient son illustre lignage. Cette chienne avait d'abord été offerte pour Noël aux enfants que je gardais à l'époque par leurs parents, à qui ce cadeau avait dû coûter bonbon. Mais quand la mère s'était aperçue que l'adorable toutou faisait pipi sur les tapis persans et mordillait les coussins des canapés en cuir de son salon de rêve, elle m'en avait fait cadeau, drapée dans son orgueilleuse et antipathique dignité comme si elle me faisait une faveur insigne, sur le ton d'ennui dédaigneux dont elle usait toujours quand elle s'adressait à moi, cette adolescente vulgaire qu'elle considérait comme faisant partie de sa domesticité. Et si j'ai accepté, ce n'est pas parce que la chienne était de race ni parce qu'elle valait cher, mais parce que j'avais de la peine pour cette pauvre bête et que j'avais dans l'idée de lui chercher d'autres maîtres – ce que je n'ai finalement pas eu à faire, car ma mère s'est immédiatement prise d'affection pour elle et l'a gardée. Mais avec le temps, la chienne a fini par nous revenir cher, car l'éleveur, pour s'assurer de la pureté du pedigree, avait procédé, comme il arrive souvent, à des mariages consanguins, qui avaient donné un animal très affectueux, certes, mais plus délicat qu'un Bourbon, et qui tombait sans cesse malade. Quand, sur la recommandation du vétérinaire pour éviter un possible cancer des mamelles, nous avons dû accoupler la chienne, la clinique nous a trouvé un autre chien de bonne famille, dont les parents avaient remporté un concours canin. J'aurais préféré un prétendant plus roturier, afin qu'il nous fasse des chiots plus costauds, en meilleure santé, mais ma mère disait que les chiots de race étaient plus faciles à placer et qu'elle n'avait pas envie de se retrouver avec une portée de cinq dont personne ne voudrait. De sorte que nous avons eu quatre petits chiots von Machinchouette dont on nous a offert beaucoup d'argent. Quand nous en avons proposé un à tante Reme, elle nous a dit qu'elle ne voulait pas de chien, sinon le quartier allait cancaner, dire qu'elle avait un petit chien à sa mémère uniquement parce qu'elle ne pouvait pas avoir d'enfants. C'est la seule fois où je l'ai entendue évoquer ce sujet. Et l'une des très rares où j'ai décelé dans sa voix un soupçon d'amertume.

C'est peut-être pour ça qu'elle buvait tant aux repas de famille.

Quand notre chienne a eu quatorze ans, elle a eu les yeux voilés par la cataracte. Elle n'y voyait presque plus et se cognait à tous les meubles de la maison. Et elle faisait pipi partout, comme un tout jeune chiot. Le vétérinaire nous a conseillé de la piquer, mais nous n'avons pas voulu. Un peu plus tard, comme elle vomissait tout ce qu'elle mangeait et ne quittait plus son panier, nous l'avons ramenée au vétérinaire, qui nous a dit que la pauvre avait le foie en capilotade et qu'elle était condamnée, il dépendait de nous d'éviter qu'elle ne souffre en lui procurant une mort douce. Nous l'avons donc fait piquer, et elle est morte.

Je ne sais pas pourquoi cette histoire me revient précisément maintenant, mais j'en ai les larmes aux yeux, et je crois que ce n'est pas seulement pour la chienne.

La même résignation nous fait défaut pour accepter la mort. Cet après-midi, dans l'unité de soins intensifs, il y avait deux dames qui n'arrêtaient pas de pleurer. Leur visage ne me disait rien, je suis presque sûre que je ne les avais jamais vues avant. Elles donnaient un spectacle assez gênant, alors que nous nous efforcions justement de ne pas pleurer pour ne pas démoraliser encore plus les gens autour de nous. Un monsieur qui les accompagnait s'est mis à menacer du poing une des aides-soignantes, en criant, et je n'ai pas bien compris ce qu'il disait. Deux infirmiers et un brancardier sont finalement venus et l'ont emmené. Caridad m'a expliqué ensuite que la mère du monsieur était entrée aux urgences avec des douleurs aiguës à l'estomac, quelque chose qui n'avait pas l'air grave mais qui s'était révélé être une péritonite très avancée. On l'avait opérée d'urgence, mais elle avait eu une septicémie et n'avait pas survécu au choc postopératoire. Son fils préférait accuser les médecins que le destin, ou que mère nature, ou que la patiente elle-même et sa famille, qui n'avaient pas eu l'idée d'aller chez le médecin plus tôt, quand on aurait encore pu la soigner.

De la même façon que les grosses sont absentes des magazines de mode et des émissions de télévision, la mort est absente de l'univers qui nous entoure. Personne ou presque ne porte plus le deuil, et on n'évoque jamais la mort des membres de la famille, comme si ça n'existait pas. C'est seulement quand tu dis autour de toi que ta mère est à l'hôpital que tu découvres que la plupart de tes amis ont perdu un père, une mère, un frère, perte qu'ils n'avaient jamais mentionnée jusqu'alors. Un peu comme dans *Le Meilleur des mondes* d'Aldous Huxley, où de temps à autre quelqu'un remarque la silhouette ou l'odeur d'un crématoire, mais n'arrive pas à se rappeler à quoi servent ces édifices.

20 novembre

Toujours la même chose. Elle soulève imperceptiblement les paupières si on lui crie à l'oreille, de temps à autre elle penche très légèrement la tête ou remue les lèvres. Cela ne signifie pas qu'elle nous entende ni qu'elle sache que nous sommes là : il peut s'agir de simples réflexes. Caridad essaie néanmoins de me réconforter en m'affirmant qu'elle est sûre qu'elle entend, car ce matin elle lui a demandé si elle souffrait beaucoup, et elle a fait non de la tête. J'aimerais la croire, mais à nous, elle ne nous a fait aucun geste révélateur. Je sais qu'elle sait que nous sommes là, mais sa perception doit être aussi limitée que la tienne, tu sais qui nous sommes et reconnais notre voix, mais sans comprendre ce que nous te disons.

C'est curieux comme la vieillesse rapproche l'être humain de la condition de bébé. Désormais, elle est comme toi : incapable de se déplacer ou tout simplement de survivre seule. Et, sans le vouloir, sans y penser, nous lui parlons tous comme à un bébé, sur un ton aigu et en articulant exagérément.

J'ai eu la surprise de constater que quelqu'un a accroché à la tête de son lit une petite image de la Vierge de l'Assomption. J'ai demandé à Caridad qui l'y avait placée, elle m'a répondu qu'elle n'en était pas absolument certaine, mais qu'elle jurerait que c'est mon père, ce qui m'a encore plus étonnée, car il a toujours affiché un grand scepticisme envers ce qu'il tenait pour des supercheries.

Ma mère était atteinte d'une cardiopathie congénitale que les professionnels n'ont pas su déceler avant qu'elle ait vingt ans passés. À Alicante, quand elle était petite, le médecin avait diagnostiqué des fièvres rhumatismales. L'effort physique lui a toujours pesé, elle s'asphyxiait si elle devait monter plusieurs étages à pied, elle ne pouvait pas porter les sacs quand elle allait faire ses courses, et avait toujours des palpitations. Ses mains, aussi loin que je me souvienne, étaient très impressionnantes, elles étaient blanches comme la cire, exsangues, desséchées, ses doigts étaient longs et frêles comme de petites tiges de bambou, et creusées de fins sillons bleu-vert depuis les poignets jusqu'aux jointures. Quand elle avait une crise de palpitations, ses lèvres devenaient violettes et on aurait dit une revenante. C'est pourquoi elle avait pris l'habitude d'avoir toujours les lèvres maquillées, et ne sortait jamais sans son rouge à lèvres et son miroir de poche. Son aspect languide et maladif ne lui faisait rien perdre de sa beauté, bien au contraire : c'est de la maladie que lui venaient son extrême minceur et son air élégant et délicat.

On lui avait toujours dit qu'elle ne pourrait pas avoir d'enfants car, dans son état, une grossesse comportait un risque mortel, tant pour la mère que pour l'enfant. Mais elle priait, lors des fêtes votives d'Elche, la Vierge de l'Assomption, censée procurer fertilité et descendance à qui se recommande à elle, et elle avait eu pas moins de trois filles et un fils, grâce, affirmait-elle, à l'intercession de la Très Sainte Vierge, dont elle avait dévotement imploré la protection. Tous les ans, le 15 août, elle allait à Santa María à la messe de 8 heures – car ce jour-là la basilique est noire de monde et la toute première messe est la seule où on trouve encore à s'asseoir – et disait son rosaire, le foulard bien noué autour de la tête, vêtue d'un tailleur à manches longues avec la jupe au-dessus du genou, et même avec des bas malgré le soleil de plomb, car les curés de cette époque exigeaient que les femmes soient bien couvertes à l'église « afin de ne pas éveiller la concupiscence masculine » et faisaient savoir aux hommes qu'ils les tenaient pour responsables de la tenue décente de leurs épouses et filles (il revenait en effet au mâle, non seulement selon l'Église mais encore selon le code pénal, de corriger « sa » femme), et en outre il fallait qu'hommes et femmes entrent ou sortent par des portes différentes, toujours pour combattre la fatidique tentation. Mais un jour, un des médecins de ma mère m'a dit de ne pas moquer la dévotion de ma mère, peu importait que la Vierge ait intercédé ou non, il était convaincu pour sa part qu'il n'y avait pas de meilleure médecine que la foi, et que si un malade était aveuglément confiant dans sa guérison, la partie était déjà gagnée à moitié. Si mon arrière-grand-père avait entendu cela, il se serait retourné dans sa tombe, mais ma mère était au fond plus superstitieuse qu'autre chose, car le reste de l'année elle n'allait à l'église qu'une fois de temps en temps, et non pas chaque dimanche comme était censé le faire tout catholique digne de ce nom.

Elle avait naturellement appelé sa première fille Asunción, en l'honneur de la Vierge de l'Assomption. Quand elle a été enceinte de moi (c'était sa quatrième grossesse), le danger était encore plus grand, étant donné qu'à sa cardiopathie congénitale s'ajoutait son âge relativement avancé. Elle a passé toute sa grossesse dans son lit, à prier tout bas avec une image pieuse de la Vierge entre les mains. Et c'est pour cela qu'elle m'a appelée (tiens-toi bien) Eva Asunción, alors qu'en principe on ne doit pas donner le même prénom à deux sœurs. Et au moment où j'écris ces mots, je me rends compte qu'aucun de mes deux prénoms ne m'appartient entièrement, que depuis le berceau mon identité repose sur un double emprunt.

Il doit y avoir à Madrid plus d'une église consacrée à la Vierge de l'Assomption. Je devrais peut-être les repérer sur le plan et aller y dire un rosaire, mais je n'ai pas la foi. Ni la moindre idée de la façon dont on s'y prend pour dire un rosaire.

J'ai demandé à Caridad si son travail ne la désespérait pas, si elle n'avait pas parfois envie de jeter l'éponge. Elle m'a répondu que non, que ça lui apporte beaucoup de satisfactions. J'ai cru comprendre qu'elle avait d'abord travaillé aux soins intensifs pour les nouveau-nés et qu'elle avait craqué. Elle avait dû demander à changer de service, car chaque fois qu'un bébé ne survivait pas, elle pleurait pendant des jours.

— Avec les adultes, c'est très différent. Si quelqu'un meurt, tu es désolée, bien sûr, mais tu acceptes plus facilement. Tu te dis que son heure est venue. Mais il est difficile d'admettre que l'heure d'un bébé soit venue, car sa vie, justement, se compte en heures, et certains n'atteignent même pas un jour. Et puis ici, il survit tout de même plus de gens qu'il n'en meurt, et je le prends à chaque fois comme un succès personnel.

C'est un beau métier, vraiment, même si on ne dirait pas. Bien sûr, il y a des bons et des mauvais jours, mais quand on voit mourir quelqu'un pour qui c'était prévisible dès le début, on l'accepte. L'autre jour, quand même, j'ai appris la mort d'un monsieur qui était à l'hôpital depuis deux mois et que nous avions réussi non sans mal à sauver. On l'avait descendu à un autre étage, dans une chambre normale, et il y est mort de la façon la plus bête qui soit, en s'étouffant avec ses glaires. Et comme, aux autres étages, ils sont en sous-effectif, aucune infirmière ne s'en est rendu compte à temps. Cette mort est une de celles qui m'ont fait le plus de peine.

J'avoue à ma grande honte que j'aurais presque été capable de m'abaisser à rappeler le CMN parce que je n'avais pas les moyens de payer le médecin, capable en d'autres termes de renoncer le plus tranquillement du monde à ce que l'on entend généralement par dignité, fierté, principes. Je serais ravie de pouvoir écrire que j'ai surmonté cette hépatite – qui en fin de compte n'en était pas une – toute seule, recroquevillée sur le futon de l'appartement du Bronx, que j'aurais encore préféré mourir que de revenir vers ce salaud qui avait osé lever la main sur moi en plein Marché de la Viande (décidément bien nommé), mais force m'est d'être fidèle à la vérité et de confesser que si je ne lui ai pas téléphoné en pleurant pour lui expliquer que j'étais trop malade pour répondre à ses appels et que je ne savais pas ce que j'avais mais que je ne pouvais presque plus bouger, c'est parce que Sonia a eu l'idée d'appeler Tania, et que Tania, par son université, avait accès à des soins médicaux gratuits, et qu'il suffisait que je me présente au médecin sous son nom à elle, en donnant son numéro de Sécurité sociale et le code de son département de Stony Brook, pour que son assurance couvre les frais, car Tania certifierait que j'étais bien elle, ou qu'elle était bien moi, en tout cas que la patiente était bien Tania Fernández. Et pendant qu'elle y était, elle m'a pris un rendez-vous au Mount Sinai Hospital, l'un des plus chic de New York, juste à côté de chez elle, et où travaillait une femme médecin (lesbienne, évidemment) avec qui elle était très copine, une WASP très *uptight* avec un accent britannique extraordinaire qui lui venait, m'a-t-elle expliqué, de ses études à Bristol. Elle était parfaitement au courant de la substitution d'identités, s'est montrée plus qu'aimable avec moi, et a veillé à ce qu'on me traite comme une reine et qu'on me fasse toutes sortes d'examens et d'analyses de sang, d'urine et même, je t'assure, de salive.

On m'a fait attendre bien au calme dans une chambre très confortable (un confort dont j'ai d'ailleurs à peine profité car j'ai passé tout le temps à dormir), jusqu'à ce que les résultats soient prêts, et j'ai été reçue de nouveau par la charmante doctoresse (qui soignait aussi, ai-je appris plus tard, le gratin des musiciens new-yorkais, et qui était spécialisée en nutrition et endocrinologie), pour qu'elle me les explique.

— Au vu des examens, je peux vous affirmer catégoriquement que vous n'avez ni hépatite ni mononucléose. En général, les résultats sortent moins vite, mais comme l'hôpital a son propre laboratoire et, étant donné l'importance de votre cas… (En réalité, je doute fort que mon cas ait été si important que ça, mais je me suis abstenue de le dire.) Vous n'êtes pas non plus enceinte. Je sais que vous n'envisagiez pas cette hypothèse – a-t-elle ajouté, sans doute au vu de mon visage soudain blême –, mais c'est notre métier que de l'envisager quand même. On observe une légère anémie qui pourrait expliquer une certaine fatigue, mais il est tout de même peu probable qu'une personne soit hors d'état de se lever de son lit à cause d'une simple déficience en fer. Il faudrait sans doute faire des analyses complémentaires, mais je voudrais d'abord vous poser quelques questions, si vous n'y voyez pas d'inconvénient.

— Non, aucun.

— Avez-vous subi, récemment, un choc émotionnel ou un événement traumatique ?

J'ai hésité avant de répondre. Quand un Noir d'un mètre quatre-vingt-dix te colle une baffe en pleine rue, est-ce un choc émotionnel ou un événement traumatique ?

— Non, aucun.

— Prenez-vous des drogues ?

— Non, ai-je menti. Enfin, si... mais de façon très sporadique.

— Quel type de drogues ?

— Légales ou illégales ? Je ne fume pas, je bois du café, je bois de l'alcool, et je me fais une ligne de temps en temps.

— Quand vous dites que vous buvez de l'alcool, de quelles quantités s'agit-il ? Buvez-vous tous les jours ?

— Non, pas tous les jours, même s'il est vrai que j'ai bu beaucoup ces derniers temps...

— Mais pendant ces jours où vous dites vous être sentie si fatiguée, et avoir à peine pu vous lever de votre lit, vous n'avez pas bu du tout ?

— Non.

— Bon... Et vous rappelez-vous la dernière fois que vous avez bu ?

— Bien sûr. C'était il y a cinq... non, six... non, sept soirs. Je suis sortie et j'ai bu pas mal. Ensuite je suis rentrée dormir chez moi, et depuis je n'ai pratiquement pas pu me lever.

— Parfait... Tout concorde.

— Qu'est-ce qui concorde ?

— Évidemment, je ne pourrais pas l'affirmer avec une totale certitude, mais si vous avez, pendant une période assez longue, bu tous les jours, régulièrement, une certaine quantité d'alcool, il serait logique que soit apparu un syndrome d'abstinence lorsque le rythme s'est interrompu. Ce syndrome se manifeste de façon très différente selon les individus, et cette fatigue extrême, cette sorte de grippe que vous croyiez avoir, pourrait être liée à ce syndrome d'abstinence. C'est seulement, je le répète, une hypothèse, mais au vu des résultats des analyses et de ce que vous-même m'avez dit, c'est l'explication qui me paraît la plus plausible. Mais, bien sûr, je ne connais pas vos antécédents médicaux, et je ne peux donc pas m'avancer trop.

— Bien, admettons qu'en effet j'aie bu beaucoup, trop même. Que faudrait-il que je fasse ?

— Sans doute le mieux serait-il que vous rentriez chez vous et que vous essayiez de vous alimenter de façon équilibrée et de faire un peu d'exercice. Un peu de marche, ce genre de choses, pas plus. Et si vous êtes toujours aussi fatiguée dans quinze jours, il faudra faire de nouveaux examens. Et si vous vous remettez à boire, alors ce sera à vous de décider.

— De décider quoi ?

— De décider de consulter un spécialiste de votre problème. Les addictions ne sont pas mon domaine.

J'étais sur le point de lui dire qu'il ne s'agissait pas d'addiction, que je n'étais pas une alcoolique, mais j'ai préféré me taire, et j'ai pris congé d'elle en lui faisant mon plus beau sourire.

— Alors, qu'est-ce qu'elle t'a dit ? m'ont demandé ensemble Sonia et Tania, qui m'attendaient dans la salle d'attente.

Je ne savais que leur dire, car je ne pouvais évidemment pas leur raconter que cette doctoresse si classe m'avait presque traitée d'alcoolique.

— Anémie, ai-je répondu, et je n'avais pas l'impression de mentir puisque, d'une certaine façon, j'étais bel et bien anémiée. Et elle a dit aussi que c'était lié… au fait que je bois beaucoup.

— Et comment sait-elle que tu bois ? s'est écriée Sonia. Tania, est-ce que par hasard tu lui as dit avec qui sortait Eva ?

— Moi ? Mais comment aurais-je pu le lui dire ?

— Oui, comment aurait-elle pu le lui dire ? Comment Tania saurait-elle avec qui je sortais ?

— Parce que c'est moi qui le lui ai dit, enfin. Tu imagines bien que si j'ai une amie qui sort avec une célébrité, je ne vais pas garder ça pour moi.

— Je ne sors plus avec lui. De toute façon je ne vois pas pourquoi ta doctoresse devrait le savoir, et même si elle le sait, je ne vois pas ce que ça a à voir avec mes problèmes médicaux.

— Mais si elle sait que tu sors avec un alcoolique, elle peut supposer que tu l'es aussi.

— Et qu'est-ce qui te fait penser que le CMN est alcoolique ?

— Enfin merde, Eva... C'est de notoriété publique ! Il est entré je ne sais combien de fois en désintoxication au Presbyterian Center, toute la presse en a parlé, même si je crois qu'en fait son problème était surtout la coke, non ?

Les tout derniers mots s'adressaient surtout à Tania.

— Je ne suis pas sûre, mais il me semble que oui, je crois avoir vu ça à la télé, dans une de ces émissions de MTV, je ne sais plus son nom, où on parle de la vie des *people* avec des témoignages *hot* de leur famille, de leurs amis, des gens du métier, a-t-elle répondu.

— Tu vois bien.

J'ai alors repensé à des détails qui m'avaient laissée perplexe au cours de ma brève, mais intense liaison avec le CMN. Quand nous nous étions rencontrés, nous avions l'impression d'être tous deux dans une parenthèse de nos vies respectives, comme deux adolescents de quinze ans qui se retrouvent soudain seuls sur une plage paradisiaque, sans parents, sans amis, sans obligations, et qui, faute de savoir comment gérer toutes ces heures d'oisiveté absolue, ce temps infini qui est devant eux, vivent sans projet et improvisent en permanence. Mon cas était relativement simple à mes yeux, puisque j'étais effectivement en vacances et que je ne connaissais presque personne à New York, mais je n'étais jamais arrivée à percer son mystère à lui, à comprendre d'où lui venait cet air absent de voyageur en transit permanent. Et voici que soudain je comprenais tout, j'assemblais les pièces du puzzle, ces cinq années qu'il avait passées en tournée, sans doute à boire et à sniffer tous les jours, les inévitables cures de désintoxication, la difficulté de recommencer une nouvelle vie sans coke, et la tentation de combler ce vide en buvant en compagnie d'une autre désœuvrée. Oui, tout concordait. Ou peut-être pas, va savoir. Nous avions passé moins d'un mois ensemble, vingt jours et quelques, que savais-je de lui, de sa vie ? Rien. Avec tous les disques qu'il avait vendus, il avait sûrement assez d'argent pour vivre le reste de ses jours sans rien faire, alors pourquoi se serait-il démené ? Pourquoi n'aurait-il pas eu envie de sortir tous les soirs pendant des mois ? Est-ce que ça ne m'était pas arrivé, à moi aussi ? Si, bien sûr, mais j'avais vingt ans, et non pas, comme lui, quarante passés. En vérité, je ne savais pas qui était la personne avec qui j'avais passé tous ces jours et toutes ces nuits, et si j'avais bien été fascinée, transportée, obnubilée ou tout autre adjectif qui rime et te viendra à l'esprit, c'était par un être qui existait surtout dans ma tête, et maintenant que je sentais l'illusion se dissiper, j'étais gagnée par une douleur diffuse à l'idée qu'il me fallait renoncer à certains plaisirs symboliques, auxquels j'avais accordé la même valeur que leur accordaient les autres, comme d'être saluée avec déférence par les portiers des boîtes et des restaurants, ou bien de disposer d'une villa avec piscine, jardin, vue sur la mer et litho de Taaffe aux murs, de sorte que la perte de l'illusion s'accompagnait du désir de continuer à l'alimenter, de prolonger cette parenthèse de mon existence dont j'étais justement en train de sortir. Mais je n'étais tout de même pas stupide au point de ne pas me rendre compte que rien, ni les sorties dans les clubs branchés, ni la villa du New Jersey, ni le loft à Tribeca, ni le brunch quotidien au Gotham, rien de tout cela ne justifiait que je monte avec un inconnu sur un manège éthylique condamné à tourner sur lui-même sans jamais arriver à destination, et peut-être même à finir brisé en mille morceaux.

21 novembre

Tout le monde (amis, connaissances, parents, infirmières et divers aides-soignants) semble extrêmement étonné que ma mère résiste depuis si longtemps. J'ai entendu d'innombrables fois le mot miracle, qui fait maintenant partie de mon vocabulaire courant. Même si elle ne survivait pas, disent beaucoup de gens, le simple fait qu'elle soit en vie près de deux mois après l'opération est en soi un miracle. Surtout à son âge. Il faut dire que ma mère avait des raisons de vivre : ses petits-enfants, ses amies, ses livres, ses voyages, son obstination. Elle s'est obstinée à avoir des enfants, et elle les a eus. Elle s'est obstinée à vivre, et elle vivra.

Jaume était à la maison hier soir. Oui, le même Jaume qui m'avait écrit un e-mail pour me dire de parler à ma mère car il savait d'expérience que, même quand il semble inconscient, plongé dans un sommeil morphique, un malade comprend ce qui se passe autour de lui. Il est là en visite éclair. Il est venu d'Alicante pour signer un contrat, et repart aujourd'hui même, théoriquement parce qu'il a beaucoup de travail qui l'attend, mais je soupçonne que la vraie raison soit qu'il ne veut pas laisser seul Manolo, son amant. J'ai connu Jaume et Manolo lorsque nous étions tout jeunes, et ils devaient être tout jeunes encore quand ils sont devenus amants. Ils ont été de tout temps, aux yeux de tous, une paire d'amis inséparables, et je n'ai su les vraies raisons de cette inséparabilité qu'à vingt ans, quand ils m'ont expliqué ce qu'il en était, mais jamais ils ne m'ont dit à quel moment leur amitié était devenue de l'amour. De toute façon, il ne s'agit pas ici de te parler de leur vie à tous les deux, mais de la tumeur cérébrale qu'on a enlevée à Jaume quand il était très jeune et qui lui a valu de passer trois mois en soins intensifs. Il dit qu'il a survécu parce que pas un seul jour il n'a douté qu'il s'en sortirait. Il raconte que, quand on lui a arrêté la morphine et qu'il s'est réveillé, il a joué aux cartes avec les autres patients de l'étage. Ils avaient instauré une règle : chacun devait payer ses dettes à la fin de chaque partie. On ne pouvait pas faire confiance à son débiteur, car on ne savait pas s'il serait encore vivant le lendemain matin.

22 novembre

Ce qui se passe dans le corps de ta grand-mère ressemble beaucoup à ce qui se passe tout autour. Le vieil axiome sociologique du corps comme métaphore de la société se vérifie une fois de plus. Une pancréatite qui provoque une médiastinite qui provoque un abcès qui provoque un pneumothorax qui exige des antibiotiques qui provoquent un arrêt du rein... Une réaction en chaîne. Une fille dont la mère tombe malade, qui va la voir à l'hôpital, qui en revient fatiguée, qui fait un complexe de culpabilité qui la rend malade elle aussi, et triste la personne avec qui elle vit, laquelle se met à déprimer à son tour... La tristesse s'étend comme une tache noire, comme un cancer inexorable. Autre réaction en chaîne.

L'hôpital est sens dessus dessous. Il y a des lits partout dans les couloirs, le personnel court dans tous les sens comme des fourmis qui fuient une fourmilière renversée. Je ne peux pas m'empêcher de penser que près de deux jours se sont écoulés entre le moment où ma mère est entrée et celui où le diagnostic de pancréatite s'est confirmé. Si on avait su avant, peut-être n'en serait-on pas là, car on aurait pu stopper l'infection. Mais que pouvait faire d'autre une équipe de médecins stressés, dans un hôpital qui manque de personnel, de matériel et, surtout, d'argent ?

Samedi j'étais en train de zapper de chaîne en chaîne, avec toi dans les bras, dans le vain espoir de trouver quelque chose qui te distraie, quand je suis tombée sur une émission *people*. Une invitée qui venait de révéler que cinquante-six millions de pesetas avaient disparu des comptes de la mairie de Marbella a embrayé tout à trac sur son récent divorce, comme si cette histoire d'argent volé n'avait aucune importance – beaucoup moins, évidemment, que le fait que son mari l'avait trompée, et comme si cet argent n'était pas en réalité celui des habitants de Marbella, qui l'avaient sorti de leur poche pour payer leurs impôts. On a fait la Révolution française pour moins que ça.

23 novembre

Je suis parfois si fatiguée et si désespérée que je voudrais lancer un objet contre le mur. Mais je ne le fais pas, parce que je suis rationnelle : je réfléchis avant d'agir. Autrefois, quand je buvais, cette étape intermédiaire, ce millième de seconde de raison qui précède et empêche l'acte impulsif, n'existait pas : l'alcool l'éliminait. C'est pourquoi j'agissais toujours d'instinct et finissais par faire toutes sortes de bêtises.

Chose curieuse, au lieu de déprimer, j'enrage. J'enrage vraiment. Mais je ne veux pas pleurer, non. Mon premier mouvement serait plutôt de donner des coups de poing à quelqu'un, ou d'aller incendier le ministère des Finances. Et cela, je le tiens de ma famille. Dans ma famille, on ne pleure, ni ne se tient la main, ni ne s'embrasse en public. Mais à la moindre occasion, on crie. Même ma mère, à qui la faculté avait expressément interdit d'élever la voix, se disputait quotidiennement avec mon père, à grands cris. Inutile de dire que c'était toujours lui qui sortait vainqueur de l'affrontement. C'était toujours lui, je te l'ai d'ailleurs déjà dit, qui avait le dernier mot. Nous sommes une famille qui contient ses sentiments jusqu'à l'extrême, et ne les exprime que quand ils se sont accumulés au point d'exploser comme une Cocotte-minute. Sans doute est-ce pour cela que je n'ai toujours pas réussi, et ce n'est pas faute d'avoir essayé, à m'approcher de ma mère inconsciente pour lui dire à l'oreille qu'en dépit des apparences, je l'aime. Mais nous sommes séparées par un tas de ruines qui se dresse comme un obstacle entre elle et moi, et qu'entoure une impénétrable barrière de silence.

Tu vas te demander pourquoi j'ai consacré autant de pages à te raconter l'histoire du CMN, qui a somme toute duré très peu de temps et n'a rien laissé derrière elle, ni rêves, ni traces, ni souvenirs. Je te l'ai racontée parce qu'elle a une grande importance pour moi, même si beaucoup peuvent penser que non, puisqu'elle n'a même pas duré un mois, et qu'il s'agissait d'une liaison avec un homme dont je ne devais jamais plus entendre parler, ni connaître la vie et les secrets, d'une liaison très précaire, reposant sur une illusion et une angoisse. Cette histoire est très importante pour moi parce que le CMN représentait le Saint-Graal que j'avais passé la moitié de ma vie à rechercher, à l'époque où je ne comprenais pas pourquoi Susan Sarandon repoussait Michael Madsen dans *Thelma et Louise*, à l'époque où je gravissais laborieusement l'échelle sociale de Madrid en essayant de me faire inviter aux plus belles fêtes afin d'y rencontrer un homme riche, célèbre, talentueux, glamour ou tout autre adjectif qui ne rimera pas mais qui te viendra à l'esprit, un homme que j'aimerais, qui s'occuperait de moi, qui ferait de moi la moitié d'un couple, qui m'offrirait une vie facile, une vie de luxe, une vie où il n'y aurait jamais de problèmes d'argent, une vie où les sorties combleraient le vide immense dont mon existence était faite, une vie où j'éprouverais enfin une sensation d'appartenance, où je m'appellerais « Mme X » pour signifier à mes propres yeux et à ceux du monde que j'étais à quelqu'un, une vie où les autres m'assigneraient une place fixe, où les autres m'appelleraient par mon nom et me diraient ainsi qui j'étais, une vie où ma présence serait remarquée, mon nom retenu, mes erreurs pardonnées et mes besoins satisfaits. Une vie par procuration, que je cesserais d'appeler mienne, et dont la responsabilité appartiendrait, en fin de compte, à quelqu'un d'autre.

C'est pourquoi le fait que je n'aie jamais répondu au chapelet de messages accumulés sur le répondeur pourrait sembler de peu d'importance aux yeux d'autrui, mais marque pour moi le moment où je t'ai conçue sans même t'avoir conçue, car le fait que je me considère comme une personne entière, et non pas comme une moitié en quête permanente de l'autre moitié qui la compléterait, voulait dire que je me sentais capable d'affronter la vie toute seule, sans béquilles. Et, par conséquent, de reproduire cette vie si je le voulais. Jusqu'alors, cependant, jamais je n'avais envisagé, pas même en rêve, d'avoir un jour des enfants, c'était une perspective qui ne m'attirait pas le moins du monde, car, ainsi que je le répétais à qui voulait m'entendre, en reprenant un refrain très courant dans le milieu où j'évoluais : comment saurais-je m'occuper de quelqu'un d'autre, si je ne sais même pas m'occuper de moi-même ? Et lorsque, des mois après, j'ai appris à Madrid, à ma grande surprise, que j'étais enceinte, j'ai accepté la chose le plus naturellement du monde, et pourtant je sais très bien que si cette doctoresse new-yorkaise lesbienne et snobinarde m'avait dit que mes analyses ne révélaient ni anémie, ni hépatite, ni mononucléose, mais tout simplement une grossesse, la première chose que je lui aurais demandée aurait été l'adresse de la clinique la plus proche où pratiquer un avortement.

Tout à l'heure, en arrivant à l'hôpital, je rencontre dans le hall Reme et Eugenia, toutes les deux les yeux tout rouges à force d'avoir pleuré. Chacune des deux évite le regard de l'autre. Quand je leur dis que je rentrerai en métro, Eugenia insiste cette fois encore pour faire le voyage avec moi, et je me résigne à l'inévitable : un de ses accablants monologues où elle me fera la liste de toutes ses infirmités. « J'en vois de toutes les couleurs, tu sais – me dit-elle en s'asseyant dans la rame –, en un mois j'ai pris au moins dix ans, la vie se retire de moi peu à peu, entre tous ces hôpitaux, toutes ces infirmières, et tout le reste... Et malgré tous mes ennuis à moi, quand j'ai vu Reme j'en ai eu le cœur serré, vraiment, la pauvre, ce n'est pas sa faute, elle a vraiment eu une vie affreuse, mariée toutes ces années avec ce crétin... et chaque fois que je repense à ces enfants qu'elle n'a pas eus, et à tout ce que ta mère a souffert pour en avoir, et qu'en fin de compte Reme, elle, n'en a pas eu... Je me dis que la vie est vraiment mal faite. » Je ne comprends rien à ce qu'elle me dit. Je ne vois pas le rapport entre le fait que Reme ait eu ou non des enfants et toute cette histoire, et je le lui demande. « Mais si, enfin, *nena*, Miguel s'est marié avec Reme parce qu'il croyait qu'Eva ne pouvait pas avoir d'enfants, et tu vois, en fin de compte c'est Reme qui n'en a pas eu et ta mère en a eu quatre. » Elle est donc vraie, cette histoire de fiançailles rompues entre ma mère et mon oncle ? J'avais quelquefois entendu dire que l'oncle Miguel avait été fiancé avec ma mère, mais jamais qu'ils ne s'étaient pas mariés pour une histoire d'enfants. « Mais si, c'était ça la raison, *nena*, parce que Miguel a toujours été un homme sans volonté, une chiffe molle. Très séduisant et tout ce que tu voudras, parce qu'il faut dire ce qui est, c'était un homme qui dans sa jeunesse avait beaucoup de charme, pas ce qu'on appelle beau, mais très séduisant, très viril, tu

comprends. Mais en vérité, c'était quelqu'un d'incon-
sistant, il s'est toujours laissé dominer par sa mère. Dès
que tu grattais un peu sous la coquille, il n'y avait plus
qu'un bébé accroché au sein de sa mère, et sa mère a
fait tout ce qu'il fallait, absolument tout, pour qu'il
n'épouse pas Eva, et il n'a pas épousé Eva. Mais depuis,
beaucoup d'eau a coulé sous les ponts, et il vaut mieux
ne pas remuer le passé. » Et tante Eugenia soupire et
regarde par la fenêtre, comme pour me faire comprendre
dre qu'elle n'en dira pas plus. Je devine que je n'aurai
plus guère d'autre occasion de me trouver seule à seule
avec une Eugenia qui ait un tel besoin de se confier, et
je suis dévorée de curiosité. Ma mère a toujours été un
mystère pour moi, et maintenant que quelqu'un a entrouvert inopinément la porte, jusqu'alors hermétiquement
close, du saint des saints, je ne vais pas laisser échapper l'occasion, et donc j'introduis ma petite question
dans l'entrebâillement, comme un pied-de-biche : mais
pourquoi cette haine de la mère de Miguel envers la
mienne ? « Mais je te l'ai dit, parce que Eva ne lui
convenait pas, elle était souffreteuse et le médecin avait
dit qu'elle ne pourrait pas avoir d'enfants. Et de toute
façon elle ne voulait pas d'elle pour son fils. Tu sais
qu'il y avait pas mal de rouges dans la famille, et tu
sais ce qu'on disait des Lloretes… Les gens avaient
peur, n'importe qui pouvait se trouver en butte aux
représailles, être jeté en prison pour la seule raison
qu'il y avait eu un rouge dans la famille, et si on avait
la chance de ressortir, on ne pouvait pas trouver de travail… C'était la politique des franquistes, la politique
de la terre brûlée… C'est comme ça que la pauvre
Sabina, ta grand-tante, est restée célibataire alors qu'elle
était si belle, toute blonde, et pourtant elle n'avait rien
à voir avec la politique, son fiancé était rouge mais il
aurait aussi bien pu être de l'autre côté. Et dans la
famille de Miguel, c'étaient culs-bénits et compagnie, les
murs de leur maison étaient tapissés d'images pieuses
et ils avaient même leur banc réservé à la messe à la

basilique… Tu imagines un peu, dans ces années-là la municipalité avait examiné une motion, soutenue par les phalangistes, pour que la ville soit rebaptisée Alicante de José Antonio, car tu sais qu'il a été fusillé dans la prison provinciale, n'est-ce pas, et devine qui était l'un de ces phalangistes, non, tu ne devines pas ? Le père de Miguel, bien sûr, qui était un pilier du Comité directeur du centre catholique, le bastion du national-catholicisme à Alicante… Tu comprends mieux, maintenant, et la mère avait pris Eva en grippe dès la première fois qu'elle l'avait vue, elle avait pour elle une aversion terrible. Tu sais, *nena*, à l'époque ce n'était pas comme aujourd'hui, c'était très rigide. Quand on se promenait sur l'Esplanade ou sur la Rambla, c'étaient les filles d'un côté et les garçons de l'autre, et quand les deux groupes se croisaient, on se lançait des œillades, et pendant longtemps Miguel a regardé Eva avec des yeux de chien battu, tu ne peux pas imaginer le temps qu'ils ont mis avant de s'adresser la parole, non, tu ne peux pas imaginer. Ils ont fini par se fréquenter, comme on disait alors, et par se voir en tête à tête. Hélas ! Parfois ils allaient à la pâtisserie ensemble, ou se promenaient dans les rues, mais rien que de très innocent, bien sûr. Ce qui aurait été normal, c'est que chacun des deux présente l'autre à sa famille, c'est ça qui aurait été convenable, car en ville on commençait à jaser. Mais Miguel ne parlait jamais de présenter Eva à ses parents, et quand elle insistait, il noyait le poisson, et quand elle insistait davantage, il se mettait en colère. Elle ne comprenait pas bien ce qu'il y avait, et quand elle lui demandait ce qui n'allait pas, si c'étaient ses parents qui refusaient de la rencontrer, il s'empressait de lui dire que non, qu'il n'y avait rien qui n'allait pas, qu'il l'aimait plus que tout au monde et qu'il l'épouserait. Et elle le croyait, et elle espérait toujours, et de leur côté les gens jasaient, car à l'époque, si un garçon fréquentait une fille pendant un certain temps et que la chose ne se formalisait pas, la fille se faisait traiter de tous les noms, tu sais. Mais ta mère n'était pas de celles qui allaient avec des garçons, pas ce qui s'appelait "aller", si tu vois ce que je veux dire, ça, elle n'est allée qu'avec ton père, et seulement après avoir reçu la bénédiction, j'en mettrais ma main au feu. Elle s'était fiancée avec Miguel, oui, mais en tout bien tout honneur. Car Miguel faisait beaucoup de contorsions pour lui plaire, et il lui mentait comme un arracheur de dents. Et c'est ça que je ne lui ai jamais pardonné, qu'il n'ait jamais osé lui dire la vérité, qu'il lui ait menti tout ce temps, alors qu'il savait depuis le début qu'il ne l'épouserait pas. Le résultat, c'est qu'ils sont restés fiancés une éternité, des années, mais sans l'être vraiment, car les familles ne se sont jamais rencontrées, et moi je disais toujours à Eva qu'il fallait qu'elle tire les choses au clair, qu'elle le force à prendre une décision, car je voyais qu'à ce rythme sa jeunesse allait se faner, elle avait le regard éteint, triste, elle faisait peine à voir… Et elle vivait comme ça, toujours à attendre, dans son aveuglement amoureux, pendant que toute la ville parlait, qui pour la critiquer, qui pour la plaindre. Quelle sotte elle faisait… J'en étais toute retournée, vraiment, j'en étais malade, qu'elle se laisse mener en bateau aussi bêtement. À vingt-sept ans, elle était toujours célibataire, et à l'époque ce n'était pas comme maintenant, maintenant à cet âge-là on est encore une jeune fille, mais alors on était déjà une dame, et si on n'était pas encore mariée on avait de fortes chances de ne jamais l'être, de rester vieille fille comme Sabina. Et finalement elle s'est décidée et lui a dit : "Ou tu me présentes à tes parents, ou nous rompons, mais dans les deux cas, ce sera avant la fin de l'année." Et comme il a continué à louvoyer, elle a compris, et elle l'a quitté. Elle a bien fait, car je crois que Miguel aurait pu encore laisser traîner les choses indéfiniment. Mais c'était une petite ville, et beaucoup de gens s'étaient charitablement empressés de raconter à Eva ce que la mère de Miguel disait d'elle, à savoir qu'elle ne voulait pas pour son fils d'une épouse malade qui ne pourrait pas lui donner de petits-enfants, car ton oncle Miguel était fils unique, et sa mère, ce qui était sûr, c'est qu'indépendamment du fait qu'elle était très spéciale, elle voulait à tout prix des petits-enfants. Et quand, peu de temps après, au bout d'un an ou même moins, est parue dans le *Diario de Alicante* la nouvelle des fiançailles de Miguel avec Reme, c'était la stupéfaction à la maison. D'abord parce que Reme était encore presque une enfant, elle n'avait même pas dix-huit ans, et ensuite parce que nous ne comprenions pas comment, après avoir courtisé quelqu'un comme ta mère, il se retrouvait avec une fille comme Reme qui était si terne en comparaison. Terne, mollassonne, insignifiante. Oui, insignifiante. Mais en bonne santé, et aussi d'une très bonne famille, exactement ce que la mère de Miguel voulait pour son fils. Et si elle voulait pour lui une fille comme Reme, c'est peut-être aussi parce qu'elle voyait bien que ta mère avait beaucoup de personnalité, beaucoup de caractère, alors que l'autre paraissait plus faible, plus malléable. Reme a toujours été un peu nunuche, et elle l'était plus encore quand elle était jeune. Mais le plus important, c'était sans doute cette histoire d'enfants. »

Nous arrivons à Atocha, et pour une fois, je ne meurs pas d'envie qu'Eugenia me quitte et rentre chez elle. Pourtant, je me rappelle encore le supplice qu'a été pour moi, la dernière fois, de subir son bavardage debout dans la rue, et de ne réussir à y mettre fin qu'en lui disant qu'il fallait que je m'en aille, qu'on m'attendait à la maison. Mais aujourd'hui, c'est le contraire : c'est moi qui recherche sa compagnie. Et donc je lui dis que je l'invite à prendre un café, et ses yeux s'illuminent comme si mes paroles avaient allumé des ampoules de cent watts sous ses paupières. Elle s'appuie à mon bras et boite avec dignité, car elle est devenue, avec l'âge, une vieille dame un peu décatie, qui se traîne à grand-peine jusqu'au buffet de la gare. « Ça ne

te fait rien si je commande une petite anisette, *nena* ?
Je sais que ce n'est pas l'heure, mais on ne sait pas de
quoi demain sera fait, et il faut s'accorder de temps en
temps de petites entorses à ses principes... » Je suis
évidemment ravie, au contraire, qu'elle prenne une anisette, dont j'espère bien qu'elle va lui délier la langue.
Un serveur sud-américain très cérémonieux vient prendre les commandes, ma tante me demande de tes nouvelles et je répète le sempiternel refrain, tu es très sage
et très gentille et tu pousses à vue d'œil, jusqu'à ce
qu'arrivent son anisette et mon thé, et je n'ai pas besoin
d'attendre beaucoup pour qu'elle réaborde le sujet qui
m'intéresse, sans doute parce qu'il l'intéresse au moins
autant que moi.

« Ta mère était déjà plus près de trente ans que de
vingt, et en plus, comme elle traînait derrière elle cette
histoire de fiançailles avec Miguel, elle semblait condamnée à rester vieille fille jusqu'à la fin de ses jours, non
pas faute de prétendants, car elle avait des admirateurs
à foison, mais soit c'étaient des hommes mariés qui
voulaient en faire leur maîtresse, soit c'étaient des
veufs nettement plus âgés qu'elle, car ceux de son âge
étaient presque tous mariés. Et voilà qu'apparaît un
veuf, justement, un notaire d'Elche, un homme qui
avait du bien, avec plus qu'une bonne situation, et qui
aurait pu lui offrir une vie de reine. » C'est la première
fois que j'entends parler de cette histoire de notaire,
contrairement à celle avec l'oncle Miguel. « Et l'affaire
semblait déjà ficelée, on attendait l'annonce des fiançailles d'une semaine à l'autre, quand elle a rencontré
ton père, qui n'était pas marié non plus car il avait plutôt une réputation de noceur, qui a plus roulé sa bosse
que les malles de Sarah Bernhardt. Ils se sont rencontrés au théâtre Principal, je m'en souviens très bien car
j'y étais, c'était une représentation des *Intermèdes* de
Cervantès par les comédiens amateurs de l'école de
commerce, une troupe très réputée à l'époque, et dès
qu'ils se sont regardés, je te le jure, j'ai vu l'étincelle

310

dans leurs yeux et je me suis dit : adieu le mariage avec le notaire. Et en effet. Je l'ai vu aussi clairement que si j'avais été la sorcière Juli. »

Ce que j'ai du mal à comprendre, c'est pourquoi elle ne m'a jamais rien raconté pendant toutes ces années, rien, et pourquoi elle me le dit justement aujourd'hui, peut-être est-ce parce qu'elle pressent que le décès de ma mère est imminent, et que cette assomption annoncée lui fait éprouver le besoin subit de remuer le passé, il est vrai aussi qu'Eugenia et moi ne nous sommes que rarement trouvées seules ensemble, et qu'elle a donc eu peu d'occasions de me raconter quoi que ce soit, si tant est qu'elle ait voulu le faire. « Elle aurait pu vivre dans le luxe, tu sais, mais elle a préféré ton père, qui tirait alors, comme on dit, le diable par la queue, car sa famille, je te l'ai dit, avait encore un nom relativement prestigieux mais rien de plus, ils avaient perdu leur fortune avant même que la guerre éclate parce que son grand-père menait grand train, jetant l'argent par les fenêtres, vendant ses propriétés et dépensant même ce qu'il avait mis de côté pour la dot de sa fille. Ils avaient mis au clou les tableaux et les bijoux, du moins à ce qu'on disait, si bien qu'ils n'avaient plus que la maison et le nom. Tu parles d'une histoire, on ne pouvait pas trouver mieux pour défrayer la chronique : la fille renonce au meilleur parti de toute la province pour un jeune gandin qui n'a ni métier ni fortune, et qui, en plus, est le frère de la femme de son ex-fiancé, avec qui elle avait rompu. Même dans un roman-photo, on n'y croirait pas... Tu imagines sans peine tout ce qu'on a pu dire et ne pas dire à l'époque. Il y en a eu plus d'un pour insinuer qu'elle se mariait seulement pour rester à proximité de Miguel, tu penses bien. Ce fut un mariage très discret, avec le chœur de la cathédrale et tout ce genre de choses, mais d'invités, très peu. » Très peu ? Les photos du mariage suggèrent en effet une cérémonie assez sobre, mais je n'avais jamais vu les choses sous cet angle, j'y avais surtout vu un signe d'élégance de la part de ma mère, si ennemie de l'esbroufe et du clinquant. « Tu comprends bien qu'étant donné les circonstances, au début les relations avec Reme étaient assez tendues. Mais ensuite sa belle-sœur lui faisait tant de peine, la pauvre, elle ne savait pas dans quoi elle avait mis les pieds, on aurait dit qu'en se mariant elle avait tiré le gros lot à la loterie du malheur. Car il est apparu bien vite que Reme ne faisait ni chaud ni froid à Miguel, en tout cas pas chaud, alors qu'il restait subjugué par Eva. C'est alors qu'il s'est mis à boire, et Reme a été très malheureuse, vraiment ce qui s'appelle malheureuse, à mesure que le temps passait et que les bébés ne venaient toujours pas, tu n'imagines pas le calvaire que la pauvre a subi, avec la belle-mère à la maison toute la sainte journée, comme si un malheur ne suffisait pas, et qui lui répétait sans arrêt qu'un foyer chrétien digne de ce nom devait recevoir la bénédiction de plusieurs enfants, car la femme qui n'avait pas d'enfants dont s'occuper risquait de succomber aux pires tentations, comme si tout ça était la faute de Reme, bien sûr, alors qu'à mon avis, je te le dis entre nous, le problème venait de Miguel, qui buvait trop, et je ne sais pas si tu sais qu'on dit parfois que les gens qui boivent trop ne peuvent pas… tu me comprends, je ne te fais pas un dessin. Et là ta mère s'est vraiment comportée magnifiquement, ça ne m'étonne pas que Reme lui en ait été si reconnaissante par la suite, car elle a toujours soutenu sa belle-sœur au lieu d'en profiter comme d'autres l'auraient fait, non, elle s'est comportée exactement comme si Reme était sa propre sœur, car je crois qu'elle avait été très affectée par la mort de son frère à elle, ton oncle Blai, et qu'elle a voulu faire pour Reme ce qu'elle n'avait pas pu faire pour lui, la protéger, s'occuper d'elle, et donc elle ne lui a jamais dit de paroles désagréables, ni n'a évoqué le temps où elle était fiancée avec Miguel, jamais. » À qui veux-tu faire croire ça, tante Eugenia, à qui ? « On n'en parlait jamais à la maison, mais à Alicante on en parlait beaucoup. Tout le monde disait que Miguel n'avait d'yeux que pour sa belle-sœur. Je crois d'ailleurs que c'est pour ça qu'ils sont partis vivre à Madrid au moment où elle a hérité, pour pouvoir vivre discrètement, car la vie là-bas lui pesait. Imagine un peu, ça n'est pas facile d'habiter une petite ville où ton nom est sans arrêt sur toutes les lèvres. Je sais que ta mère n'aimait pas Madrid, mais je sais aussi qu'elle a été soulagée de venir s'y installer. Et quand ton oncle Miguel s'est tué, on a beaucoup parlé d'une lettre qu'il aurait laissée pour ta mère, on a dit qu'il n'aurait pas supporté son départ et le fait qu'il ne pouvait plus la voir tous les jours, mais je n'ai jamais su s'il y avait quelque chose de vrai dans cette histoire ou si ce n'étaient que des racontars. Mais sur le fait qu'il était encore amoureux d'elle, là, je n'ai absolument aucun doute : oui, il l'était. » Et soudain, je me demande si, en fait, ce n'était pas plutôt Reme, ou Eugenia elle-même, qui était amoureuse de ma mère. Qu'est-ce que tu dis, tante Eugenia ? Miguel s'est tué ? Comment ça ? Car je ne l'avais jamais entendu dire non plus. « Il s'est tué parce que c'était quelqu'un d'immature. » Tu veux dire qu'il s'est suicidé ? « Écoute, je ne sais pas, c'est un sujet dont on a beaucoup parlé et sur lequel on n'a jamais su grand-chose, ça a coïncidé avec le moment où ta mère est partie vivre à Madrid. On a dit que c'était une crise cardiaque. Mais Miguel était jeune et avait le cœur très solide malgré tout ce qu'il buvait, et que veux-tu que je te dise, il y a eu toutes sortes de rumeurs. Il a été enterré à l'église, c'est tout ce qu'on peut dire... Donc, le pauvre Miguel et la pauvre Reme... et tout ça à cause de sa mère à lui qui avait tout fait pour qu'il ne se marie pas avec Eva parce qu'elle ne pouvait pas avoir d'enfants, et aussi parce que son grand-père était franc-maçon et qu'elle avait des rouges dans sa famille. Et tu vois, Eva a eu quatre enfants et Reme aucun. Et Reme s'est retrouvée sans argent et Eva millionnaire du jour au lendemain, parce que Miguel avait bu et dilapidé presque toute la fortune familiale tandis que ta mère a hérité ce terrain sur la plage de la Xanca. Ce serait presque drôle si ce n'était pas aussi triste. » Et ma mère ? Tu crois qu'elle a été malheureuse ? « Mais non, *nena*, que vas-tu penser là ? Bien sûr que non. Ton père a ses petits secrets, comme tout le monde, mais au moins il était jeune et beau, pas comme ce notaire. Et puis avec vous quatre, elle n'a pas été malheureuse. » De quels petits secrets veux-tu parler, Eugenia ? Quels sont ces petits secrets qu'avait mon père ? « Ah, *nena*, ne me fais pas dire ce que je ne veux pas dire, il a ses petits secrets, comme tout le monde, car personne n'est parfait. Tu sais mieux que personne comment il est. »

Et pourquoi donc, Eugenia ? Pourquoi le saurais-je mieux que quiconque ?

Et soudain je me trouve piégée dans une de ces trappes d'amnésie qu'une divinité espiègle, ou au contraire bienveillante, a disposées dans le tunnel par lequel on accède de l'enfance à l'âge adulte. Je ne sais pas à quoi elle fait allusion. Ou plutôt je ne veux pas le savoir. Je ne m'en souviens pas, je n'y arrive pas, je n'en ai pas envie. Il faut parfois renoncer au passé pour jouir du présent. L'oubli répond à une logique économique, c'est un procédé qu'adopte la vie pour se libérer de l'angoisse et poursuivre son chemin, un subterfuge paresseux et pourtant fécond, comme si l'esprit se mettait en jachère pour pouvoir semer de nouveaux plants par la suite. C'est pourquoi certains épisodes sont relégués dans le grenier de l'oubli, dans cet entrepôt qu'on ne peut visiter qu'en rêve, sans pouvoir en rapporter, au réveil, rien de ce qu'on y a découvert.

25 novembre

Freud disait qu'on se sent toujours coupable quand ses parents meurent, parce qu'on a imaginé leur mort quand on était petit. Selon Freud, nous, les petites filles, nous sommes amoureuses de nos pères et nous voulons tuer nos mères, et selon Bruno Bettelheim, les méchantes marâtres des contes tels que *Cendrillon* ou *Blanche-Neige* ne font que métaphoriser la rivalité entre mère et fille, qui se disputent l'amour du père. Et il est vrai que je me sens très coupable, par exemple, de désirer que tout s'achève subitement. J'ai déjà perdu espoir, je comprends que ma mère ne survivra pas, et je ne vois pas quel sens il y a à prolonger cette agonie, comme on l'a fait jusqu'à présent.

26 novembre

Le téléphone m'a réveillée à 3 heures du matin. Trois sonneries ont suffi ; la première m'a arrachée au sommeil, à la deuxième j'ai sauté du lit, à la troisième j'ai décroché et entendu la nouvelle que je savais qu'on allait me donner. Je n'ai pas voulu me remettre au lit, où ton père dormait sans même avoir entendu le téléphone. J'ai eu l'idée de me faire un café, mais je savais que je n'avais pas besoin d'excitants pour rester éveillée, que je ne me rendormirais pas. J'ai marché de long en large dans la cuisine, comme un animal en cage. Et finalement j'ai mis des chaussures, un manteau par-dessus mon pyjama, et je suis sortie.

À la porte du karaoké, Tibi veille comme toutes les nuits, immuable et rassurant comme un phare. Il ne m'a posé aucune question quand il m'a vue, et m'a accueillie contre sa poitrine énorme et chaude, noire et narcotique comme la mort.

Il est 7 heures du matin. Je pars pour l'hôpital.

III

LES SEULES FAMILLES HEUREUSES

*Les familles heureuses se ressemblent toutes,
les familles malheureuses le sont
chacune à leur façon.*

Léon TOLSTOÏ, *Anna Karénine*

FAMILLE : La famille fonctionne comme un système. En tant que tel, elle établit des canaux de communication entre ses membres, les protégeant des pressions du monde extérieur et contrôlant le flux d'informations avec celui-ci, de façon à préserver son unité et sa stabilité. Lorsque la perméabilité est trop grande, le système se referme et s'isole, provoquant des distorsions importantes dans les interactions entre membres de la famille, dont il résulte un déséquilibre pouvant se manifester par des violences intrafamiliales.

La dynamique d'une famille est ce qui permet de la différencier d'une autre à un moment donné. Pour la définir, il faut prendre en considération différentes variables : les relations entre chacun de ses membres, mais aussi les modes de communication, les modes d'expression des affects, les principes éducatifs, les récompenses et punitions, les modes d'exercice de l'autorité et du pouvoir.

La famille en tant que système détermine les conditions immédiates de l'espace social dans lequel l'individu fait face à la possibilité de réaliser ou non ses aspirations. Cette situation le place dans une perspective temporelle, ses expériences passées et présentes concourant avec ses possibilités futures à sa structuration, qui s'exprime dans son style de vie.

Cette structuration définit les potentialités psychologiques de chaque personne, en fonction, selon certains psychologues, des deux dimensions, individuelle et familiale, de la conscience : a) la conscience de soi-même qui distingue les uns des autres ; b) la conscience des origines familiales et de l'appartenance à un certain univers psychique, social et spirituel.

Le couple structuration/style *de vie exprime la façon dont chacun modèle ou tente de modeler sa propre vie, construit ses propres significations à partir des situations quotidiennes et choisit d'interagir en conséquence avec autrui. Il revêt un caractère cognitif qui affecte la façon dont se construisent les possibilités de compréhension du vécu. L'être humain donne au cadre de son existence une signification en accord avec les éléments de sa culture familiale tels qu'il les a intégrés à sa propre personnalité.*

Encyclopédie médicale et psychologique de la famille

Deux mois déjà ont passé depuis que ma mère est morte, et pendant ces deux mois j'ai été incapable de m'asseoir devant l'ordinateur et d'achever ce qui, au départ, était une lettre pour toi, Amanda, et qui est devenu une sorte de journal, dont j'ignore sincèrement comment il va se terminer. J'ai écrit des tas d'autres choses, d'innombrables articles sur les drogues et les addictions pour toutes sortes de publications : des magazines féminins (*Elle* : « La drogue n'est plus à la mode »), des mensuels pour adolescentes (*Ragazza* : « Comment et pourquoi dire non »), des bulletins d'associations féministes (*Emakunde* : « Genre et toxicomanie : marginalisation à l'intérieur de la marginalité »), des journaux gratuits de la Communauté de Madrid (*In Juve* : « Adolescents et drogues : Mesures de prévention utiles »), des plaquettes pour étudiants (*Información del Campus* : « Ecstasy, ecsta no . ce qu'apporte vraiment un comprimé »), des hebdomadaires politiques (*Tiempo* : « Drogue, le commerce du siècle »)... Bref, j'ai accepté tout ce qui se présentait, et qui parfois n'avait rien à voir avec la drogue (un reportage sur « sexe et nourriture » pour *Gentleman*, une interview de Laia Marull pour *Marie Claire*, des critiques de livres pour *Club Cultura*, et j'arrête là parce que je n'en finirais pas). Et dès que je m'y mettais, tout coulait de source, mes doigts glissaient agiles sur le clavier, faisant ce petit bruit qui doit être désormais pour toi une musique familière, car en général, quand je travaille, tu es là, près de moi, dans ton couffin, en train de jouer avec ton hochet ou de mordiller ton jeu de clés en plastique, en chantant à t'égosiller d'étranges chansonnettes de ton invention. La pédiatre me dit que j'ai bien de la chance que tu cries comme ça, ça montre que tu n'es pas sourde, que tu testes tes capacités vocales pour le jour où tu parleras. Elle dit aussi que tu es une enfant précoce, mais ça, elle n'avait pas besoin de me le dire : je le savais déjà. Certes, je me disais parfois que c'était pur aveuglement maternel, que si tu me parais plus éveillée que la moyenne, c'est parce que tu es ma fille, et que le fait que tu saches faire des choses que tu ne devrais pas selon les manuels de puériculture s'explique tout simplement par la vétusté desdits manuels, ou qu'une fierté mal placée me fait voir des choses qui n'existent pas, exagérer tes capacités et tes exploits. Jusqu'à cet après-midi où je suis allée jusqu'à la place de Lavapiés pour sortir le chien et te promener, et où, tandis que le chien courait après sa balle, je me suis assise au soleil et j'ai vu arriver deux jeunes femmes avec leurs enfants, équatoriennes toutes les deux, très jeunes toutes les deux, à première vue bien plus jeunes que moi, et qui se sont assises à côté de moi. L'une avait deux enfants, une fille de deux ans et un bébé de six mois, l'autre un seul, un bébé de cinq mois. Je sais leur âge parce qu'elles me l'ont dit, pas parce que ça se voyait. Et j'ai comparé. Tu venais d'avoir quatre mois, et tu riais quand on te faisait des grimaces, tu attrapais le trousseau de clés si on l'agitait devant ton nez, tu regardais le chien quand on te le montrait du doigt et tu le suivais du regard pendant qu'il poursuivait les autres toutous, tu me tirais les cheveux chaque fois que tu en avais l'occasion, et tu soulignais chacun de tes exploits par de petits cris pleins d'ardeur. En un mot, tu étais active, tu t'intéressais aux choses, tu communiquais, tandis que les deux autres bébés, plus âgés que toi, se contentaient de rester placidement dans leur poussette, somnolant au soleil comme des petits vieux, et ne souriant que de temps à autre, non sans de laborieux efforts de leurs mères, forcées de recourir à des cajoleries éhontées, de prendre de petites voix suraiguës ou de faire les petites marionnettes.

Je tape pendant que tu chantes, j'accompagne tes trilles au clavier, et l'appartement résonne d'une musique d'ambiance qui ressemble à du jazz expérimental, nous nous familiarisons ainsi l'une avec l'autre, et toi avec ce pianotage constant dont nous tirons toutes deux notre subsistance. Mais, tout au long de ces deux mois, ces rythmes syncopés, ces percussions étranges qui accompagnent tes chansons n'ont eu que peu à voir avec cette lettre, car ce n'est pas à toi que j'écrivais. S'il est pourtant une muse qui m'inspire, c'est bien toi, la plus belle, la plus douce entre toutes, mais je n'ai pas pu t'écrire, parce que la lettre que j'avais commencée pour toi avait fini par trop parler de la mort de ma mère. Et parce que je n'arrivais pas à m'y remettre.

J'avais entendu parler cent mille fois de la crampe de l'écrivain et du vertige de la page blanche et de tout ce genre de choses, mais jamais je ne les avais encore ressenties. Les romans que j'avais écrits naguère, et qui dorment du sommeil du juste dans un tiroir, avaient jailli comme d'une fontaine, presque sans effort. Je rentrais le soir, je m'asseyais devant l'ordinateur et je suivais un plan précis, un schéma que j'avais dessiné puis punaisé sur un tableau face à mon bureau. Je m'imposais un programme stakhanoviste, six à dix pages par jour que je noircissais scrupuleusement, et que je corrigeais et recorrigeais ensuite jusqu'à pouvoir les considérer comme parfaites, et même publiables. Tous ces efforts pour rien.

Le processus de rédaction de *Droguées* avait suivi le même cours, avec cette même obsession des délais qui caractérise ma façon de travailler. Je sélectionnais des centres de désintoxication, de distribution de méthadone, de thérapie de groupe, des lieux de réunion d'alcooliques anonymes, des prisons. Je leur téléphonais, je prenais rendez-vous avec le directeur, je discutais avec lui. Je rencontrais des femmes prêtes à se confesser, à épancher devant le magnétophone leur cœur, ou leur estomac, ou leur foie en lambeaux, ou les quatre neurones sains qui leur restaient encore et qui n'avaient pas été emportés par la coke, l'alcool, les amphétamines. J'accumulais des cassettes grouillantes d'histoires, je les classais, je les transcrivais. Puis je mettais en forme ce que j'avais couché sur le papier, je donnais au récit un ton dramatique, une structure cohérente avec un début, un milieu, une fin, une raison d'être, quelque chose qui transcende en destin la vie d'une junkie ordinaire. Et tout ce travail de fourmi, ce processus d'accumulation-classification-transformation, je le menais à bien, sans hâte mais sans relâche, ni blocage, ni crainte. C'était ce que j'avais à faire, et je le faisais. Jamais je ne restais immobile devant le clavier, jamais je ne me laissais distraire, jamais je ne perdais mon temps à naviguer sur la toile à la recherche de bêtises dont je n'avais pas besoin (sites satanistes, galeries virtuelles, tests et sondages en tout genre...) pour échapper à l'obligation de finir mon travail.

Mais j'avais beau être, moi aussi, intoxiquée par l'alcool et par mes angoisses, *Droguées* ne parlait pas de moi. Pour la simple raison que jamais je n'y ai mis mes tripes, que j'ai toujours gardé mes distances, sans m'exposer, parce que je n'ai pas eu le courage de me mettre moi-même en scène et de raconter tout ce que je buvais ni, plus important encore, pourquoi je buvais. Et c'est grâce à cela, grâce à ce déni, que je n'ai rencontré aucun blocage. Car le blocage est ce qui avertit qu'on s'approche de ce qu'on ne veut pas voir. Pour ne pas parler de moi, j'ai parlé des autres, et je n'ai donc pas eu besoin d'avouer que j'étais une droguée moi aussi. Si *Droguées* a été un succès, c'est parce que, même si ce n'était pas mon expérience à moi, je connaissais le sujet sur le bout des doigts, je partais de la vérité, et finalement je parlais de moi sans le savoir, puisque je vivais la même dépendance que les femmes que j'interviewais, et que seule la paille dans leur œil me cachait la poutre dans le mien.

Et c'est pour la même raison que mes romans étaient mauvais et qu'aucun éditeur n'en voulait. Parce qu'ils ne parlaient pas de moi. Parce qu'ils n'étaient que des expériences métalittéraires, des versions supplémentaires d'histoires déjà racontées mille fois. Parce qu'ils étaient le fruit de ma couardise, de ma vanité, de ma pédanterie.

Mais tout a changé lorsque le moment est venu d'achever cette lettre. Et mon fameux principe de toujours finir ce qu'on a commencé est parti en quenouille.

Chaque fois que je me disais qu'il était temps de m'y remettre et de conclure – ce à quoi personne ne m'obligeait, c'était une tâche que je m'étais imposée à moi-même –, une fatigue infinie s'emparait de moi, je me mettais au lit et te prenais avec moi, en t'entourant de mille coussins pour éviter que tu ne tombes par terre pendant que je dormais, et je restais immobile à côté de toi qui serrais dans ton petit poing une boucle de mes cheveux et chantais tout bas, car tu comprenais et tu comprends, d'une façon que je ne m'explique pas, qu'il faut baisser la voix quand ta mère dort, ce qui ne t'empêche pas de crier pendant que j'écris.

Ce blocage, cette peur de la feuille blanche n'était autre que la peur de ce que pourrait révéler la feuille une fois imprimée, lorsque le mécanisme cathartique de l'écriture aurait découvert ce qui ne se dit pas, fouillant dans le tréfonds du subconscient et traduisant en mots des images, des symboles, des rêves, des fantasmes ; toutes choses qui n'avaient pas de corrélat dans la vie réelle, qui n'apparaissaient que la nuit, mais qu'on entrevoit parfois à l'état de veille, lambeaux d'histoires arrachés aux confins du rêve et qui collent à la peau tandis qu'on remonte des bas-fonds de la léthargie vers cette vie qu'il est convenu d'appeler réelle. Pendant tout ce temps j'ai eu peur d'affronter ma propre souffrance, car je n'avais d'autre choix que de l'emmagasiner au fond de moi-même, dans un récipient scellé, presque sous vide, faute de pouvoir me mettre à pleurer, de pouvoir stopper le cours de la vie, les factures qui réclament d'être payées, le bébé – toi – qui exige de l'attention et des câlins et des biberons et qu'on lui change sa couche, les commandes qu'il est urgent d'honorer, le chien qui a besoin de ses trois promenades par jour, les paquets à envoyer ou à aller chercher à la poste, tous ces soucis quotidiens qu'on ne peut pas laisser s'accumuler, tous ces problèmes qu'il faut résoudre dès qu'ils surgissent.

J'aurais voulu m'habiller de noir – ce que j'ai fait, bien sûr, au début – et m'enfermer chez moi pour pleurer, prendre le grand deuil comme les dames d'autrefois, qui ne sortaient que pour aller à la messe. J'aurais voulu que chacun comprenne que je ne pouvais quitter mon lit de douleurs. Mais autrefois il n'y avait ni fax, ni téléphone, ni factures à payer, ni mensualités d'emprunts, ni bureaux de poste, ni surtout ces insidieux petits appareils mobiles sur lesquels des rédacteurs en chef vous appellent pour vous commander d'urgence un article, en cette époque où il faut chaque jour gagner l'argent qu'on devra dépenser le lendemain. Mais outre le fait que la vie suivait son cours, indifférente à la mort de ma mère, j'avais une autre raison de rester active : la peur de me laisser vaincre par la douleur. Je pensais, et je pense encore, que si je m'autorisais, fût-ce un tant soit peu, à la ressentir, elle s'étendrait aussitôt comme une tache d'huile, ou comme un cancer, elle me dévorerait avant que j'aie le temps de m'en rendre compte et que je sache m'en libérer.

J'ai toujours eu peur de souffrir, et j'ai donc toujours préféré ne pas ressentir. C'est pourquoi j'ai toujours choisi des liaisons portant la date de péremption imprimée sur l'emballage, des liaisons avec des hommes égoïstes, alcooliques, narcissiques ou immatures, des relations orageuses mais jamais profondes, dans lesquelles je ne pouvais pas m'engager du tout, des passions dont la fin était écrite dès le début, même si pour rien au monde je ne l'aurais avoué à quiconque, et surtout pas à moi-même. Ce n'est pas un hasard si ton père est, de tous mes amants, le seul à ne pas boire et à s'intéresser à autre chose qu'à son nombril. Car à un moment donné j'ai décidé, enfin, de ressentir, j'ai donc renoncé à l'alcool, mon fidèle anesthésiant, et un ovule qui errait dans le limon de mes entrailles en est sorti avec assez de vigueur pour me projeter dans une aventure inéluctable, une relation que l'on ne peut rompre du jour au lendemain, un pari qui exige un engagement solide et ferme, et aussi un partenaire capable d'être un père, un père sain d'esprit et du reste.

Mais si ta conception a été une rupture dans mon existence de couarde, le plus grand pari que j'aie jamais fait, la plus grande aventure dans laquelle je me sois lancée, cela ne signifiait pas que j'étais soudain guérie, soudain courageuse, cela signifiait seulement que j'avais le projet de m'amender, le besoin d'aimer et de ressentir pour vivre, et pas forcément la capacité d'assumer ma souffrance et de l'intégrer à mon existence. Si je n'ai pas voulu, jusqu'ici, achever cette lettre, c'est parce qu'il m'aurait fallu repenser non seulement à la mort de ma mère mais à toutes les douleurs enfouies au plus profond de la terre stérile de ce qui ne porte pas de nom, et que sa mort a exhumées. Il m'aurait fallu faire revivre de vieilles rancœurs, des affronts jamais lavés, et je ne voulais pas exhumer le cadavre, l'autopsier, analyser ses tissus, ses fibres, observer ses organes au microscope, quand bien même je savais que c'était en un sens nécessaire, que je ne pouvais plus continuer de vivre en niant l'évidence.

Au fond nous avons tous, pour agir, une raison intime et précise, qui se révèle toujours plus puissante que le hasard ou sa république. Mon amie Nenuca, par exemple, disait toujours qu'elle avait eu une enfance très heureuse, et personne ne comprenait comment quelqu'un qui semblait en effet n'avoir subi aucun trauma, qui avait été l'enfant choyée d'un couple parfaitement harmonieux, pouvait avoir de telles crises d'angoisse et d'abandon, comment elle pouvait supporter, à seule fin de ne pas rester seule, une relation aussi destructrice que celle qu'elle avait avec Mirta – et que celles, tout aussi nocives, qui l'avaient précédée – et comment cette hantise de la solitude, si visible chez elle, l'amenait à se laisser toujours attirer par des partenaires qui n'avaient de cesse de la dominer et de profiter de sa dépendance naturelle pour se livrer à toutes sortes de vexations, en sachant pertinemment qu'elle leur passerait n'importe quoi du moment qu'elles ne mettaient pas à exécution la menace, tant de fois répétée, de la quitter. Et quand Mirta l'a quittée – pour une autre, cela va sans dire, une autre qui, cela va sans dire aussi, avait plus d'argent et plus de relations susceptibles de lui obtenir la carte de résident si convoitée –, Nenuca a sombré dans une dépression gravissime et s'est résolue à aller voir une thérapeute. Et cette thérapeute l'a aidée à se souvenir de ce qu'elle avait effacé de son cerveau : les innombrables journées et soirées que, toute petite, elle avait passées dans l'angoisse, quand ses parents étaient partis à un dîner, à un cocktail, à une réception, ou en voyage d'agrément, laissant leur fille unique à la garde de domestiques qui ne restaient jamais assez longtemps en place pour qu'elle s'attache à eux, se confie à eux, les considère comme une présence stable et rassurante. Et, de la même façon que cette enfance qu'elle se représentait comme si heureuse n'avait été en réalité qu'un enchaînement d'angoisses, ce n'était pas le destin ni le hasard qui lui faisait rechercher toutes ces liaisons privées de sens, mais une puissante force intérieure, qui l'enchaînait à des femmes aussi versatiles et imprévisibles que la mère qu'elle avait tant aimée et n'avait jamais sentie proche d'elle, à des amantes qui étaient envahissantes un jour et distantes le lendemain, réclamant d'elle une affection inconditionnelle mais ne lui donnant la leur en retour que si elle cessait d'être elle-même pour être la Nenuca qu'elles désiraient, à l'instar de cette mère qui ne l'aimait que lorsqu'elle restait tranquille et silencieuse, en se faisant oublier. Et le diminutif affectueux qui avait fini par se substituer à son prénom montrait bien qu'elle n'avait pas su grandir, qu'elle était restée enlisée dans les jours gris de son enfance. Car on y revient toujours, à cette enfance qui modèle notre âme sans que nous en soyons conscients, et qui pèse plus sur notre bonheur que les jours de notre âge adulte, car c'est à travers elle que nous les vivons, et c'est elle qui assigne à chacun d'eux sa grandeur passagère. Et j'étais tout aussi incapable que Nenuca d'apprécier quelque chose par moi-même, faute de m'estimer moi-même assez pour voir les qualités des autres à travers mes propres yeux. C'est pour cela que le CMN m'avait tant impressionnée la première fois que je l'avais vu, et le Roumain... si peu.

Après ma visite à la doctoresse bêcheuse de Mount Sinai Hospital, je m'étais juré de ne plus boire. Et l'avenir se présentait à moi comme une punition, en tout cas l'avenir immédiat, car il me restait près d'un mois à passer à New York, mon billet de retour portant la date du 2 septembre. Évidemment, je pouvais toujours mettre au clou les Versace, rentrer tout de suite à Madrid et trouver asile chez Consuelo jusqu'au départ du Français, mais son appartement était trop petit pour deux, et puis comment arriverais-je à supporter un vol transatlantique alors que je n'étais même pas capable de sortir seule dans la rue sans assistance ? J'ai donc décidé de considérer l'appartement du Bronx comme un refuge, un refuge estival où passer ces longues journées vides et calmes à ne rien faire ou presque. À lire, à reprendre des forces, si l'on entend par là cette énergie abstraite que promettent les publicités pour céréales ou compléments vitaminés, ou les dépliants des clubs de gym. J'ai même installé dans ma chambre la table de nuit et la lampe de chevet du Roumain pour lire plus confortablement, la table pliante de la cuisine et une chaise pour pouvoir écrire, deux plantes du salon pour mettre un peu de gaieté, et j'ai accroché aux fenêtres des rideaux que Sonia avait trouvés dans une boutique de Soho, bref, je me suis aménagé mon espace à moi, agréable et accueillant.

Mon colocataire s'est montré dès le début tout aussi serviable qu'il l'avait été au lendemain de cette mémorable soirée arrosée que nous avions passée ensemble. Il sortait très tôt le matin et rentrait vers 18 heures. Durant toutes ces heures où il n'était pas là, c'est à peine si je m'apercevais de son absence, car je les passais généralement à lire ou à dormir, ou en suspens entre sommeil et veille, savourant les vestiges de rêves qui se dissolvaient dans ma bouche comme un bonbon, l'esprit flottant entre deux mondes, étourdie par le premier rayon de lumière qui était entré par la fenêtre et réchauffait les eaux stagnantes de mes sens assoupis. Lorsqu'il rentrait, c'était lui qui préparait le dîner pour nous deux, il mettait même le couvert, de sorte que je n'avais d'autre effort à faire que celui de parcourir les dix mètres à peine qui séparaient mon lit du salon et de me laisser traiter en princesse de conte de fées. Je n'avais même pas besoin de sortir faire les courses, car il les faisait toujours en rentrant du laboratoire de l'université, où il travaillait à sa thèse (des vacances ? il n'en était même pas question, pas alors qu'il avait son doctorat à finir), et il n'a accepté que je paie mon écot que parce que je l'ai menacé de me fâcher. Pendant le dîner, nous avions de longues conversations… En fait je mens, c'est plutôt moi qui faisais de longs monologues où il intercalait parfois quelques phrases. Je lui parlais de moi, de Madrid, d'Alicante, d'Elche, de mon chien, de mon quartier, de mes amies, je discourais et pérorais, et lui me laissait tranquillement m'agiter, essayer de l'impressionner avec mes histoires, et si je parlais sans arrêt, c'est parce que, chaque fois que je m'interrompais, il me posait une question qui m'obligeait à continuer. À quelle heure ferment les bars à Madrid ? Quelle race de chien est-ce ? Qui te l'a offert ? Depuis combien de temps habites-tu le même quartier ? Ses questions m'intriguaient d'autant plus que son visage ne trahissait aucun signe laissant soupçonner l'effet que lui faisait mon babillage. Il avait l'air sincèrement intéressé par tous les détails de ma vie, mais nullement impressionné. Et il ne parlait presque pas de lui. Cela finissait par me mettre mal à l'aise, car je lui dévoilais toute ma vie, ou du moins toute ma vie telle que je la recréais et l'interprétais, et je n'obtenais en retour, quand je lui posais des questions sur sa vie à lui, que des réponses évasives, ou des monosyllabes marmonnées, à peine perceptibles. Mais cette réserve, loin de me décourager, m'en imposait, comme si ce garçon contenait sa propre énergie, l'économisait en vue de quelque dessein plus important. Et elle me stimulait, activant une sorte d'interrupteur dans mon moi le plus fragile, car, en vraie névrosée, j'avais toujours attaché, comme je te l'ai dit, la plus grande importance à ce que les autres pensaient de moi. Et de toute façon, je n'avais personne d'autre à qui parler, faute d'avoir retrouvé assez de forces pour sortir toute seule dans la rue. Sonia et Tania venaient me voir, mais pas aussi souvent que je l'aurais voulu. Elles étaient toutes les deux très prises par leur travail, et lorsqu'elles ont su que ma maladie, si tant est qu'on puisse l'appeler ainsi, n'était pas si grave, elles se sont désintéressées de mon cas.

Mais peu à peu, le Roumain a commencé à s'ouvrir, à parler : de sa thèse, de son laboratoire, de ses expériences... Comme il était d'une prudence presque maladive, il s'exprimait toujours de façon nuancée, réfléchie, mais ses propos, assurément subtils et pertinents, avaient une saveur bien à eux. Il ne disait pas grand-chose, rien de très personnel, mais juste assez pour me donner à penser que je finirais par trouver dans ses paroles la clé pour les comprendre, d'autant que ces paroles, c'était moi qui les lui arrachais par mes questions, en le prenant à son propre jeu, comme une enquêteuse procédant par suppositions et vérifications, recherchant avidement la signification de ses silences dans ses yeux qui finissaient par me sourire, et c'est ainsi, sans que je m'en rende compte, que je lui ai fait une place dans mon espace à moi, comme un élément d'ameublement, la table, ou la lampe de chevet, ou les plantes, une distraction qui avait le secret de me rendre la vie plus facile, le temps plus agréable, et ce justement parce que je n'aspirais pas à ce qu'elle soit plus agréable, mais seulement moins ennuyeuse, et je ne saurais pas dire quand, à quel moment exact, il a cessé d'être la personne qui était là chaque jour en fin d'après-midi, une donnée indiscutable mais sans relief, pour être presque le centre de mes journées, quelque chose que j'attendais avec anxiété et qui m'était aussi nécessaire qu'une drogue, à quel moment je suis ainsi sortie de moi-même, transplantée comme par enchantement dans un autre territoire ; et je me suis rendu compte que, derrière l'apparence des événements et depuis cette première nuit où nous avions dormi ensemble dans le canapé défoncé de Sonia, il y avait dans l'atmosphère une note silencieuse et sous-jacente, mystérieuse et puissante comme cette force qui prépare les feuilles des arbres à sortir tandis que l'eau est encore gelée dans les flaques des trottoirs, et que j'étais à nouveau accro, et je me suis alors demandé ce qu'il en était de cette fiancée dont aucun de nous deux n'avait jamais reparlé.

Deux mois ont déjà passé, et je ne sais pas par où commencer à te les raconter...

Je devrais peut-être ne rien te raconter du tout. Archiver cette liasse de feuilles de papier et les oublier. Ou alors, commencer par cette lubie qui m'a prise d'aller acheter un complet noir pour ton père, qui n'en avait jamais mis de sa vie.

Nous avions à peine une heure pour en trouver un, car nous devions être à 22 heures à la maison qui avait été celle de ma mère, d'où nous partirions pour Alicante le lendemain matin.

Non, je vais plutôt commencer autrement...

On m'a appelée en pleine nuit, comme tu sais, à 3 heures, en insistant toutefois pour que je ne vienne pas à l'hôpital avant le matin. Quand je suis arrivée à 9 heures à la cafétéria de l'hôpital, tout le monde était là : mon père, mes sœurs, mon frère, Reme, Eugenia, plus un tas de parents, d'amis et de connaissances dont les noms et les visages ne me disaient rien, même si tous semblaient savoir très bien qui j'étais, et comment j'étais quand j'étais petite, les petites tresses que ma mère me faisait et le zézaiement dont je n'ai pas réussi à me débarrasser avant d'avoir presque dix ans. On m'a expliqué que mon père était arrivé à 7 heures et avait signé les papiers qu'il y avait à signer. J'ai demandé à voir ma mère, et on a essayé de m'en dissuader, il fallait que j'attende qu'on ait fini de l'arranger, de la pomponner, on allait bientôt la descendre, et alors je pourrais la voir, mais pas avant. J'ai quand même insisté vaillamment, et on m'a laissée monter aux soins intensifs, où j'ai vu Caridad et l'ai suppliée de me laisser voir ma mère, ou ce qui restait d'elle (j'ai accueilli comme un miracle, une intervention divine, le fait qu'elle soit de service ce matin-là, et surtout que ce soit elle, depuis le début, qui se soit occupée de ma mère). Elle a accepté tout de suite, sans dire un mot. Elle aussi semblait affectée – j'ai même eu l'impression qu'elle avait pleuré – et elle m'a fait approcher du lit sur lequel était posé un sac vert avec une fermeture à glissière sur toute sa longueur. J'avais vu ce type de sac dans des séries télévisées – quand le médecin légiste montre le cadavre, pour qu'elle le reconnaisse, à la veuve éplorée qui éclate immédiatement en sanglots – mais jamais en vrai. Caridad a ouvert la fermeture à glissière et j'ai alors vu ma mère, ou une partie de ma mère qui n'était pas ma mère, son enveloppe mortelle (il m'est immédiatement revenu cette expression de *Hamlet,* je crois : « This mortal coil »), blanche, froide, très froide, glacée mais pas encore rigide, car j'ai pu prendre cette main transie de froid mais encore souple et la serrer contre moi, et c'est à cet instant seulement que je me suis rendu compte que c'était irréversible, que désormais il ne me resterait plus que le souvenir de sa voix, que ses gestes, ses paroles, ses silences n'existeraient plus que gravés et réinterprétés dans la mémoire involontaire des autres, cette mémoire à laquelle il me faudrait recourir pour faire revivre celle qui n'était plus. Et j'ai pleuré. J'ai pleuré alors que jamais je n'avais pleuré à l'hôpital, pas plus que je n'avais pleuré en apprenant la mort de José Merlo, car ce jour-là, au lieu de verser une larme j'étais allée de bar en bar et m'étais soûlée sans désemparer pendant trois jours. J'ai pleuré l'amour que j'avais eu pour elle et qui s'était si souvent changé en haine devant l'impossibilité de la voir heureuse, satisfaite, en bonne santé, de la voir autrement que comme un appendice de mon père, comme quelqu'un à qui je ne voulais surtout pas ressembler et que je finissais par imiter à ma façon en recherchant stupidement des hommes qui toujours me criaient dessus pour me dominer, des répliques de mon père que j'étais incapable de reconnaître mais que personne n'avait choisies à ma place.

Ce sont les mères qui donnent la vie et la symbolisent aux yeux de leurs enfants, et ceux qui, comme moi, ne se sont pas entendus avec leur mère interprètent la vie comme un cadeau empoisonné, et ont du mal à avancer parce qu'ils ont en eux un féroce et permanent instinct de mort. C'est cette pulsion de mort que j'appelle mon Autre Moi. Et cet Autre Moi issu de mon amour pour ma mère était là, impuissant devant le sac vert, contemplant la raison d'exister qui l'animait et qui était désormais réduite à cela, à une enveloppe.

J'avais honte que Caridad me voie pleurer, et j'ai articulé comme j'ai pu un « merci » entrecoupé de hoquets. J'ai pris l'image de la Vierge de l'Assomption qui était restée à la tête du lit désormais vide, je l'ai mise dans ma poche, et je suis sortie.

Je suis descendue à la cafétéria, j'ai de nouveau subi le déluge de souvenirs de mes tresses et de mon zézaiement et comme j'étais mignonne quand j'étais petite et comme ma mère m'aimait, et j'ai découvert qu'on avait déjà tout organisé pour moi.

Il y aurait une veillée funèbre l'après-midi au funérarium de l'hôpital, de 18 heures à 22 heures. Puis à 22 heures j'irais dormir chez mon père, qui se couchait à 23. Le lendemain matin, nous nous lèverions à 7 heures pour être à la levée du corps à 8 heures précises et prendre ensuite la route pour Alicante.

Bien sûr, mon frère si efficace et si bien organisé avait déjà négocié avec toutes les entreprises de pompes funèbres et sélectionné celle qui transporterait ma mère en corbillard. Il avait également choisi le cercueil, sobre mais pas trop, assez cher pour qu'on voie que nous avions bien fait les choses. (Je n'ai pas osé lui demander de nouvelles de Tatiana, ou Marushka, je n'ai jamais su comment elle s'appelait, peut-être n'était-elle pas considérée comme faisant suffisamment partie de la famille pour partager un tel moment, ou peut-être mon frère avait-il déjà rompu avec elle, accablé par l'imminence de la villa aux environs de Madrid et des deux enfants modèles que semblait suggérer la prolongation de leur relation.) Comme je le lui ai entendu dire plus tard, l'un des représentants qui cherchait à lui vendre un cercueil très cher – en acajou avec poignées en bronze, crucifix et incrustations d'or sur le couvercle – avait recouru à un argument de vente des plus singuliers : « C'est le même dans lequel on a enterré Franco. » Inutile de te dire que personne ne m'a demandé mon avis, que personne n'a même songé que je pouvais avoir un avis sur le cercueil dans lequel on allait enterrer ma mère, ou plutôt dans lequel on allait enterrer son enveloppe.

Tous ces plans auxquels je devais me conformer m'obligeaient à m'organiser pour acheter un complet noir, préparer les valises et le sac avec tes affaires, de façon à arriver au funérarium vers 19 heures, car à 18 heures ce n'aurait pas été réaliste et ma famille m'avait magnanimement accordé une heure de grâce. Et à trouver, au passage, un moment pour manger.

Il était 11 heures du matin. Si je me dépêchais, je serais à la maison à midi et disposerais de six heures pour faire les bagages et acheter les vêtements, sans perdre de temps à pleurer toutes les larmes de mon corps.

Ô sacro-sainte efficacité de la famille Agulló, héritage de notre père si rigide et organisé, cette même efficacité qui m'avait fait classer par ordre alphabétique les bandes qui contenaient mes interviews et m'avait imposé un horaire spartiate de cinq heures quotidiennes – de 7 heures à midi – pour écrire mon livre ; cette même efficacité qui m'avait fait rendre mon manuscrit quinze jours avant la date de rigueur, au grand étonnement de l'éditrice qui n'avait jamais vu une chose pareille dans toute l'histoire de la maison, alors même qu'à l'époque je buvais comme un trou et étais ivre la majeure partie de la journée (mais il n'y a ni vin ni spiritueux capable d'effacer une obligation qu'on porte gravée en lettres de feu dans son crâne depuis qu'on est petite : plutôt mourir que de ne pas rendre son travail à temps, bien fait ou mal fait) ; cette même efficacité qui ne nous laisse même pas le temps de pleurer notre mère avant de commander son cercueil, qui m'a fait téléphoner à ton père du taxi, sans la moindre larme ni le moindre trémolo dans la voix, pour lui dire de m'attendre en bas de chez nous à telle heure telle minute, avec toi toute prête dans ta poussette, le sac à dos tout préparé avec le matelas à langer, les biberons et le linge de rechange, car il fallait lui acheter un complet noir, la famille Agulló ne comprendrait pas que dans une circonstance aussi solennelle qu'un enterrement le gendre de la défunte – qui n'était d'ailleurs pas son gendre, car son union avec moi n'avait été légitimée ni civilement ni religieusement, pas même par une cérémonie à Bali – ne soit pas en tenue de cérémonie avec veste et cravate, quand bien même il n'avait jamais mis une cravate de sa vie. Les formes, que veux-tu, les formes.

J'ai aussi appelé Consuelo et je lui ai donné rendez-vous à la même heure en bas de chez moi pour qu'elle m'aide à choisir le costume. Et quand je suis arrivée, ponctuelle comme un train suisse, vous m'attendiez tous les trois, mon compagnon, mon amie et ma fille, les deux premiers avec une tête de circonstance, et la troisième heureuse comme une papesse, comme chaque fois qu'on sort te promener. Et tu n'imagines pas le supplice que ça a été, dans cette circonstance si étrange, que de subir le stress de devoir trouver en moins de deux heures un costume, des chaussures, une cravate, le tout de couleur sombre, plus une chemise blanche, sous l'œil soupçonneux d'un vendeur qui se demandait qui étaient ces deux femmes qui donnaient des instructions à ce garçon ébahi, si évidemment étranger au monde des formes et des accessoires, et plus préoccupé par la petite fille qui le regardait depuis sa poussette que par la coupe ou l'emmanchure de sa veste. Et j'ai remercié la Déesse, ou la chance, ou le hasard, ou le Tout Cosmique, que ton père ait la taille mannequin et n'ait donc eu besoin ni d'ajustements ni de retouches, et que nous ayons pu ressortir de chez Cortefiel à l'heure prévue, avec un complet et un tailleur noirs, une chemise, une cravate, une paire de souliers noirs, et un trou tout aussi noir dans la carte de crédit de ta mère, qui a dû le combler ensuite en écrivant cinq articles contre la montre.

Je n'ai, donc, pas pleuré, mais c'est Consuelo (je ne l'en remercierai jamais assez) qui a dû faire mes valises, tellement j'avais les mains qui tremblaient. Je n'ai pas pleuré, et c'est ça qui comptait : je n'ai pas trahi les principes des Agulló, selon lesquels il ne faut jamais perdre contenance, surtout dans les moments où ce serait pourtant compréhensible, et je suis arrivée au funérarium à 19 h 02, toute vêtue de noir et les cheveux noués en un chignon des plus discrets, comme pour jouer *La Maison de Bernarda Alba* dans un théâtre de province, traînant ton père, également vêtu de noir et plus mal à l'aise dans sa tenue toute neuve qu'un basketteur sur des talons aiguilles, et avec toi toute peignée et bichonnée, vêtue de rose ainsi qu'il est de règle, avec plus de dentelle que tout le béguinage de Bruges, et empestant *Miss Dior* à des kilomètres.

J'avais déjà vu pas mal de veillées funèbres, mais aucune qui soit aussi nulle.

Non, en fait, pas tant que ça. Cinq, très exactement.

Deux à Alicante, toutes les deux à la maison du défunt, avec le cercueil au milieu du salon, entouré de cierges et de gerbes, tandis que dans la chambre contiguë, arrangée à cet effet (peut-être une salle à manger dont on avait enlevé la table en laissant les chaises), plusieurs dames vêtues de noir pleuraient ensemble autour d'un guéridon sur lequel était posé un plateau avec des liqueurs et des petits gâteaux, et que les messieurs, tous en costume-cravate, fumaient dans le salon. Ou du moins est-ce ainsi que m'apparaît la scène, estompée au milieu des brumes du souvenir et reconstituée à partir de mon regard de spectatrice ignorante, car à ces deux veillées funèbres (l'une pour mon grand-père paternel et l'autre, je crois, pour ma grand-mère) j'étais très jeune, onze ou douze ans peut-être. Qui sait si, en les décrivant, je ne décris pas des lieux où en réalité je n'ai jamais été ?

Les trois autres fois, c'était à Madrid, les trois au funérarium de la morgue. L'une pour un ami mort d'une overdose, l'autre pour une amie victime d'un accident de la circulation, la troisième pour la directrice de collection de la maison d'édition pour laquelle je travaillais comme correctrice, et qu'un cancer foudroyant a emportée avant ses cinquante ans. Et je garde de ce funérarium, de ces cérémonies urbaines organisées et aseptisées, un souvenir très précis.

Le funérarium de la morgue comporte plusieurs salles, certaines sont petites et d'autres immenses, plus grandes que mon appartement, mais toutes sont décorées dans les mêmes tons pastel, pêche pour les murs et saumon pour la moquette si je ne m'abuse, avec éclairage indirect assorti à la chaleur du papier peint et des fauteuils moelleux et confortables, on se serait cru dans un numéro récent d'*Elle Décoration*. Chaque salle dispose d'une petite pièce attenante, où repose le cercueil, et on peut voir le défunt à travers une vitre, sans le toucher bien sûr, pour qu'on ne sente pas combien il est froid et raide, et qu'on puisse avoir ainsi l'illusion qu'il est seulement en train de dormir. Je me rappelle qu'il y avait même, à l'entrée, un registre du souvenir, où chacun écrivait un dernier message, et je garde en mémoire un parfum étrange, un parfum de femme mûre, très caractéristique de l'atmosphère du lieu. Je crois que ce parfum est, dans ma mémoire, tel qu'il était en réalité, et il conserve donc pour l'éternité la même note doucereuse et déliquescente, car tout avait un air si civilisé, si élégant qu'on se serait attendu à voir apparaître, à tout moment, des serveurs passant entre les invités avec un plateau de verres de porto.

Les funérariums des hôpitaux, en revanche, n'ont pas de registre du souvenir, ni de couleurs pastel, ni de fauteuils moelleux. Ils ont une salle commune, avec des chaises en plastique rigide, un distributeur de Coca hors service, un sol glacé au carrelage bon marché et d'une propreté douteuse. Et une succession de salles plus petites donnant sur un unique couloir, si petites qu'il n'y tient pratiquement que le cercueil (une des couronnes de ma mère, celle envoyée par La Estrella, la compagnie d'assurances pour laquelle travaille mon frère, était trop grande et avait failli ne pas rentrer, il avait presque fallu la coincer contre le cercueil), habitacles minuscules qui ressemblaient à des placards et n'étaient pourvus ni de vitres ni de paravents pour séparer le mort des vivants, pour isoler ce cadavre bien réel et tangible qui, vu de près, semble une statue de cire, car il n'y a pas de place ici pour l'illusion et le rêve.

Personne ne pleurait, personne. Mon père, grave et circonspect, saluait avec une courtoisie exquise tous ceux qui venaient présenter leurs derniers hommages à ma mère, ou à son enveloppe, ces mêmes gens que je n'avais pas su reconnaître le matin même, ainsi que quelques autres, tous avec les mêmes paroles de circonstance à la bouche, quel grand malheur et quelle femme merveilleuse c'était, et lorsqu'ils s'adressaient à moi pour me dire comme tu es jolie – ce qui est vrai – et comme tu me ressembles (ce qui l'est moins, car tu ressembles à ton père, dans une version sensiblement améliorée), ils me ressortaient au passage les mêmes histoires de tresses et de zézaiement, sans doute parce qu'il valait mieux parler de mon enfance que de mon état actuel de mère célibataire et cocaïnomane sortant avec un acteur marié, les dernières nouvelles qu'ils avaient de moi remontant sans doute à l'affaire de *Cita*. Tante Reme était assise dans un coin, l'air passablement abattu mais sans une larme, tandis que mes sœurs, dans l'autre coin, faisaient cause commune avec tante Eugenia, qui racontait de vieilles histoires d'Alicante d'avant ma naissance, des anecdotes que tout le monde paraissait connaître à l'exception d'une employée de maison de mes parents. Mon frère, debout, expliquait à qui voulait l'entendre combien il avait été difficile de choisir le cercueil et comment il avait dû négocier avec plusieurs entreprises pour obtenir le meilleur rapport qualité-prix. J'ai ainsi appris avec étonnement que ces sociétés de pompes funèbres ont des commerciaux qui passent leurs journées dans les hôpitaux et que les médecins eux-mêmes les mettent en contact avec les familles des patients décédés. Et j'ai retenu un détail dont je ne sais pas si je dois le qualifier de sordide, d'abominable ou de typiquement celtibérique : ces commerciaux sont vêtus de noir, complet et cravate grand deuil, le même déguisement que ton père a dû revêtir pour la circonstance, à cette différence près qu'il ne s'agit pas pour eux d'une marque de respect (au moins apparent) pour un proche, mais de leur uniforme de travail, le noir étant pour eux ce qu'est l'orangé pour les livreurs de butane. Tu vas me dire qu'on dirait un épisode de *Six Feet Under*, mais je te jure que je n'invente rien, et quand tu liras ceci tu me connaîtras suffisamment pour savoir que je ne suis pas du genre à plaisanter sur un sujet pareil.

Personne ne pleurait, personne. Ça m'a rappelé cette vieille chanson des Golpes Bajos que je chantais quand j'avais quinze ans et que je portais des tuniques noires et des bracelets cloutés : *Ni una sola lágrima*. Et ensuite j'ai repensé à ce que disait Canetti, à moins que ce ne soit Ortega, sur l'individualité qui se fond dans la masse car l'individu, quoi qu'il ressente en vérité au fond de lui-même, tend à régler son pas sur celui du groupe, de sorte que l'on doit toujours présumer l'insincérité des sentiments collectifs. Il est probable que, si quelqu'un s'était mis à pleurer (tante Reme aurait été toute désignée pour ça), quelqu'un d'autre l'aurait imité (par exemple une de ces dames à cheveux crêpés et boucles d'oreilles en perles qui semblaient tout savoir de mon zézaiement quand j'étais petite fille) et que tout aurait dégénéré, comme il arrive dans ce genre de circonstances, en un concours de pleureuses, à celle qui se ferait le plus remarquer. Mais non, ce n'aurait pas été conforme au fameux esprit Agulló – se contenir à tout prix en public, ne se livrer qu'en privé –, et l'attitude de mon père suffisait à faire rempart à ce possible débordement de chagrin. Et lorsque 22 heures ont sonné, nous sommes tous tranquillement partis dîner chez ma sœur qui – toujours cette sacro-sainte efficacité familiale – avait fait préparer un dîner froid avant de partir à la veillée, dîner auquel j'ai à peine touché car il se composait principalement de charcuterie (Asun oublie toujours que je suis végétarienne, de même qu'elle oublie ou ignore presque tout à mon sujet), et aussi parce que j'avais l'estomac noué, avec tous les sentiments réprimés qui y étaient enfouis en boule comme de vieux chiffons. Puis, de là, nous sommes allés chez mon père, dans le vieil appartement familial où j'avais vécu tant d'années auparavant, et dont nous devions repartir le lendemain matin, mon père, le tien, toi et moi, pour Alicante.

Je ne te dirai pas que je n'ai pu trouver le sommeil, car ce serait faux. À 23 heures nous sommes allés nous coucher, ton père a dormi dans l'ancienne chambre de Vicente et moi dans mon ancienne chambre à moi, que j'avais quittée à vingt ans lorsque j'étais partie en claquant la porte à la suite d'une dispute retentissante avec ton grand-père, et moins d'une heure plus tard j'étais profondément endormie, plongée dans un sommeil dense, absolu, sans images, le genre de sommeil qui résulte de la fatigue accumulée, et dont je ne me suis pas réveillée avant 7 heures, lorsque mon père a entrouvert la porte pour m'annoncer qu'il était temps de me lever et que je me suis aperçue, tout étonnée, que tu n'avais pas pleuré de toute la nuit.

Je n'ai même pas eu envie de m'attarder cinq minutes au lit, comme je le fais chez moi, pour profiter de cette lenteur confuse entre sommeil et veille, car je savais que la mort de ma mère ne me servirait ni d'excuse ni d'alibi pour enfreindre l'une des règles immuables de la famille Agulló, l'une des rares que j'aie su oublier au fil des ans, désapprenant avec effort quelque chose qui dans mon enfance s'était gravé en lettres de feu dans mon cerveau : que le temps perdu ne se rattrape jamais et que l'on doit commencer la journée avec une résolution toute militaire. J'ai même toujours soupçonné mon père de se doucher à l'eau froide le matin, tant il combinait admirablement deux personnalités presque opposées : au-dehors, l'homme sociable, sympathique et bon vivant, au-dedans le spartiate, l'homme efficace et austère, rationnel et rigoureux comme une machine, et c'est pourquoi j'avais été tout étonnée qu'Eugenia, lors de notre conversation sur la jeunesse de mes parents, m'ait parlé de lui comme d'un noceur, car je ne crois pas qu'il ait rien eu d'un noceur, même s'il pouvait le paraître à quelqu'un qui ne l'aurait connu que superficiellement. Naturellement, ça ne me surprendrait pas le moins du monde si quelqu'un me racontait que mon père, quand il était jeune, allait bambocher jusqu'au petit matin, mais je suis sûre que ça ne l'empêchait pas de se lever à 7 heures et de prendre une douche froide pour faire passer son mal aux cheveux.

Je ne me suis jamais douchée à l'eau froide ni n'ai l'intention de le faire jamais, mais j'ai appris en revanche à me doucher en deux temps trois mouvements, pour avoir vécu des années dans un appartement avec deux salles de bains pour six, une pour les parents et l'autre pour les quatre enfants, qui avaient tous classe à la même heure, de sorte que s'attarder sous la douche signifiait voler leur temps aux autres, et cette obligation est encore une de celles que je garde gravées en lettres de feu dans mon subconscient : ta mère, même si elle essayait, ne serait pas davantage capable de rester plus de trois minutes sous le jet d'eau que de rendre un travail en retard. Si bien qu'à 7 heures j'étais réveillée, à 7 h 10 douchée, à 7 h 20 habillée, et que pendant ce temps ton père t'avait réveillée, t'avait changée et t'avait donné le biberon. À la demie exactement, nous étions tous deux attablés devant le petit-déjeuner que nous avait préparé la femme de ménage, et à 8 heures, conformément à l'horaire prévu, nous étions plus que prêts. Un quart d'heure plus tard, Vicente devait passer nous prendre devant la porte : tout était réglé comme du papier à musique. La toujours rigoureuse et toujours parfaite efficacité Agulló.

Nous étions en avance à l'hôpital pour signer les papiers de rigueur, et ponctuels à notre rendez-vous avec l'homme en noir, qui nous a présenté le chauffeur chargé d'emmener le corps de ma mère à Alicante. Asun et Laureta étaient là aussi, avec leurs maris, leurs enfants et leurs voitures respectives. Une horlogerie décidément bien réglée.

Tout était calculé (en doutais-tu ?) pour que nous soyons à l'heure du déjeuner à Alicante, où nous avions rendez-vous avec le reste de la famille, dont Reme et Eugenia qui avaient pris le premier train du matin à Atocha.

Et tout s'est déroulé comme prévu. L'arrivée à Alicante, le repas en famille à La Finca, le restaurant préféré de ma mère, où l'on sert, paraît-il, le meilleur riz d'Alicante (dont nous n'avons pas mangé, tu connais les manies de mon père, ton grand-père, mais dont ma mère mangeait chaque fois qu'Eugenia l'emmenait là pour lui faire plaisir). Le déjeuner encore dans l'estomac, nous sommes remontés en voiture et partis pour une seconde veillée funèbre, celle-ci au funérarium d'Elche, quintessence du kitsch funéraire ibérique, à l'extérieur de la ville, dans une zone industrielle sur la route d'Aspe, entre un hypermarché et une station-service prétendument écologique (l'expression « station-service écologique » est en elle-même un oxymoron), au milieu d'usines de chaussures. À l'entrée, il y a une fontaine à moitié asséchée dont suinte une eau verdâtre (de la boue qui est au fond émane une pestilence plus fétide que celle de n'importe quel cadavre), et entourée d'arbustes faméliques et de cactus fringants (si tant est qu'un cactus puisse être fringant, ce dont je doute), unique végétation capable, excepté les palmiers et les aloès, de survivre sur un sol aussi aride. Derrière la fontaine, surmontée d'une copie de la fameuse Dame d'Elche, aussi piètre que toutes celles disposées par la municipalité aux endroits les plus stratégiques de la ville, et qui font ressembler l'infortunée Dame à une rcine de carnaval, se dresse le funérarium, édifice qu'on pourrait prendre de loin pour une usine, n'étaient les ornements néoclassiques de sa façade, décorée de vitraux et de granit coloré (échantillon supposé du savoir-faire des tailleurs de pierre de Novelda et des maîtres verriers d'Alicante, mais il s'agit en fait de simple verre coloré et non de vitraux) dans le plus pur style méditerranéen, ce qui donne à ladite façade une gaieté plutôt sympathique, mais peu en rapport, évidemment, avec la destination du bâtiment.

Ce tape-à-l'œil pour nouveau riche continuait à l'intérieur, où le granit de Novelda se déployait dans toutes ses variantes (rose, bleu et grenat, par terre, sur les murs et jusque dans les toilettes), une sorte de marbre qui n'en est pas puisque c'est du granit, mais qui brille beaucoup plus que si c'en était, surtout le sol, tellement bien ciré qu'il en est presque dangereux. Il y avait au fond du hall un comptoir en bois peint, d'un blanc immaculé, où nous avons été accueillis par un homme immense et maigre comme un cyprès, vêtu de noir des pieds à la tête comme pour accentuer le contraste avec le fond blanc, et dont le visage tout bleu (oui, je dis bien bleu, comme un cadavre) semblait celui d'une créature du docteur Frankenstein, à ceci près qu'il était élégamment vêtu et qu'il s'est occupé de nous avec une affabilité peu commune chez un monstre. Une fois qu'il nous a indiqué l'étage et la salle où serait veillée notre mère, nous avons choisi de monter par l'escalier de granit, et sommes tombés en arrêt, sur le palier du premier étage, devant une installation digne d'une biennale d'art contemporain, œuvre de la chef fleuriste du cimetière, composée de tout type de boutons, pistils et pétales en plastique (pas un seul n'était naturel), aux couleurs ternies par la patine et la poussière accumulée, et que l'on pouvait acheter à la tige pour un prix exorbitant. Je dis bien en arrêt car une foule avait envahi les lieux, grouillant en tous sens comme si elle se trouvait non dans un funérarium, mais dans un grand magasin le premier jour des soldes. Nous avons appris plus tard qu'on veillait aussi, ce jour-là, un membre de la famille Paredes, l'une des plus riches et les plus en vue d'Elche, dont les fameuses espadrilles avaient fait la fortune, et cet événement mondain d'importance avait naturellement attiré parents, amis, relations, connaissances, et même de parfaits inconnus. Nous avons donc eu toutes les peines du monde à accéder à l'escalier menant au second étage, d'autant que nous devions nous arrêter à chaque pas pour saluer quelqu'un, car tout Elche était là, y compris des gens venus pour nous, mais qui s'étaient attardés en chemin, attirés comme des mouches par le brouhaha et l'alléchante brochette des personnalités présentes.

Par contraste, il régnait au second étage une désolation absolue, bien que la rumeur de notre arrivée ait fait monter un flot de gens qui connaissaient ma mère, ou sa famille, et qui voyaient l'occasion de faire d'une pierre deux coups en passant un petit moment à chacune des deux veillées. C'est ainsi que sont venus non seulement nos parents et amis, mais encore le boucher, le boulanger, la marchande de fruits, celle de poisson, l'adjoint au maire et sa femme, la sorcière Juli (celle qui avait dit à ma mère que jamais mon père ne la quitterait, et qui pouvait donc trouver dans sa présence confirmation de l'exactitude de sa prédiction), Maria Dolores Mulá en personne (une femme peintre assez réputée, dont nous avions tous entendu parler, mais qu'aucun d'entre nous ne connaissait autrement

que de vue, et qui s'est néanmoins montrée très aimable à notre endroit, et très affligée par la mort de ma
mère), et même Pepito, qui avait été le plus célèbre
fleuriste d'Elche, mais que nous n'avions plus jamais
revu depuis qu'il avait cédé son échoppe sur la grand-
place. C'est ainsi que la veillée a commencé sous le
signe de la confusion, avec les sempiternelles phrases
de circonstance (« la pauvre, quel malheur, quelle femme
merveilleuse c'était », « on est vraiment peu de chose »,
« les uns naissent, les autres meurent », ou encore
« comme ta fille est belle, et comme elle te ressemble », et tous de me redire comment j'étais petite, avec
mon zézaiement et mes tresses. Comme j'en avais plus
qu'assez, je me suis éclipsée vers les toilettes, où j'ai
trouvé plein de dames qui faisaient la queue, dont une
qui avait visiblement passé toute la nuit sur place à
veiller quelqu'un de sa famille, et qui, en bustier, le
haut de la robe roulé jusqu'à la ceinture, se lavait les
aisselles avec un vieux morceau de savon trouvé dans
le lavabo ébréché.

J'aimerais pouvoir dire que j'avais le cœur serré,
mais ce ne serait pas vrai. Je ne saurais même pas dire
si j'étais vraiment triste, car tout cela était si déconcer-
tant, si surréaliste qu'on aurait pu croire que ce n'était
qu'un rêve, que tôt ou tard la vraie vie reprendrait ses
droits, une vie où il n'y aurait plus ni mort ni funérarium. Sur le coup de 22 heures, en proie à une faim de
naufragée, je suis descendue à la cafétéria et toute la
famille avec moi. Seule tante Reme est restée dans la
salle, car elle disait que nous ne pouvions tout de même
pas laisser ma mère seule, et de plus elle était engagée
dans une discussion très animée avec María Dolores
Mulá. Ton père a décidé de rentrer à Alicante avec
Laureta, ses enfants et toi, et nous sommes convenus qu'il
fallait que je reste la nuit, ou au moins une partie de la
nuit.

La cafétéria était bondée, l'ambiance plus animée
qu'une *rave* au Kapital, car il y avait, en plus de nous,

tous ceux qui étaient venus pour la famille Paredes. Je
suppose qu'ils avaient dû commencer par prendre des
cafés, mais qu'ensuite personne n'avait pu résister à la
tentation d'un *sol y sombra* à 1,20 ni d'un *cuba libre* à
2,50, de sorte que plus d'un avait bien arrosé ses
retrouvailles avec des amis perdus de vue depuis longtemps. C'est là que je suis tombée sur mon cousin
Gabi, qui avait amené Jaume et Manolo, ses anciens
camarades de jeux à Santa Pola quand nous avions huit
ans, et qui paraissaient vraiment très affectés par la
mort de ma mère, car eux seuls savaient combien elle
leur avait préparé, tout au long de ces étés, de tartines
de Nutella. Dès qu'ils nous ont aperçus, ils sont tous
trois venus vers la table où nous étions assis pour présenter leurs condoléances. Aussi bien mon père que
mon frère et mes sœurs leur ont réservé un accueil des
plus courtois (nous autres les Agulló, sommes des gens
si urbains), mais on pouvait observer dans cet échange
de civilités une certaine tension, due au fait que
Vicente n'avait jamais beaucoup apprécié Jaume et
Manolo. Je suis sûre que mon frère serait prêt à jurer
ses grands dieux qu'il n'est pas homophobe le moins
du monde, mais je suis sûre aussi qu'il n'a jamais eu un
seul ami gay, or ni Jaume ni Manolo ne font mystère de
leur orientation sexuelle. Il n'y avait pas vraiment
d'hostilité apparente, mais moi qui connais bien ma
famille, j'ai tout de suite vu qu'il valait mieux que je
les voie à part, et donc je me suis levée pour aller partager avec eux, au comptoir, une omelette qui avait
l'air récemment embaumée, bien en harmonie avec
l'atmosphère d'ensemble du funérarium.

Après le dîner, nous sommes remontés à la veillée. Il
y avait là Reme, Eugenia, mon frère Vicente, mon père,
dont les traits étaient presque aussi rigides que ceux du
cadavre qu'il était en train de veiller, mes trois amis et
moi. La conversation s'est engagée laborieusement, à
l'initiative de Jaume, qui s'est lancé courageusement,
en commençant par quelques phrases bien senties, nous

sommes bien peu de chose et quelle grande dame c'était, comme s'il était non pas un jeune homme de trente ans, mais une ménagère de plus de cinquante. À un moment, mon père lui a rendu la politesse en évoquant des souvenirs de l'époque où ma mère, à Santa Pola, prenait soin que Jaume se mouche bien régulièrement, mais j'ai eu l'impression que cet effort méritoire qu'il faisait pour rendre moins pesant le devoir de veiller la défunte était une métaphore de la vie elle-même. Et j'étais en pleine méditation sur ce grave sujet, physiquement et moralement épuisée par cette solennité pesante qui nous inspire toujours des réflexions à contretemps, quand est entré un inconnu d'une cinquantaine d'années, qui a fixé ma mère d'un air hébété et s'est mis à pleurer à chaudes larmes. Je me suis demandé un bref instant s'il ne s'agissait pas du fameux notaire qu'elle avait failli épouser autrefois, avant qu'un rapide calcul me convainque qu'il n'était sans doute plus de ce monde depuis belle lurette, étant donné qu'il était nettement plus âgé qu'elle à l'époque, alors que l'homme qui se tenait devant nous ne devait même pas avoir soixante ans. J'ai regardé mon père et, à son expression, j'ai deviné qu'il ignorait tout autant que moi l'identité du visiteur. À cet instant, le pleureur mystérieux s'est effondré dans l'un des fauteuils en Skaï de la pièce et s'est mis aussitôt à ronfler en poussant de tels grognements qu'on aurait dit qu'un cochon en liberté était en train de patrouiller dans le funérarium.

— Qui est-ce ? a chuchoté Jaume – mais il aurait pu poser sa question haut et fort, car il en fallait manifestement plus pour réveiller l'inconnu.

— Jamais vu de ma vie. Et toi, Eva ? m'a demandé mon père, comme s'il allait de soi qu'un intrus à la veillée funèbre de ma mère ne pouvait avoir été invité que par moi.

— Moi non plus. Je ne l'ai jamais vu de ma vie.

— Ce monsieur empeste, a observé tante Eugenia.

— Et pas seulement l'alcool, a ajouté tante Reme.

— Il a dû venir pour l'autre veillée et se tromper de salle, a hasardé Manolo.

— Je me demande… Ça m'étonne tout de même, il paraît si affecté…, a objecté Reme, avec son ingénuité coutumière.

— Il faut trouver un moyen de le faire s'en aller, a conclu mon père, visiblement contrarié.

Pendant ce temps, l'homme continuait de mugir comme une moissonneuse tandis que son ventre proéminent montait et descendait au rythme de sa respiration haletante.

Manolo s'est approché de lui pour tenter de le réveiller, d'abord en lui tapotant légèrement l'épaule (« Monsieur… Monsieur, réveillez-vous ! »), et pour finir en le secouant comme un prunier, mais il ne réagissait même pas. Jaume a suggéré de demander au si prévenant Frankenstein qui nous avait accueillis à l'entrée de le chasser, mais il y avait toujours le risque qu'il s'agisse d'un parent éloigné ou d'une connaissance de ma mère, ce qui rendait la chose délicate. Reme partageait cet avis, mais tel n'était pas le cas de mon père, pour qui personne, qu'il soit ou non de la famille, n'était en droit de ronfler pendant une veillée mortuaire.

À cet instant sont arrivées plusieurs personnes, toutes d'Elche, qui étaient de vieilles connaissances à défaut d'être des intimes de la famille : Fina la marchande de légumes, Marga la poissonnière et Lucía Lozoya la patronne du *delicatessen*, ainsi que d'autres visages qui nous étaient familiers mais sur lesquels nous n'aurions pas su mettre de noms. Ils étaient tous visiblement un peu gris – ainsi que nous l'avons immédiatement décelé, car qui aurait eu l'idée d'entonner un noël valencien en pareille circonstance ? – et se sont pressés devant le cercueil de ma mère, pris de ce qui semblait bien être un chagrin profond et collectif. Mon père s'est alors levé et a proclamé d'un ton sans appel :

— C'est fini. Nous rentrons. La veillée est terminée.

— *Fill meu, qué fas ? que asó no pot ser !* s'est exclamée Reme en valencien, à ma grande stupéfaction car ma tante, qui est d'une très bonne famille, parlait toujours un castillan impeccable. Nous ne pouvons tout de même pas la laisser seule ici, la pauvre ?

— La pauvre, figure-toi, n'est plus là pour savoir si elle est seule ou accompagnée, rétorqua mon père, cassant. Et demain il faut que nous soyons en forme pour l'enterrement. Donc nous partons, point final. (Et, s'adressant au groupe des affligés intempestifs :) Vous avez entendu ? C'est fini ! Puis à nous : Eva, ma fille, descends dire au monsieur de la réception que nous partons et qu'il faut fermer la salle. Et vous, Jaume et Manolo, réveillez ce… ce monsieur, et faites-le sortir.

En cinq minutes la réunion était dissoute, la salle fermée et nous cinq, Vicente, Eugenia, Reme, mon père et moi, en route pour Alicante.

Quand je suis arrivée, à 5 heures du matin, ton père et toi dormiez dans mon ancienne chambre, si profondément que la lumière ne vous a pas réveillés et que vous n'avez même pas bougé. Et je me suis laissée tomber sur le lit, complètement défaite, m'enfouissant une nuit de plus dans un sommeil immobile et vierge d'images, où je dormais mais ne rêvais pas.

La journée du lendemain a été atroce.

À 10 h 40, nous avons quitté la maison pour retourner au funérarium, car les obsèques avaient lieu dans la chapelle du complexe funéraire, située dans le prolongement du hall et évidemment conçue par le même architecte qui avait dessiné l'horreur mortuaire adjacente, avec la même profusion de marbre et de fleurs en plastique pulvérulentes que nous avions vue la veille. L'autel, cela va de soi, était en marbre valencien, d'un blanc resplendissant, surmonté d'un crucifix en fer forgé néocubiste des années soixante-dix. On a beau dire que l'esthétique est chose subjective et que le beau des uns n'est pas celui des autres, la laideur de cette chapelle était indiscutable. Aussi indiscutable qu'oppressante, comme si des forces hostiles et invisibles exerçaient leur empire sur cette enceinte censément sacrée.

La cérémonie s'est déroulée comme se déroulent les cérémonies de ce genre, une messe catholique aux litanies répétitives, analogues à celles que je récitais dans mon enfance, mais rénovées. Le Notre-Père, par exemple, n'était plus celui que j'avais appris, ni le Credo. Comme le curé n'avait pas connu ma mère, il n'a pas pu dresser le panégyrique de la défunte, et s'est donc répandu en platitudes et en lieux communs sur la vie qui attend les justes au Royaume des Cieux à la droite du Père. La componction de son sermon aurait toutefois pu prétendre à une certaine majesté si lui-même n'avait eu des intonations maniérées de grande folle, à tel point que, dès qu'il a pris la parole, Gabi, Jaume et Manolo, assis au troisième rang, m'ont adressé des regards et des gestes complices, qu'au début je m'efforçais d'esquiver, de faire semblant de ne pas voir, sachant évidemment que mon père, s'il nous surprenait, se mettrait dans une colère noire. La demi-heure qu'a duré la cérémonie m'a paru une éternité, mais s'est achevée presque inopinément. Des hommes en complet noir et cravate sont alors venus et ont emmené le cercueil, qui était demeuré durant toute la cérémonie face à l'autel, recouvert d'une grande couronne de fleurs blanches. Et naturelles, Dieu merci.

Je me suis dirigée comme j'ai pu vers la sortie par l'allée centrale, tâche des plus difficiles car à chaque mètre j'étais interceptée par une cousine, une tante éloignée, une vieille amie de ma mère, qui m'avait entendue à la radio ou qui avait lu mon livre et qui brûlait du désir de me dire quelle grande dame était ma génitrice ou comme j'étais mignonne quand j'étais petite, quand je zézayais et que j'avais des tresses.

Elles s'accrochaient à moi comme des enfants à une touriste étrangère dans les rues d'une ville arabe, quémandant mon attention et mes paroles comme si j'étais une célébrité, ce que j'étais sans doute à leurs yeux. Des miens, je cherchais ton père, mais il n'était pas là. Il n'avait même pas assisté à la cérémonie, car il était resté tout le temps hors de la chapelle pour s'occuper de toi, excuse qui masquait la vraie raison de son absence : il déteste les églises et les cérémonies. Je suis finalement parvenue à sortir et j'ai vu, de loin, le cortège qui s'ébranlait en direction du cimetière, situé à un jet de pierre du funérarium. À cet instant même, mon frère Vicente m'a hurlé, de loin :

— EVA, POUR L'AMOUR DU CIEL ! Nous allons être en retard !

Je lui ai montré par gestes que j'étais avec Gabi, Jaume et Manolo, et que je les rejoindrais de mon côté dès que je vous aurais retrouvés, ton père et toi. Et lorsque vous avez enfin été à côté de moi, nous nous sommes dirigés vers le cimetière.

À l'entrée, les cyprès, réchauffés par le soleil, dispensaient une sorte de réconfort funèbre, comme une senteur dense, obscure et profonde. Mon frère nous attendait, le regard furibond. Il s'est avancé vers moi à grandes enjambées, m'a saisie violemment par le bras et m'a entraînée à l'écart du groupe comme s'il était un policier.

— Qu'est-ce qu'ils font là ?

— Mais ils sont venus avec Gabi…

— Ils n'ont pas à venir, ils ne sont pas de la famille et ceci est une cérémonie intime, c'est compris ? Tu vas leur dire de repartir d'où ils sont venus, espèce de crétine !

Sur ce, il a tourné les talons et s'est engagé dans un chemin qui serpentait entre les tombes vers le caveau de famille, en me laissant au bord des larmes, sans la possibilité de lui répliquer ni de m'expliquer.

Mes amis se sont approchés de moi, tandis que ton père et toi restiez quelques pas en arrière.

— Qu'est-ce qui se passe ? Qu'est-ce qu'il t'a dit ?

— Je ne sais pas…

Je n'osais pas leur dire la vérité, mais je n'osais pas non plus leur dire d'entrer dans le cimetière, tant l'attitude de mon frère m'avait terrorisée.

— Je ne me sens pas bien – et c'était la vérité : une lassitude infinie s'était emparée de moi –, mieux vaudrait peut-être que je me repose.

— Bien sûr, *nena*, c'est normal, tu es sous le choc… a dit Jaume.

— Oui, nous allons chercher un banc pour que tu puisses t'asseoir, a ajouté Manolo, toujours prévenant.

— Le mieux serait peut-être que nous n'allions pas à l'enterrement – s'est même enhardi Gabi – car si tu ne te sens pas bien, ça risque d'aggraver les choses. Ces pelletées de terre sur le cercueil, tu sais… c'est très impressionnant. Et puis ce n'est pas non plus très indiqué pour la petite, c'est encore un bébé – a-t-il ajouté en vous faisant signe à tous les deux, qui aviez l'air de penser la même chose. C'est-à-dire rien.

Nous nous sommes assis sur un banc devant l'entrée du cimetière. Le soleil était au zénith et nous inondait d'une lumière jaune, hiératique. C'est à ce moment-là que je me suis mise à pleurer, chose exceptionnelle chez moi qui, en bonne Agulló, ne pleure jamais en public. Mais soudain, je remarquais que mes yeux me brûlaient, qu'un sanglot traversait ma gorge et m'empêchait de respirer, qu'un torrent de rage et d'impuissance se figeait dans ma poitrine. Gabi m'a serrée contre la sienne, où je sentais un parfum familier, celui de l'enfance, des après-midi à Santa Pola où nous jouions à cache-cache, des premiers baisers volés entre cousins. Et je savais que Gabi croyait que je pleurais à cause de ma mère, alors que ce n'était pas cela du tout, je pleurais par orgueil, je pleurais à cause de l'humiliation d'avoir entendu mon frère refuser l'entrée du cimetière à mes amis sans que je puisse défendre mes droits et les leurs, je pleurais parce que j'ai horreur qu'on me crie après pour avoir passé toute mon enfance à entendre des cris et des ordres, à jouer le rôle de la petite sœur que personne ne prend au sérieux, je pleurais parce que personne ne me considérait comme adulte et que moi-même je n'avais jamais appris à me considérer comme telle, et qu'aujourd'hui encore je me considérais comme une enfant qui accepte les ordres et les réprimandes. Je n'étais pourtant plus une enfant, je venais de perdre ma mère et je ne pouvais plus jouer le rôle de fille, je devais me mettre à me comporter comme une mère et je ne m'en sentais pas capable, je ne trouvais même pas la force de quitter la poitrine de Gabi, ni de me lever du banc.

Et au même moment j'ai entendu le bruit d'un groupe qui se rapprochait et j'ai deviné que l'enterrement était terminé. Le curé avait dû prononcer l'oraison funèbre, après quoi on avait introduit le cercueil dans le caveau – sans pelletées de terre, donc, contrairement à ce qu'avait imaginé Gabi. J'ai alors levé les yeux et vu une sorte de nuage noir venir vers nous, puis j'ai distingué des formes et des silhouettes familières, le profil immédiatement reconnaissable de mon père, de mon frère, de mes sœurs, de mes beaux-frères et belles-sœurs, et d'autres qui ne m'étaient pas familières, de parfaits inconnus que je ne reconnaissais pas mais à qui, visiblement, personne n'avait refusé l'entrée du cimetière. Et j'ai compris que l'injonction de Vicente n'était pas dictée par le souci de réserver le rituel à l'intimité familiale, mais par la volonté de me signifier que notre mère était plus à lui qu'à moi, qu'il ne l'avait jamais sentie si proche de lui que dans la mort, et par le besoin d'affirmer son pouvoir et sa supériorité sur celle qui lui avait volé, sans le vouloir, le premier rôle, comme je l'avais fait toute petite, à l'époque où je zézayais et portais des tresses, et où j'avais chipé sa place au *nene*, à ce *nene* magnifique. à ce chérubin blond entre ses deux sœurs brunes, qui avait de beaux yeux bleus immenses et étonnés, et devant la poussette duquel s'immobilisaient toutes les dames d'Alicante pour se répandre en louanges, à ce triste prince détrôné auquel personne n'allait plus s'intéresser maintenant qu'était née une petite princesse plus petite et plus blonde que lui. Personne ne l'appellerait plus le roi de la maison, pas même sa mère, surtout pas sa mère, que tout petit, donc, il avait hélas perdue, et le jour où il lui a fallu la considérer comme perdue définitivement, il a fait ce qu'il avait fait toute sa vie, et que j'avais vu mon père faire toute sa vie : il a traduit sa douleur en cris, car il avait été élevé depuis son plus jeune âge dans l'idée qu'un enfant ne pleure pas. Et je me suis rappelé ce documentaire que j'avais vu à la télé sur un chimpanzé à qui ses gardiens avaient enlevé son jouet favori et qui s'était mis à taper sur le chimpanzé plus petit avec qui il faisait cage commune.

La belle Laureta, plus belle que jamais dans son tailleur noir (à première vue on dirait un Sibylla, mais je n'ai pas vraiment l'œil pour ces choses) qui s'accordait divinement avec sa taille de guêpe et sa chevelure orientale, s'est avancée vers nous comme si elle marchait sur une passerelle de bateau.

— Mais qu'est-ce que tu fais là ? Pourquoi n'es-tu pas entrée ? m'a-t-elle demandé avec un ton d'indignation tout en me toisant du regard, montrant clairement sans le dire toutefois ouvertement que mon attitude ne lui avait pas paru appropriée. Ah, Eva, comme tu es… Il faut toujours que tu n'en fasses qu'à ta tête.

Et elle détourna alors le regard comme si ma présence la mettait en colère.

— Elle ne se sentait pas bien, a expliqué Gabi.

Vicente s'est alors approché pour faire une annonce solennelle.

— Nous allons déjeuner à La Finca.

— Pas moi, je ne me sens pas bien, et en plus je n'ai pas faim.

— Bien sûr, le choc… a tenté d'expliquer Jaume.

— Oui, l'envie de ne rien faire comme tout le monde. Il faut toujours qu'Eva se fasse remarquer. Mais rappelez-vous qu'à 17 heures nous repartons pour Madrid, nous sommes quelques-uns à devoir travailler demain, a ajouté Vicente en accentuant le *quelques-uns* avec une grandiloquence prétentieuse, comme si les autres, moi en particulier, ne travaillaient pas.

— Elle sera à 16 h 45 en bas de chez tes parents. Je la ramènerai, a assuré Manolo.

— J'espère bien. Tu veux venir déjeuner avec nous ? a alors demandé mon frère à ton père, qui a fait non de la tête. Non ? Tu préfères rester avec eux ?

Ton père a acquiescé sans rien dire, probablement parce qu'il était évident pour lui qu'il n'allait pas me laisser seule.

— Bon, vas-y. Mais je te préviens que d'ici deux minutes elle ira parfaitement bien et que tu auras sauté un repas pour rien. Les numéros de ma sœur ne durent jamais longtemps, tu dois le savoir mieux que personne, toi qui vis avec elle. Bon, alors à 17 heures, a conclu Vicente, en prenant congé avec une légère inclinaison du buste.

— Je ne lui ai pas dit ma façon de penser compte tenu des circonstances, mais il y a des fois où ton frère mérite des claques, a dit Gabi une fois Vicente disparu. Il n'a pas changé depuis qu'il était petit, quelle plaie, mon Dieu, cet enfant.

— À qui le dis-tu. Le type même de l'enfant odieux, a renchéri Jaume.

— Je crois qu'il est surtout givré, a objecté Manolo.

— Non, il n'est pas givré pour un sou. Il sait très bien ce qu'il fait et ce qu'il dit, a rétorqué Gabi. Il est tout simplement méchant, ce qui ne l'empêche pas d'être beau à tomber par terre.

— Qu'est-ce que tu dis ? s'est écrié Jaume, stupéfait. À tomber par terre ?

— Absolument, dans le genre bêcheur madrilène, bien sûr, mais beau comme un dieu. Comment aurait-il eu toutes ces petites amies, sinon ?

— Grâce à son fric, car je le trouve quand même un peu nain, a dit Manolo.

— Et alors ? Regarde Tom Cruise… a répondu Gabi, campant sur ses positions. Ce qu'il y a, c'est que, depuis tout petit, il a à surmonter un complexe qui le rend complètement con, et je le dis en connaissance de cause puisque je le connais depuis tout petit et que c'est mon cousin. Il a toujours été jaloux… Forcément, ses sœurs étaient plus grandes que lui, plus brillantes, plus marquantes… Il n'a pas su faire avec, et c'est comme ça qu'il est devenu névrosé. Et comme Eva est plus jeune que lui, qu'elle n'a pas de mari auprès d'elle pour prendre sa défense et risquer de lui river son clou, en bon machiste il en a profité et a fait d'elle son souffre-douleur.

— Ne dis pas des choses comme ça, ne sois pas stupide, a dit Manolo, décidément conciliant. Ce n'est pas un si mauvais bougre. Il a ses défauts, comme tout le monde, et il a un côté violent qu'il a hérité de son père, il faut bien le dire. Mais je ne crois pas qu'il soit méchant, seulement un peu givré, il a toujours eu un grain, le pauvre chou… Mais il a aussi beaucoup de qualités. Personne, encore moins dans ta famille, n'est tout blanc ou tout noir…

— D'ailleurs Hitler lui-même, par exemple, adorait ses chiens.

Cette réplique ironique provenait de Jaume.

— C'est justement là que je voulais en venir. Au fait que même les pires salauds ont en eux quelque chose de bon. Et des qualités, Vicente en a, il en a des tas. Il est très intelligent, c'est évident, et il s'est toujours beaucoup décarcassé pour ta mère, personne ne peut dire qu'il n'a pas été un bon fils. Ce qu'il y a, c'est qu'il a ces sautes d'humeur qu'il est incapable de maîtriser et qui lui font beaucoup de tort, car elles finissent par éclipser ses grandes qualités, et tout le monde le prend pour un ogre, alors qu'en fait il n'est pas aussi méchant qu'il en a l'air. Je ne sais comment dire ça... Son problème, ce sont les relations avec les gens, voilà. Mais je crois qu'au fond il est plus malheureux qu'autre chose. S'il était plus heureux, il ne fumerait pas tant.

— Allons bon, a grommelé Gabi, sceptique.

— Ne te fais pas de mauvais sang, Eva, ça n'est jamais bon, encore moins dans des moments comme celui-ci, où tout prend des proportions plus grandes, insistait Manolo. Si Vicente est comme ça, c'est parce qu'il ne sait pas s'exprimer. Il se dresse sur ses ergots pour dissimuler sa fragilité.

— Peut-être, mais en attendant il me détruit.

— Écoute, Eva, comme je t'ai dit, personne n'est tout blanc ou tout noir, il y a seulement d'infinies nuances de gris. Ton frère n'est pas un ogre ni toi une martyre, ce sont seulement des rôles qu'on vous donne à jouer de temps à autre. Tu n'es une martyre que parce que tu le veux bien, et il ne peut te faire du tort que dans la mesure où tu le laisses te faire du tort, tu comprends ? Mais si tu décides de ne pas lui accorder d'importance, tu le prives de tout pouvoir sur toi. Et puis tu sais que c'est toujours dans les moments de plus grand stress que les familles se disputent.

— Comme on dit si justement à Alicante : « Qui dit famille dit bisbilles », a risqué Gabi.

— Oh là là... Tu crois que ton Roumain arrive à suivre ? Lui qui ne parle pas un mot d'espagnol...

Manolo essayait de détourner la conversation.

— Je n'en suis pas si sûre que toi, ai-je répondu. Parfois je me demande s'il ne comprend vraiment pas ou s'il fait semblant...

— Et ça t'est égal de ne pas être sûre ? s'est étonné Manolo.

— Il faut bien.

— Mais tu es amoureuse de ce garçon ? m'a demandé Jaume.

— C'est le père de ma fille. L'amour n'est qu'une illusion petite-bourgeoise.

— Allons plutôt nous promener, a dit Gabi, mettant fin à la conversation parce qu'il sentait que je n'avais pas envie de m'expliquer davantage. Et manger un morceau.

Car enfin, qu'est-ce que l'amour, sinon une invention ? Non, je ne parle pas de l'amour que je ressens pour toi, ni de celui que je ressentais pour ma mère, c'est-à-dire de ce sentiment qui se construit peu à peu, qui est contradictoire mais stable car il repose sur un ciment très solide, mais de celui qui provoque vertiges, euphorie, nausées, perte d'appétit, ainsi que le besoin vital de quelqu'un d'autre, un sentiment comme celui, par exemple, que j'avais ressenti pour le CMN et qui était, même sur le moment, une illusion, un produit de la chimie du cerveau, de l'ocytocine et de ma propre imagination, dont avait surgi un amour fictif par lequel je m'étais laissé emporter, que j'avais inhalé compulsivement avec l'idée que cette ferveur romantique préludait à un tournant de ma destinée, dont le CMN prendrait les rênes pour me faire suivre des chemins plus riches et plus excitants que ceux que j'avais empruntés jusqu'alors ; de mon imagination qui avait projeté comme sur un écran blanc toutes mes carences, mes frustrations et mes besoins, et appliqué une sorte de vernis sur l'objet de mes illusions, me dissimulant tout entière à l'homme qui était au-dessous et me confondant avec lui, telles deux figures superposées qui n'en auraient plus formé qu'une. Comme l'avait écrit ma si chère Virginia, mon amie tant admirée, cette femme capable de faire état dans ses lettres de la guérison d'un frère décédé : « l'amour est une illusion, une histoire que l'on construit dans son esprit, en gardant toujours conscience qu'elle n'est pas la vérité, et c'est pourquoi l'on prend soin de ne pas détruire l'illusion », et c'est aussi pourquoi mon esprit n'avait pas été capable de voir ce dont il aurait dû s'apercevoir, car mon admiration pour sa musique et la perspective d'une vie facile à New York, loin de Madrid que j'associais à tant de déceptions et de souffrances, étaient là pour troubler mes sens, stimuler mon imagination et obstruer l'entrée de ma conscience, tant je réagissais en fonction du passé, de ce que je craignais et fuyais, dans une tentative désespérée pour modeler la forme, encore libre, de mon devenir. Et c'est ainsi que le CMN, qu'avant même de connaître j'avais recréé à l'image de la transparente beauté de sa musique, ce CMN rêvé (un miracle de charme et de sensibilité, doublé d'un génie musical) que j'avais superposé au CMN réel et tangible (un excellent musicien, certes, mais aussi un type sans cervelle, lâche et passablement inculte), s'était révélé aussi fictif que la fiancée du Roumain, lequel avait fini par m'avouer, au cours d'une de nos conversations de table, qu'elle n'avait jamais existé. Il l'avait inventée, comme Sonia l'avait deviné dès le début, et les nuits où il n'était pas à l'appartement, il les avait en fait passées au laboratoire, à vérifier les résultats de je ne sais quelles expériences, en se ménageant de petites plages de sommeil sur un lit de fortune.

Il l'avait inventée parce que je lui faisais peur, parce que je l'attirais autant que je l'effrayais, parce que la scène qu'il avait vécue ce fameux matin où il s'était réveillé à côté de moi, il l'avait déjà vécue à de nombreuses, à de trop nombreuses reprises, et c'est d'ailleurs pourquoi il savait si bien ce qu'il fallait faire pour m'aider à me remettre d'une intoxication éthylique sans commune mesure avec ce que j'avais effectivement bu cette nuit-là, et qui était à l'évidence loin d'être ma première. Il avait tout de suite identifié un problème dont il était familier, pour avoir vécu de longues années avec une femme alcoolique : sa mère, qui s'était mise à boire après que son père les avait tous deux quittés, plusieurs années auparavant, suffisamment pour qu'il se souvienne à peine de lui, car il avait émigré au Canada et ne se manifestait que par de rares lettres et des coups de téléphone plus rares encore. C'est ainsi qu'il avait eu à assumer, très jeune, le rôle de chef de famille, d'infirmier et d'homme à tout faire de sa mère, qui était serveuse et rentrait souvent ivre au point que son fils devait la déshabiller, la mettre au lit et lui préparer le lendemain un petit-déjeuner à base de remèdes contre la gueule de bois qu'il avait fini par connaître par cœur. Il s'était accoutumé à ses sautes d'humeur, à ses trous de mémoire, à son désordre, à ce qu'elle ne soit jamais réveillée quand lui se levait, à ce qu'elle ne fasse rien et compte sur lui pour s'occuper du petit-déjeuner, du déjeuner, du dîner, du ménage et de la vaisselle, toutes tâches qu'autrefois elle avait monopolisées et dont elle s'était peu à peu déshabituée jusqu'à les négliger complètement ; il avait cessé de s'étonner de trouver des traces de vomi le matin dans la salle de bains et avait appris à les nettoyer sans dire un mot ni se plaindre ; il s'était fait à ses cris, à ses larmes et à ses jérémiades, toujours hors de propos et dépassant toute mesure, au gré des variations sinusoïdales de son humeur.

Parfois elle rentrait tellement ivre qu'elle délirait et se mettait à insulter le père disparu comme si jamais il n'était parti et se trouvait toujours là, sous leur nez, assis à la table de la cuisine, ou au contraire elle riait avec lui, vestiges d'une complicité amoureuse à jamais perdue, de vieilles plaisanteries connues d'eux seuls, des plaisanteries que le fils ne pouvait ni ne voulait comprendre, des plaisanteries de l'époque où elle avait été belle, avant que l'alcool la fasse enfler comme un crapaud, lui rougisse le nez et lui bouffisse les traits. De temps à autre, un homme la ramenait chez elle, traînant son corps inerte dans l'escalier, ou plutôt des hommes, car ce n'était pas toujours le même mais plutôt des individus distincts mais qui se ressemblaient tous, qui avaient le même nez rouge et congestionné que sa mère, les mêmes veinules bleutées sur les ailes du nez, la même langue flasque, la même haleine aigre-douce et le même air faussement jovial, le même besoin de rire et de chanter sous lequel on décelait sans peine un même désespoir. La plupart restaient, mais certains, lorsqu'ils se trouvaient face à cet enfant qui les regardait de ses grands yeux accusateurs, s'en allaient comme ils étaient venus, non sans avoir caressé la tête du gamin comme un animal domestique apeuré. Si d'aventure l'un d'eux restait, Anton enfouissait sa tête sous l'oreiller pour ne pas entendre les battements du bois de lit contre le mur, les grincements des ressorts du sommier et, surtout, les halètements et les grognements qui lui rappelaient les cochons qu'il avait connus tout petit à la ferme de sa grand-mère, où il n'était plus retourné depuis que son père était parti. Le pire était qu'il aimait sa mère et sentait qu'elle l'aimait aussi, qu'elle avait besoin de lui, et il avait beau savoir que c'était invivable, il savait aussi que sa mère ne changerait jamais, de sorte qu'il éprouvait une nostalgie quasi assassine de sa prime enfance et une envie désespérée de s'en aller, loin, n'importe où.

Pendant ce temps, la Roumanie s'enfonçait dans une crise de plus en plus grave, et tous ceux qui le pouvaient émigraient, comme l'avait fait son père. Un jour, celui-ci avait écrit pour annoncer qu'il s'était remarié et était devenu, par ce mariage, citoyen canadien. Le jeune Anton, quant à lui, était devenu la coqueluche de ses professeurs, il avait les meilleures notes dans toutes les matières, et le directeur, qui l'avait pris en affection et connaissait parfaitement sa situation pour habiter le même immeuble, lui avait suggéré d'aller poursuivre ses études à l'étranger, en profitant de la nouvelle nationalité de son père pour obtenir une carte de résident au Canada et une bourse d'études. Il avait été très lié avec son père avant qu'il n'émigre, à l'époque bénie où la mère ne buvait pas, même pas de vin aux repas, et c'est pourquoi il s'était proposé de lui écrire une lettre où il l'exhorterait à ne pas laisser gâcher les grands talents de son fils.

Quand Anton avait parlé à sa mère de l'idée du directeur, elle avait été furieuse. Il voulait donc l'abandonner, elle qui s'était occupée toute seule de lui, pour s'en aller retrouver un homme qui n'était que son géniteur et rien de plus, un irresponsable qui les avait laissés tomber comme de vieilles chaussettes ? Mais elle, comment ferait-elle sans son fils, son seul soutien, son seul ami, sa seule raison de vivre ?

Pour achever de dissuader Anton, était arrivée, en réponse à la lettre du directeur, une longue lettre du père, la plus longue qu'il ait jamais reçue de lui, plus longue que toutes les précédentes réunies. Il lui expliquait que jamais il ne l'avait oublié, que jamais il n'avait cessé de l'aimer, évoquait la responsabilité, le devoir moral, les liens du sang, s'emmêlant dans des justifications sentimentales dignes d'une chanson pour midinette, et concluait en promettant de signer tous les papiers qu'il fallait et d'aider son fils dans toute la mesure de ses moyens, à ceci près qu'il ne pourrait l'héberger sous son toit, car il avait épousé une femme très jalouse qui ne voulait pas entendre parler de ses amours antérieures, et encore moins du fruit de ces amours.

Après avoir lu la lettre, Anton était décidé à ne pas quitter la Roumanie, pour rester aux côtés de sa mère, et c'est elle, curieusement, qui l'avait poussé à partir, après une longue conversation avec le directeur qui l'avait convaincue qu'il n'y avait pas d'autre solution, que son fils ne devait pas laisser échapper la chance qui s'offrait à lui alors que la moitié de ses compatriotes étaient prêts à risquer leur vie et leur santé pour émigrer illégalement vers des pays où ils ne connaissaient personne et seraient rejetés. Au début, lorsque sa mère refusait de le laisser partir, Anton avait trouvé son attitude odieuse, égoïste, presque cruelle, mais son revirement inopiné lui avait inspiré une tendresse ravivée, et il ne voulait plus partir. Mieux valait encore ne pas partir, pensait-il, que risquer de la contrarier quoi qu'elle en dise, mais en même temps sa décision de rester exacerbait son désir de fuir. De fuir non pas au Canada, mais vers le paradis indéfini et ensoleillé qu'il avait imaginé dans ses rêves, et qu'il se promettait d'atteindre le jour où il serait libre de partir à sa rencontre, délivré des chantages de sa mère et du fantôme de son père.

Quand il avait annoncé à sa mère sa décision, au lieu de se réjouir elle avait insisté de plus belle, lui disant qu'il n'y avait aucun avenir pour lui dans ce pays dévasté. Elle voulait qu'il parte sans se soucier d'elle ni ressentir de chagrin, car sa vie à elle était déjà déclinante et sa vie à lui ne faisait que commencer, et elle ne voulait pas que son avenir ressemble si peu que ce soit au passé qu'elle avait vécu. Pour Anton, cette obligation morale qui lui était faite de vivre une existence pleine, heureuse, réussie, contrastant avec celle de sa mère et la compensant en un sens, était un fardeau trop lourd à porter, et il lui semblait qu'il serait écartelé s'il s'éloignait d'elle.

Mais il n'en avait rien été. Au contraire, il s'était enfin senti, en arrivant au Canada, une personne à part entière, une personne autonome et non plus une partie d'un ensemble à deux éléments. Sa belle-mère était dentiste, c'est-à-dire, selon les standards canadiens, presque millionnaire, et le père avait fait une belle carrière comme agent immobilier. Tous deux avaient plus d'argent que nécessaire et manquaient en revanche de temps, de sorte que le père, complexe de culpabilité oblige, lui avait trouvé un logement à Toronto, un tout petit appartement qu'il se proposait même de payer. Anton n'aurait pu rêver mieux. Quel garçon de son âge pouvait prétendre vivre seul, libre, sans obligations ni instructions paternelles, sans restrictions à ses allées et venues ? Mais aussi sans soutien, sans compagnie, sans sentiment d'appartenance, autant de carences qui étaient devenues pour lui des angoisses, sans qu'il en fasse part toutefois à personne, encore moins à l'homme qui payait son loyer et dont l'avocat s'était chargé de faire toutes les démarches à sa place, y compris celle de l'inscrire dans une *high school*.

Au bout d'un an, alors qu'il avait désormais la citoyenneté canadienne et pouvait se flatter d'un dossier scolaire aussi brillant, sinon plus, que celui qu'il avait emporté de son pays natal (car au Canada le niveau était sensiblement inférieur à ce qu'il était en Roumanie, surtout dans les matières scientifiques), il avait demandé une bourse, l'avait obtenue et était parti étudier la biologie à Kingston, où son existence s'était caractérisée par la même chose qu'à Toronto : la solitude. Depuis qu'il avait quitté la Roumanie, il avait employé son temps à trois choses : étudier, perfectionner son anglais, écrire chaque jour à sa mère. Il ne s'était pas fait d'amis et ne voyait son père que tous les quinze jours dans le meilleur des cas, quand celui-ci l'invitait dans un des meilleurs restaurants de la ville, y apercevant parfois une connaissance qui les saluait à distance, ce qui inspirait à Anton une jalousie secrète, car tous ces gens faisaient partie de l'existence de son père, d'une existence qui s'étendait au-delà du restaurant, et à laquelle il n'avait pas accès.

Car le père avait l'air certes très fier de son fils, mais pas au point de l'amener chez lui ni de le présenter à ses demi-frères inconnus, et sans doute était-ce le sentiment d'être un traître aux yeux de ce fils qu'il tenait ainsi à distance qui lui faisait payer le loyer de l'appartement et verser une pension à Anton, virée ponctuellement le premier de chaque mois sur le compte courant ouvert à son nom par son très diligent avocat. Anton en réexpédiait à sa mère l'exacte moitié (le taux de change produisait un miracle analogue à celui de la multiplication des pains et des poissons, transformant cette somme modeste en un montant plus qu'appréciable), agissant envers elle comme son père envers lui : il cherchait à apaiser par de l'argent son complexe de culpabilité.

Anton avait adopté, devant la vie, une attitude défensive. Il s'était retranché dans un château fort au cœur duquel il s'était soigneusement construit une tour d'ivoire faite de travail, de lectures et de lettres à sa mère. Et il y vivait seul, tel un prince en exil qui aurait conservé son titre mais non son pouvoir. Il avait eu quelques liaisons qui ne l'avaient mené à rien, avec des étudiantes qu'attirait son halo de mystère et qui lui avaient servi de remède passager contre la solitude, des filles qui ne parlaient pas sa langue, qui ne connaissaient pas son passé, qui n'auraient même pas su situer son pays sur une carte, des amies qui partageaient parfois son lit mais étaient impuissantes à le tirer de son enlisement émotionnel.

Les lettres qu'il recevait de sa mère étaient de plus en plus optimistes. Au début, juste après son départ, son alcoolisme s'était aggravé, jusqu'au jour où son voisin, le directeur du lycée, l'avait trouvée évanouie dans l'escalier avec du sang séché sur le visage. Il l'avait incitée, pour ne pas dire obligée à participer aux réunions d'un groupe d'anciens alcooliques qu'organisait l'église. Elle avait quitté son travail, car dans un bar il n'était même pas question de songer à arrêter de boire, et avait trouvé un emploi de femme de chambre dans un hôtel. Elle gagnait moins et travaillait plus, mais au moins elle ne passait pas ses journées au milieu des bouteilles, et l'argent était moins important depuis qu'elle recevait les généreux virements de son fils (et dont elle ignorait la provenance réelle, car Anton, certain qu'elle n'accepterait jamais un dollar de son père ou, pire encore, de sa nouvelle femme, lui avait écrit qu'il travaillait à temps partiel comme serveur dans un restaurant). Elle s'était mise à aller à l'office tous les dimanches et sortait avec un veuf

nettement plus âgé qu'elle, dont elle avait fait la connaissance aux réunions. Anton lui téléphonait de temps en
temps, et non seulement il la trouvait plus cohérente,
plus dynamique, mais il notait un changement dans sa
voix, qui avait perdu ce ton rauque et âpre dû à la
vodka. Il se disait que, d'une certaine façon, se retrouver seule l'avait obligée à reprendre courage et force
pour sortir de l'impasse, après toutes ces années pendant lesquelles il l'avait, sans le savoir, maintenue en
situation de faiblesse par sa présence, sa disponibilité à
tout faire à sa place, à la soigner quand elle avait bu à
s'en rendre malade et à la relever quand elle tombait ;
il l'avait entretenue dans l'idée qu'il était l'infirmier et
elle la malade, et que si elle sortait de son rôle elle perdrait toute l'attention et l'affection qu'il lui témoignait
en tant qu'alcoolique. Ou peut-être avait-il seulement
envie de croire une explication, au demeurant plutôt
plausible, qui soulageait quelque peu son remords de
l'avoir laissée seule, et que ses envois d'argent mensuels ne réussissaient pas à calmer tout à fait, pas plus
qu'ils n'apaisaient la terrible nostalgie qu'il avait parfois de sa chaleur, de sa présence.

Il n'était pourtant jamais retourné la voir, et elle ne
le lui avait jamais demandé, peut-être parce qu'ils
savaient l'un et l'autre que la relation de dépendance
mutuelle qu'ils avaient eue n'avait été bénéfique à
aucun des deux, peut-être aussi parce que chacun, tout
en se languissant de l'autre, se sentait finalement mieux
sans lui.

Après quatre années à Kingston, Anton avait obtenu
une autre bourse et était parti pour New York. Il continuait de recevoir chaque mois la pension que lui versait
son père, mais ne pouvait plus en envoyer, comme
avant, la moitié à sa mère, car dans cette nouvelle ville,
l'argent semblait fondre comme par magie. Il s'était
enfin fait des amis et, dégagé de l'obligation d'avoir les
meilleures notes du campus pour être pris en doctorat,

il pouvait se permettre une certaine vie sociale. Son existence antérieure avait entièrement disparu derrière un nouveau décor, comme si l'on pouvait oublier son passé, voire sa personnalité, pour devenir quelqu'un d'autre, et il avait décidé de consacrer toutes les forces accumulées durant sa longue autarcie sociale à Toronto et à Kingston à mener une vie nouvelle et libre, tant celle qu'il avait vécue jusqu'à présent lui paraissait insignifiante en regard de celle qui s'offrait à lui et qu'il était anxieux de découvrir, car il lui semblait que derrière les portes des clubs et des bars se cachait une dimension, encore inconnue, de lui-même.

Au Canada, le fait de ne partager avec les gens ni coutumes, ni idées, ni souvenirs l'avait fait vivre en reclus, mais à New York, melting-pot de déracinés venus du monde entier, ce sentiment de non-appartenance avait l'effet contraire, et l'impression de n'avoir pas vraiment vécu depuis le moment où il avait quitté son pays natal lui donnait l'envie de boire avidement, à grandes gorgées, ce breuvage nouveau qui s'appelait la vie. Les premiers soirs où il était sorti en compagnie de ses nouveaux amis, rencontrés aux cours, à la bibliothèque, ou aux fêtes auxquelles l'entraînait son colocataire, tout lui avait paru lumineux, éblouissant comme la nouveauté, et il avait eu tendance à surévaluer ce plaisir nouveau en proportion du mal qu'il avait eu à l'obtenir. Les cafés, les librairies, les restaurants, les concerts, les expositions, tout l'enchantait, il croyait voir dans les yeux, les lèvres, les jambes de toutes ces femmes séduisantes dont il croisait la route la récompense de tant d'années de solitude, comme s'il avait en tête un idéal qu'il reconnaissait de loin dans chaque femelle qui passait, comme si toutes étaient susceptibles d'incarner la femme dont il tomberait amoureux, celle qui lui donnerait la réplique dans la comédie sentimentale qu'il écrivait dans sa tête depuis son arrivée dans cette ville toujours en éveil. Comme s'il y avait, loin de ce père qui était présent sans l'être et qui avait toujours clairement marqué la limite à ne jamais franchir, et plus loin encore de sa mère et de l'ancienne sensation de n'être que la moitié d'un – d'un qui en réalité était deux –, un Anton inconnu sous l'Anton familier, à la façon de ces poupées russes emboîtées les unes dans les autres, et comme si, enfin, il pouvait agir librement et être, pour la première fois, lui-même.

Il était devenu quelqu'un d'autre, quelqu'un qu'il avait peut-être toujours été, de la même façon que certains n'arrivent pas à se rappeler quand ils ont cessé d'être celui qu'ils étaient avant, pour la bonne raison qu'ils n'ont jamais été personne. Il était devenu un garçon sociable, ouvert, sympathique, avec toutefois un certain quant-à-soi, car son goût de la fête, encore récent, était assombri d'un fond de tristesse ineffaçable, qui remontait à son enfance et que ses efforts étaient impuissants à faire disparaître. Et c'est au moment même où il commençait à prendre plaisir à des choses qui désormais m'apparaissaient triviales (sortir entre amis, faire la tournée des bars, rencontrer des gens), mais dans lesquelles il voyait l'expression même de la vie, qu'il m'a rencontrée. Et que j'ai été pour lui une sirène, à la fois tentatrice car je lui ouvrais la porte du monde de l'*entertainment*, et dangereuse dans la mesure où je lui rappelais sa mère.

Cinq silhouettes vêtues de noir qui traînent une poussette de bébé sous un soleil de plomb au milieu de terres arides. Cinq silhouettes qui finissent par arriver à la voiture de Jaume et se mettre en quête d'un bistrot. L'une de ces silhouettes, celle de ta mère, est secouée d'accès de larmes intermittents. Les autres compatissent, pensent qu'elle pleure sa mère, et elle n'ose pas leur expliquer qu'en vérité elle pleure sur elle-même.

À 16 h 45 précises, nous sommes devant la porte de ce qui était la maison de ma mère à Alicante. Nous devons attendre au bar d'en face, car ma famille n'apparaît pas avant 17 h 30 passées, naturellement sans le moindre mot d'explication. Nous prenons affectueuse-ment congé de Gabi, de Jaume et de Manolo – qui en revanche ne daignent même pas regarder mon frère, et se voient traités en retour avec la même glaciale indif-férence – et montons à l'appartement reprendre nos valises, que nous avions laissées là le matin. Puis mon frère organise – sinon, qui d'autre ? – le retour à Madrid. Mon père, Eugenia et lui-même dans sa voi-ture à lui, un de ces énormes et flamboyants hybrides entre tout-terrain et module lunaire, avec phares éblouis-sants et pare-chocs géants, un de ceux qui requièrent échelle ou tabouret pour accéder à l'intérieur, ainsi que le constatent à leurs dépens Eugenia et mon père, mais qui permettent au conducteur, mon frère en l'occur-rence, de trôner, malgré sa petite taille, au-dessus du commun des véhicules qui circulent sur la route – sauf les autocars et les camions, bien entendu – car il n'y a rien de tel qu'une grosse voiture pour soigner ses complexes en impressionnant le reste du monde par la seule grandeur dont on puisse se prévaloir. Et Reme a la chance d'habiter Alicante, sans quoi elle aussi aurait dû se hisser sur ce monstre galactique, et subir durant tout le trajet l'odeur de tabac brun et la hâblerie senten-cieuse de Vicente sur les soupapes, les cylindres et le GPS, métalangage qui est tout autant du chinois pour elle que pour Eugenia.

Chacune de mes sœurs a pris sa voiture et ses enfants respectifs, et nous devons donc monter dans celle de Julián, qui n'a sans doute jamais entendu parler de choses telles que l'écologie ou le développement durable, et qui ne comprend pas pourquoi toute sa famille voyagerait dans une seule voiture alors qu'ils en ont deux. Et s'il a pris aussi la deuxième voiture, ce n'est pas pour moi – qui serais d'ailleurs volontiers rentrée en train –, étant donné qu'il a fait le trajet aller tout seul, et nous avec mon père et Vicente : c'est parce que, dit-il, il n'aime pas voyager avec les enfants dans la voiture, et il les laisse donc à Asun, mais je soupçonne que ce qu'il n'aime pas, en fait, c'est cet effluve entêtant de *L'Air du temps*, cet arôme de paradis édulcoré qui vous envahit les narines dès qu'on est dans un espace clos avec elle. Ce que, en revanche, j'ai dû mal à comprendre, c'est pourquoi lui qui n'aime pas voyager avec ses enfants accepte de voyager avec un bébé, mais je n'ai pas envie de poser de questions, tout ce que je veux c'est monter en voiture et m'en aller d'ici. Je suis donc en train de replier ta poussette pour l'introduire dans le coffre de la rutilante Mercedes (un coffre immense, comme dans ces films américains où les gangsters font voyager dans le coffre le cadavre du mouchard qu'ils viennent d'exécuter et dont ils vont se débarrasser dans l'État voisin), quand mon frère Vicente s'approche de moi, cigare à la main comme toujours, et prétend, en guise d'adieu, me claquer les deux bisous de rigueur. L'odeur du tabac brun me donne la nausée. Je n'ai pas envie de l'embrasser, et surtout je n'ai aucune raison de l'embrasser. Je détourne la tête.

Mon frère devient alors comme fou.

À moins que, comme dit Manolo, il ne l'ait toujours été, et qu'il en fasse la démonstration à cet instant précis, car il est véritablement hors de lui et se met à hurler comme un possédé.

— Mais pour qui tu te prends ? Égocentrique de mes deux ! Tu n'en as pas marre de pourrir comme ça la vie de ta famille ? On commence à en avoir soupé, de tes numéros d'hystérique ! Tu es vraiment cinglée, tu as toujours été cinglée !

Ni mon père, ni mon compagnon, ni mon beau-frère, qui ont assisté à la scène, n'interviennent, et cette passivité générale me laisse seule au monde avec une sensation d'effroi absolu face à mon frère, que je contemple médusée, aussi raide et hérissée que les innombrables palmiers d'Alicante, ma poussette de bébé à moitié repliée à la main. Mon frère grimpe dans sa voiture et se campe sur le siège du conducteur. Mon père, sans un mot, s'assied à côté de lui. La voiture démarre et s'éloigne dans l'avenue, et Eugenia, depuis le siège arrière, me fait adieu de la main. Je regarde les miennes et constate que je tremble comme un animal terrorisé, avec la même véhémence hystérique que le chien lorsqu'il entend l'orage et se cache sous la table.

Je me rappelle cette séance de thérapie de groupe à laquelle j'avais assisté, la même histoire répétée par tant de femmes différentes. J'y ai compris que si je supportais les cris et les humiliations, c'était parce que j'y étais habituée, que j'avais été traitée ainsi toute ma vie, que j'avais accepté depuis l'enfance le rôle de victime. Mon frère avait suivi la méthode classique que ne manquent sans doute pas de décrire les manuels pour assistantes sociales : rechercher une faute inexistante dont accuser sa victime, en recourant aux cris, aux humiliations et aux injures sans lui laisser la possibilité de répliquer. Et si elle essaie de se défendre, la discréditer en lui disant qu'elle est folle, ou qu'elle est méchante. Et tout cela venait de mon père, qui se conduisait de façon semblable à l'époque de ses disputes continuelles avec ma mère, quand il répétait « je t'ai rendu service en t'épousant » et laissait entendre – mais comment aurais-je pu le comprendre à mon âge ? – que lorsqu'il l'avait rencontrée, elle était comme une marchandise usagée, en solde, qui avait perdu toute saveur et que seul un veuf âgé pouvait avoir envie d'acheter ; quand il parlait du « service qu'il lui avait rendu en l'emmenant à Madrid », insinuant sans doute qu'il l'avait ainsi éloignée des commérages et des racontars ; quand il vivait dévoré par le monstre aux yeux verts de la jalousie, de sa jalousie envers Miguel qui était resté amoureux d'elle, un Miguel qui, comme me l'avait confié Reme d'une voix tremblante au cours de la veillée d'Alicante, pourrait bien toucher au but, maintenant qu'il l'avait auprès de lui au ciel – si tant est que le ciel existe – de la même façon qu'il avait voulu l'avoir au moins près de lui, à défaut qu'elle soit à lui et s'il s'était tué lorsque mes parents étaient partis vivre à la capitale, c'était parce que la vie n'avait plus de sens s'il ne pouvait plus la voir chaque jour.

Et maintenant que je sais tout cela, je comprends que la sorcière Juli avait sans doute raison, que mon père était plus amoureux de ma mère qu'elle ne l'était de lui. Mais peut-on appeler amour un sentiment qui vous fait détruire ce qu'on prétend aimer ? Oscar Wilde n'avait-il pas raison de dire qu'on tue toujours ce qu'on aime ? La tête me tourne, je ne suis pas en état de démêler cette histoire, qui en fin de compte n'est pas la mienne, même si ma naissance en est la conséquence, et je sais que je ne saurai jamais tout, que je ne connaîtrai jamais tous ses ressorts, et qu'il est absurde que je m'échine à déchiffrer un mystère qui ne m'appartient pas.

Je suis montée en voiture en état de choc. Ton père et ton oncle ne disaient rien. Personne ne disait rien. Je pleurais et je voulais arrêter de pleurer, mais je ne pouvais pas réprimer ce torrent de larmes, salées, cuisantes. J'ai sangloté pendant des heures, pendant des kilomètres. Je voulais m'arrêter, mais je ne pouvais pas : la peur était comme un moteur emballé qu'il n'y avait plus moyen de maîtriser. Et durant tout ce temps, je n'ai pensé à rien d'autre qu'à la façon dont j'allais me suicider. Je m'imaginais rédigeant un testament stipulant expressément que ma fille – c'est-à-dire toi – aurait le moins de contacts possible – voire aucun – avec ma famille, puis m'injectant une dose mortelle d'héroïne, afin que cela paraisse être un accident et non un suicide. Une telle imagination te paraîtra sans doute puérile, et quand tu liras ce livre, tu te diras que ta mère était folle. Oui, j'étais folle. Folle à lier, démente, aliénée. Ta mère était rongée par une frustration infantile qui l'empêchait de se distancier des problèmes des autres, de se persuader qu'elle était capable de vivre sans le soutien et l'affection de ceux qui ne pouvaient les lui donner, elle était rongée par sa propre obsession narcissique, par son incapacité à se voir autrement que dans les yeux d'autrui, à s'expliquer autrement qu'à travers les mots des autres, par sa propension à exagérer des problèmes qu'elle aurait dû parvenir à surmonter sans peine. Quand tu liras ce livre, si tu viens à le lire un jour, disons à vingt-cinq ans, je serais très heureuse que tu n'arrives pas à me comprendre, car cela voudrait dire que jamais tu n'as vécu de moments de ce genre, et que j'ai donc réussi au moins quelque chose dans ma vie, que j'ai fait de toi quelqu'un de différent de moi, une femme qui a confiance en elle et qui ne se dévalorise pas à ses propres yeux, mais d'un autre côté j'ai parfaitement conscience du danger qu'il y a à projeter sur nos enfants nos propres carences et à attendre d'eux qu'ils réussissent là où nous avons échoué. Puisses-tu, Amanda, être une femme d'action et non de sentiment, ne pas rester paralysée comme moi avec ma poussette de bébé à moitié repliée au milieu de la rue, au milieu de la vie, sans oser avancer, car le monde appartient à ceux qui savent imposer leur volonté à leurs émotions, la vie est une guerre et chaque journée une bataille. On ne doit jamais rester inerte, et encore moins reculer, même pour prendre de l'élan. Quand tu liras ceci, si tu le lis, j'espère que tu ne sympathiseras pas avec ta mère, que tu ne la comprendras pas, que tu ne la soutiendras pas, j'espère que tu me haïras quand tu sauras que j'ai envisagé de me tuer et de te laisser toute seule, sans mon soutien, j'espère que jamais tu ne pourras comprendre que, lorsqu'on est plongé dans un état dépressif profond, ce qu'on trouvera dérisoire le lendemain puisse apparaître sur le moment comme une solution idéale et d'une clarté méridienne, j'espère que jamais tu ne comprendras ces paroles qui tournaient et retournaient dans ma tête : « Je suis quelqu'un d'inutile, jamais je ne serai quelqu'un de bien, je suis irrémédiablement folle car je suis issue d'une famille de fous, et tout ce à quoi je parviendrai, c'est ruiner l'existence de ma fille et de tout mon entourage, mieux vaut en finir une bonne fois pour toutes, de la façon la plus rapide possible. »

J'ai repensé dans la Mercedes, au cours de ce trajet Alicante-Madrid, à une terrible dispute que j'avais eue avec cet amant qui me préférait sa guitare, et que j'ai cessé de voir parce que je voulais croire ce que m'avaient prédit les cartes et la boussole donnée par un ivrogne dans un bar. Je me suis rappelé comment il m'avait traitée d'égocentrique, de folle, exactement ce qu'avaient fait Vicente avec moi, et mon père avec ma mère. Et j'ai compris qu'il m'avait injuriée de la sorte pour se placer sur un terrain qui lui était favorable, car il avait affaire à une femme sans courage, qui partait terrorisée d'avance. Ce que je souhaite surtout, Amanda, c'est que, quand tu seras grande, jamais tu ne sois l'idiote puissance dix que j'ai été.

Après cette dispute avec mon amant, j'étais rentrée chez moi et m'étais mise à boire de la vodka, toute seule, jusqu'à vider la bouteille, gorgée après gorgée, sans jus d'orange, sans rien. Et une fois que j'avais fini la bouteille, j'avais eu la riche idée de sortir promener le chien à 5 h 30 du matin. Et je m'étais retrouvée sur une place déserte, sans voitures, de Lavapiés. Je crois que c'était un lundi. Le silence, en comparaison avec le tohu-bohu qui caractérise cette place en plein jour et au soleil, donnait une impression d'éternité, comme si l'air de la nuit était pétrifié. Où que je regarde, le paysage nocturne évoquait à lui seul la négation du mouvement, la suspension de toute continuité. Les voitures étaient garées, le kiosque fermé, les rideaux des cafés baissés, les portes cadenassées, les lumières éteintes aux fenêtres. Il n'y avait personne dans la rue, personne, pas même un ivrogne revenant d'un bar ni les habituels dealers postés dans des recoins pour vendre leur marchandise. Tout était paisible comme la mort. Et soudain, j'avais commencé à remarquer que la place bougeait, que le sol remuait sous mes pieds, que le ciel pivotait, que les étoiles se renversaient comme ces presse-papiers qui ressemblent à une boule de cristal dont la fausse neige tombe sur un paysage d'artifice.

Lorsque j'ai rouvert les yeux, je ne me souvenais plus de rien. Chaque pensée, chaque image paraissait avoir une existence arbitraire, comme si l'on avait coupé tous les liens entre les choses. J'étais dans un lit d'hôpital, et mes parents, mon frère, mes sœurs étaient à mon chevet. Puis, quand tout s'est remis à prendre sens autour de moi, quand j'ai compris que je m'étais évanouie, ou que peut-être j'avais eu une crise d'épilepsie, qu'en tout cas j'étais tombée inconsciente sur le trottoir, je n'ai pensé qu'à demander des nouvelles du chien, c'était devenu mon unique obsession. Maintenant que le monde avait réintégré le champ du possible, je voulais savoir ce qui lui était arrivé. Et mon père m'a demandé comment je pouvais être aussi insensible, comment je pouvais me soucier autant d'un animal et aussi peu d'eux, de la peur que je leur avais faite. Je me rappelle très bien ce qu'il m'a dit : « Comment as-tu pu nous faire ça ? »

Et je l'ai accepté, j'ai accepté ses paroles, j'ai accepté l'idée que j'étais une méchante fille pour avoir flanqué une telle frayeur à ma famille, pour m'être soûlée jusqu'à tomber inconsciente, et pour avoir risqué la mort par pneumonie après avoir passé des heures dehors en pleine nuit, jusqu'à ce que le patron d'un bar me découvre alors qu'il s'apprêtait à ouvrir et appelle le Samu. C'était lui, naturellement, qui avait recueilli le chien en attendant que je sorte de l'hôpital, ainsi que je l'ai appris quand la colère de mon père a passé et qu'il m'a enfin tout raconté.

Mais une fois rétablie, j'ai eu la tentation de lui répondre, de répondre à son accusation en forme de question, qui est restée en suspension dans l'air pendant tout le temps qu'a duré mon hospitalisation, et qui a ouvert pour longtemps un abîme entre nous, qu'il ne comptait pas pour moi au point que je risque ma vie dans le seul dessein de lui gâcher la sienne. Et d'ailleurs, s'il se souciait tant de ce qui m'arrivait, pourquoi semblait-il ne jamais s'intéresser à ma vie, à mon travail, à mes problèmes ? Pourquoi n'était-il pas venu une seule fois me rendre visite chez moi depuis que j'avais acheté mon appartement en m'endettant jusqu'au cou avec un crédit à trente ans qui était devenu mon tourment mensuel ? Pourquoi n'avait-il même pas eu la curiosité de chercher à savoir comment s'appelait l'homme avec qui je couchais depuis quatre ans et me disputais depuis quatre ans ? Pourquoi, la veille encore, quand j'étais arrivée en retard au rituel déjeuner dominical, leur premier mouvement à tous avait-il été, au lieu de me demander s'il y avait des raisons à cela, si j'allais bien, si j'allais mal, de me reprocher à grands cris mon retard ?

Ce matin-là, je m'étais réveillée aux côtés de mon amant guitariste, le même dont le nom est écrit sur un bout de parchemin roulé dans une bouteille enterrée dans un terrain vague du côté de Cuatro Vientos. En jetant un coup d'œil au réveil de la table de nuit, je m'étais rendu compte qu'il était presque 13 heures et que, si je ne me dépêchais pas, j'allais être en retard au déjeuner. Je m'étais levée d'un bond pour me précipiter à la salle de bains. Il m'avait demandé pourquoi j'étais si pressée, je lui avais répondu que je devais déjeuner avec mes parents, frère, sœurs, neveux et nièces. Il m'avait dit que non, jamais de la vie, il fallait que j'appelle pour me décommander, et j'avais répondu qu'il n'en était pas question. Je ne sais pas pourquoi tu continues à faire des efforts pour eux, m'avait-il dit, puisqu'ils ne s'intéressent même pas à toi, ils n'ont même pas voulu faire ma connaissance, tout ce qu'ils veulent, c'est t'éloigner de moi... Je l'avais interrompu : tu n'as pas beaucoup insisté non plus pour que je te présente. Il m'avait répondu : certes, mais eux encore moins. Et puis ils ne t'appellent jamais, et j'ai bien vu le regard méprisant que m'a jeté ton frère quand nous nous sommes rencontrés à la sortie de ce cinéma, ça m'a suffi. Allez, reste au lit avec moi, et passons le dimanche tous les deux tout seuls... Je n'étais pas restée au lit, et ça l'avait fait sortir de ses gonds. Il m'avait traitée d'égoïste, de manipulatrice. Pour toi je ne compte pas, tu ne t'intéresses à moi que quand tu as besoin de moi, et quand tu n'as pas besoin de moi tu me jettes comme un Kleenex. Mais si, tu comptes pour moi. Eh bien, si je compte vraiment pour toi, appelle-les et reste avec moi. Je ne peux pas, tu sais bien que je ne peux pas... Et comme ça pendant dix minutes, vingt minutes, une demi-heure, jusqu'à ce qu'il prenne ses affaires et s'en aille en claquant la porte.

Les pensées s'étaient mises à faire des étincelles dans ma conscience. Mais à chaque fois que j'essayais d'en attraper une, celles qui venaient derrière la chassaient et m'empêchaient de me concentrer. Je tentais de canaliser le courant, mais le barrage cédait. Je ne savais pas qui avait raison, de mon frère qui avait raconté aux autres que le garçon qui était avec moi à la sortie du cinéma avait l'air d'un drogué, de mon père qui m'avait toujours dit que ce n'était la peine de lui présenter un garçon que si j'étais sûre que c'était pour toute la vie et que, dans le cas contraire, il préférait ne pas être au courant de mes aventures – mais qui se montrait cependant plus qu'aimable, excessivement aimable, à la limite du badinage, avec la succession des Olga, Machenka, Natalia et autres Tatiana qui escortaient mon frère –, ou de mon amant qui était si contrarié que je déjeune avec ma famille et pas avec lui, qui me faisait du chantage affectif en m'obligeant à choisir entre deux loyautés qui tiraient sur moi dans des sens opposés avec une force identique. Comme il fallait s'y attendre, je suis arrivée en retard au restaurant, et quand j'ai affronté la mercuriale qui m'attendait, je me suis demandé pour la première fois si je n'avais pas choisi cet amant justement parce qu'il ressemblait à mon père et à mon frère, les deux figures masculines les plus importantes de ma vie, bien qu'il n'ait ni leur physique, ni leurs goûts vestimentaires, ni leurs idées politiques ou religieuses. Il n'avait avec eux qu'un seul point commun : il se croyait guidé par la raison, raison dont nous autres femmes étions privées par définition.

Ce déjeuner avait servi de détonateur à la dispute retentissante que nous avions eue dès le lendemain dans le café en bas de chez moi, car il ne pouvait me pardonner de l'avoir laissé seul un dimanche, et c'est juste après cette dispute que j'avais bu un litre entier de vodka à moi toute seule, etc.

Les souvenirs envahissent le cerveau comme une marée noire.

Dans cette Mercedes blanche en route vers Madrid, j'ai repensé à bien d'autres choses, bien d'autres souvenirs que je croyais enterrés sous une épaisse chape de silence, de sommeil et d'oubli, comme toutes ces années d'enfance vécues auprès d'une mère qui jurait à qui voulait l'entendre que son mari était fou d'elle, comme si elle avait besoin, pour le croire, de le répéter sans cesse. Mais que savais-je de ma mère, moi qui ne savais même pas que son beau-frère, mon oncle, avait été amoureux d'elle, que saurais-je jamais d'elle maintenant qu'elle n'était plus et que je ne pourrais plus lui demander si elle avait été heureuse ou malheureuse, si elle s'était mariée par amour ou si elle avait choisi le renoncement comme système et la résignation comme destin, par défaut, par inertie ? Elle avait vécu des années durant en recherchant l'approbation des autres comme un horizon que toujours on devine et qui jamais n'apparaît, et des années durant j'avais fait exactement la même chose. Et toute mon histoire, à l'intérieur du véhicule, se bousculait dans un labyrinthe où je m'éloignais de moi-même. Car j'avais vécu dans le tumulte et le fracas ce que je croyais être ma vie, croyant avancer quand je ne faisais que tourner en rond, croyant aimer quand je ne faisais que me heurter à un mirage qui interposait comme une vitre entre moi et mon reflet. Il y avait eu quelqu'un pour vivre cette vie, et ce quelqu'un, c'était moi, mais j'avais maintenant l'impression de me réveiller du rêve de quelqu'un d'autre, et je me disais que rien de ce pour quoi j'avais lutté n'en valait la peine, pas même ma famille, surtout pas ma famille.

Ma famille d'origine. Qui a cessé d'être ma première famille depuis que tu es née.

L'amour de mon père ? Celui de mon frère et de mes sœurs ? Je ne sais pas s'ils m'aiment, je n'oserais pas l'affirmer. Je ne sais même pas s'ils savent ce que c'est qu'aimer, car je ne crois pas qu'on le leur ait montré, et l'amour est quelque chose d'aussi subjectif que Dieu ou la littérature, notions que chacun interprète et applique à sa manière. La mienne était de me laisser obnubiler par quelqu'un qui ne m'aimait pas, ou qui était socialement acceptable, un tampon sur le passeport qui me permettrait de franchir la frontière entre mon monde à moi et celui des autres.

Je n'étais pas amoureuse de ce fameux musicien noir, seulement subjuguée, transportée, trompée, trompée aussi par moi-même, attirée que j'étais par le fait que le monde l'aimait, que des milliers de gens achetaient ses disques, que les portiers des clubs chic le reconnaissaient. Je supposais, dans un coin de ma tête, que sa séduction serait contagieuse, que tant que je serais à ses côtés j'obtiendrais sans effort l'approbation des autres, par osmose, par simple contact.

Mon père ressent-il quelque chose pour moi ? J'ignore ce qu'il ressent, tellement je le connais et le comprends mal. Je sais qu'il dit m'aimer, je sais aussi que je n'ai jamais ressenti son amour. Je sais qu'il me fait souffrir, qu'il me détruit, qu'à chaque fois que je le vois je me déteste une fois rentrée chez moi. Mais je sais aussi, parce que je t'ai, Amanda, qu'un enfant est si présent dans le cœur de celui qui l'élève que mon père ne peut avoir oublié ce lien invisible et inusable qui malgré tout nous unit. Peut-être est-ce seulement qu'il ne peut s'empêcher, comme le singe du documentaire, d'exprimer sa frustration, que dans son cerveau l'amour et la haine sont intimement liés, étant deux émotions qui reposent sur des circuits primaires identiques, qui traversent les mêmes régions dans leur parcours vers l'hypothalamus. Que puis-je comprendre ou puiser chez un homme dont au fond j'ignore tout, qui a vécu plus de quarante ans dans un monde où je n'existais pas, pas même en rêve ? Un homme avec ses propres peurs, ses propres angoisses, ses propres rêves brisés dont je ne fais même pas partie, un homme dans la vie duquel je n'ai pas de place, bien que je l'aie tant désiré quand j'étais petite.

Non, je n'ai pas été très heureuse dans mon enfance. Ni très ni même un peu. À vrai dire, je connais peu de gens qui l'ont été. Les parents de Sonia ont divorcé quand elle avait quatre ans. Tania, quant à elle, n'a même pas connu son père, un homme marié qui a laissé tomber sa mère enceinte. L'expérience m'a aidée à comprendre que les seules familles heureuses sont celles que nous connaissons mal, que mon drame personnel n'est pas pire que celui des autres, seulement différent. Mais c'est le mien, ce sont mes bagages, mes souvenirs, ma mémoire. C'est le poids que j'ai à porter, ou dont je dois me défaire. Car je n'ai pas été heureuse. Depuis que j'ai l'âge de raison, j'ai vu au moins une fois par semaine ma mère pleurer pour une chose ou une autre, soit parce qu'elle s'était disputée avec mon père, soit parce que c'était une de ces journées où elle était trop fatiguée pour se lever de son lit. Le cœur ? Oui, c'était son cœur, bien sûr, qui lui interdisait de se lever, mais je ne saurai jamais s'il s'agissait de l'organe physique, du muscle qui envoie le sang dans le corps par les vaisseaux, qui a deux oreillettes et deux ventricules, ou de l'organe métaphorique, des sentiments indicibles qui y résident et qui affleurent sous forme de symptômes physiques, de la simple fatigue de toujours porter sur son dos la faute, l'amertume et la frustration. Quoi que nous fassions pour elle, ce n'était jamais assez. Comme les enfants, merveilleux baromètres sensitifs, sont parfaitement en syntonie avec la fréquence émotionnelle de leurs parents, et que je vivais dans mon propre monde sans me rendre compte qu'elle avait un monde à elle qui m'était étranger et incommunicable, je m'enfermais dans la conviction que, si ma mère allait mal, j'en étais d'une certaine façon la cause, et je me sentais coupable de vivre ainsi auprès d'elle, de sorte que, plus grande, j'ai évité sa présence autant que je le pouvais. J'avais d'autre part un père très beau et intelligent, mais aussi très distant et imprévisible. Un jour il paraissait ravi d'être avec nous, le lendemain il nous interdisait d'entrer dans son bureau sans même nous donner de raison, et n'en sortait qu'à l'heure de se coucher. Quant à mon frère, comme l'a bien dit Jaume, c'était le gosse odieux par excellence, un enfant sournois et rancunier, qui avait à l'âme cette blessure aiguë et pure que seul un enfant peut ressentir, un enfant avec qui on ne pouvait jouer à rien parce qu'il n'aimait pas perdre et parce qu'il profitait à la moindre occasion de sa supériorité physique pour donner des coups de poing et de pied. Et mes sœurs vivaient dans leur univers exclusif, dans leur chambre partagée au papier peint à fleurs assorti aux rideaux et aux couvre-lits, dans une existence parallèle que l'on devinait brillante et harmonieuse et à laquelle je n'avais pas accès car, étant la petite dernière, j'étais toujours trop loin de leurs préoccupations, elles étaient adolescentes quand j'étais petite et étudiantes quand j'étais adolescente. À côté d'elles, je me sentais mal à l'aise, ridicule, insignifiante, idiote. Et laide. Laide parce que j'étais une enfant grassouillette et pataude, alors qu'aussi loin que je me souvienne elles ont toujours été minces et élancées. Elles aussi ont peut-être été, un jour, grassouillettes et pataudes, mais je n'étais pas née, ou j'étais trop petite pour m'en rendre compte.

Peut-être, sans doute même, y a-t-il eu des moments heureux dans mon enfance (les siestes sur la plage dans la chaleur de l'après-midi, l'écume chaude et salée des vagues, la lumière réverbérée par cette eau limpide et turquoise et qui ressemblait à du sirop de soleil, mon maillot de bain à pois et ma bouée en forme de phoque, les œufs de Pâques en chocolat, les lézards endormis au bord du muret, la surprise qui m'attendait le jour de la galette des Rois, ou le jour où j'ai joué l'archange Gabriel dans une représentation du collège parce que la prof avait dit qu'avec mes boucles blondes je ressemblais exactement à un ange), et crois bien que j'ai souvent essayé de me les rappeler car c'était ma seule façon de survivre, mais les mauvais souvenirs contaminent tous les autres, et même quand tout semblait aller bien, que mes parents ne se disputaient pas, que mon père ne s'enfermait pas dans son bureau et que ma mère se levait de son lit, j'avais conscience que cela n'allait pas durer, que tôt ou tard il allait y avoir une nouvelle dispute, et jamais je ne me suis sentie protégée, ni ne me suis sentie utile, ni n'ai senti que le monde pût être un lieu aimable et accueillant.

Je n'ai pas non plus été heureuse une fois parvenue à l'âge adulte, et point n'est besoin, si tu es arrivée jusqu'ici, que je me lance dans de plus longs développements. Au moment même où je commençais à me dire que les choses allaient s'arranger et ma vie s'améliorer, une bombe est venue dynamiter l'édifice que j'étais en train de construire et au premier étage duquel je m'étais installée. Car j'ai cherché le bonheur de multiples façons, et à chaque fois je me suis trompée. Ni les drogues, ni l'alcool, ni l'écriture, ni la passion amoureuse ne procurent le bonheur. Ils procurent des moments d'exaltation, mais au fond, quand je buvais, ou que je me droguais, ou que j'écrivais compulsivement, ou que je sortais avec des fous furieux pour la seule raison qu'ils me disaient m'adorer et ne pas pouvoir vivre sans moi, je me sentais comme je m'étais sentie dans mon enfance, c'est-à-dire perdue, car il me restait toujours cette certitude que tout cela était provisoire, que tôt ou tard l'effet de l'alcool ou de la drogue s'atténuerait, ou que le transport amoureux se ralentirait, ou que le livre serait terminé et qu'il me faudrait affronter de nouveau la dure réalité. Mais aujourd'hui, pour la première fois, je sens que je possède quelque chose de durable, de stable, qui peut même croître et multiplier, et que je n'ai pas le droit de détruire.

N'importe quel psychiatre te dira que, dans une famille, le seul qui doute de sa propre sagesse est, paradoxalement, celui qui est le plus lucide. Les autres sont installés dans leur folie au milieu de laquelle ils vivent plus ou moins confortablement, et c'est lui qui paie les pots cassés, car lorsqu'il voit ce que les autres ne voient pas et qu'il le dit, il doit affronter un groupe compact qui s'échine à le convaincre de changer, tant sa vision met en péril celle des autres en lui opposant une vérité qui n'est ni meilleure, ni plus pure, ni plus utile, ni plus fiable, seulement différente. Une vérité alternative.

Aussi loin que je me souvienne, mes parents, quand j'étais enfant puis adolescente, critiquaient systématiquement ce que je faisais. C'est quelque chose qui arrive dans toutes les familles, la personnalité de l'adolescent se construisant en opposition à celle de ses parents. Pour les miens, mes tuniques noires et mes bracelets cloutés étaient des uniformes sataniques, mes amies avaient une mauvaise influence sur moi, et mon choix de faire des études de lettres était une lubie incompréhensible de plus. Quitte à aller à l'université, pourquoi ne pas étudier quelque chose de sérieux, comme l'économie, au lieu de perdre temps et argent à ces sornettes ? Puisque la seule chose qu'ils attendaient de moi était que je renonce à être moi, j'ai réduit le contact au strict nécessaire, non que je conteste les éminentes qualités de mon père : intelligent, séduisant, socialement respecté, charmeur… (et j'utilise le mot charmeur dans ses divers sens, car il est charmeur comme un charmeur de serpents, son charme est de ceux qui obligent les autres à danser au son de sa musique), mais je connaissais aussi son caractère colérique, qui transformait toute tentative d'approche en un exercice consistant à progresser dans un champ de mines : on ne savait ni où ni quand allait se produire l'explosion.

Il y a eu, quand j'étais petite, une période où j'ai détesté ma mère de toute mon âme, car je n'arrivais pas à la comprendre et j'étais exaspérée par ses soupirs, ses maladies, ses fatigues, ses larmes, j'avais troqué mon amour pour de la haine, sans doute dans un effort désespéré pour m'affranchir de ma part de responsabilité (responsabilité qui n'existait pas, mais comment aurais-je pu le savoir ?), et je la détestais à tel point qu'au collège, chaque fois qu'on me demandait si je préférais mon papa ou ma maman, je répondais fièrement que je n'aimais pas ma maman (et ce qui, rétrospectivement, me surprend aujourd'hui, c'est que jamais, jamais personne n'ait seulement essayé de me dire que c'était mal). Et il m'a été difficile ensuite de me rapprocher d'elle à nouveau. Peut-être sa mort m'a-t-elle été, de ce fait, plus douloureuse qu'aux autres, car à la douleur de la perte se mêlait celle de la faute, et peut-être expié-je en ce moment le fait de ne pas avoir eu l'honnêteté ni le courage de dire que je préférais aller seule à l'enterrement, pleurer ma mère à ma façon et comme j'en avais envie, pleurer l'irrécupérable communication qui n'avait jamais existé, pleurer l'enfance que je n'avais jamais eue et que j'aurais voulu avoir, toutes les choses tues qui resteraient pour toujours de l'autre côté de la vie.

Quant à mon père, j'ai toujours senti qu'il m'asphyxiait à la façon d'une plante parasite. Quand il m'aimait, je me détestais. Car pour qu'il m'aime, je devais faire semblant de ne pas être moi, de ne pas croire ce que je croyais, de ne pas me rappeler ce que je me rappelais, d'approuver des attitudes que je désapprouvais. Je croyais que l'amour véritable ne pouvait exiger de l'autre un tel renoncement, je ne voulais pas croire Oscar Wilde pour qui l'amour est, par définition, un meurtre. Mon père, quand il disait m'aimer, disait sans doute la vérité, mais il disait sa vérité, non la mienne, car la vérité est dans la tête de chacun, elle n'est pas un axiome immuable, et donc il m'a aimée, mais c'était quand j'étais une petite fille, c'est-à-dire une extension de lui-même, sans personnalité ni autonomie, et s'il m'a aimée quand j'étais plus grande, c'était seulement lorsque je mentais pour me conformer à ce qu'il attendait de moi, que je m'abstenais, par exemple, de faire venir mon amant aux repas dominicaux tandis que Vicente présentait (ou plutôt exhibait) ses Machenka, Tatiana, Olga et autres Natalia. Il m'aimait quand je venais seule, et habillée comme jamais je ne m'habillais le reste du temps, en tailleur et les cheveux attachés, il m'aimait quand je me tenais convenablement et que je m'efforçais de ne pas poser trop de questions sur la vie des autres, ni de raconter trop de choses de la mienne, de ne pas parler trop de quoi que ce soit en général, de me contenter de faire bonne figure et honneur à ce qu'il y avait sur la table. Il m'aimait quand je n'étais pas moi.

J'ai passé ma vie à rechercher en vain l'approbation de ma famille, comme l'âne qui avance sur le chemin tracé par son maître, en recherchant la carotte au bout du bâton, et je n'ai fait qu'avancer sur un chemin que je n'avais pas choisi, sans me sentir meilleure ni plus aimée pour autant.

L'approbation de mon père était pourtant un trophée qui revêtait d'autant plus de valeur à mes yeux qu'il était plus disputé : nous faisions tous, sauf ma mère, le beau devant lui comme des caniches. Il semblait ne pas aimer l'Eva réelle, qu'il voulût la broyer à force de la traiter de capricieuse, de folle, d'égoïste et de menteuse (de capricieuse quand elle ne voulait pas se lever tôt, de folle quand elle mettait ses fameux bracelets cloutés, d'égoïste depuis le premier été qu'elle avait refusé de passer à Santa Pola, de menteuse quand elle disait que son frère était timbré). J'ai toujours su comment il était, et je l'acceptais comme il était. Et même, je l'aimais. Je l'aimais beaucoup, trop sans doute, mais je savais qu'il s'agissait d'un amour impossible. Et quand j'ai vu que le même schéma se répétait avec l'homme dont le nom est écrit sur un bout de parchemin roulé dans une bouteille enterrée dans un terrain vague du côté de Cuatro Vientos, que je soupirais désespérément après quelqu'un qui ne pourrait jamais me rendre ce que je lui donnais, j'ai compris que je subissais cette relation délétère parce que je jouais un rôle que j'avais appris, parce que je jouais à être ma mère sans l'être, en me mettant à la place de cette femme que mon père disait aimer, en changeant le scénario tout en conservant mot pour mot les dialogues, dans le fol et vain espoir d'en changer le dénouement.

Crois bien qu'une partie de moi se sent très coupable d'écrire ce qu'elle écrit, cette même partie qui s'est toujours sentie coupable de tout, qui croyait aimer des musiciens brillants qui étaient simplement en quête d'une blonde bien roulée pour égayer leurs sorties et d'autres moments. Mais l'autre partie de moi, celle que je crois être mon moi profond, a l'impression que si elle n'écrit pas ce qu'elle ressent, si elle ne s'affirme pas et ne revendique pas ses droits, elle ne survivra pas. Et elle sait que parler sincèrement signifie rompre certains liens, mais pour en nouer d'autres, moins resserrés, moins étouffants. Des liens anciens qu'il fallait rompre tôt ou tard car ils devenaient peu à peu la corde qui soutient le pendu. Et que la culpabilité est le prix à payer pour la liberté.

Tu n'imagines pas combien il m'est douloureux d'écrire cela, car toute ma vie j'ai rêvé d'avoir une famille idyllique qui m'aime inconditionnellement, une famille de série télévisée américaine, un havre où trouver refuge en cas de besoin. Et combien il m'est douloureux de considérer une illusion comme révolue. Cette illusion que nous caressons tous, mais qui ne peut se matérialiser dans la vie réelle. Car aucun être humain n'est parfait, et il n'y a donc pas de famille parfaite. Si les séries télévisées nous apprenaient plutôt que toutes les familles, toutes, sont fondées sur des liens d'affection et de complicité, mais que ces liens s'entrelacent de façon confuse avec d'autres qui ont nom jalousie, trahison, désillusion, envie, nous décevrions moins nos parents, nos frères, nos sœurs, et nous apprendrions à estimer chaque famille pour ce qu'elle est : ni meilleure ni pire, différente. Ou identique, si on veut. C'est évidemment une chose douloureuse à admettre. Il est douloureux de grandir. Mais comme dit ce chanteur italien : je suis désolée, la vie est comme ça, ce n'est pas moi qui l'ai inventée.

Ce que je veux que tu comprennes, Amanda, si un jour tu lis ceci, c'est que lorsque la Mercedes s'est enfin arrêtée dans Madrid et que je suis rentrée chez moi les yeux rouges et la tête tourneboulée, je me suis rendu compte qu'on ne peut pas passer sa vie à essayer d'être comme ses parents veulent qu'on soit, ni à leur reprocher d'être ce qu'on est devenu. Mais à rester enfermé dans l'enfance on ne grandit pas, et à ne pas grandir on ne devient jamais une personne à part entière, on reste un simple appendice de sa maman, suspendu à son approbation et redoutant son mépris. Je suis mécontente de la façon dont j'ai été élevée, mais qui ne l'est pas ? Y a-t-il une seule personne qui n'ait rien à reprocher à la façon dont elle a été élevée ? Je ne suis pas assez naïve pour penser qu'à l'avenir tu n'auras rien à me reprocher. Je me dis parfois aussi qu'ils n'ont peut-être pas pu, ou pas su faire autrement. Pire encore, il est plus que probable, pour ne pas dire irrémédiable, qu'à mon tour je me trompe avec toi. Qui peut dire que les choses se seraient mieux passées si ma mère avait épousé mon oncle Miguel ou si mon père n'avait pas été obligé de voir chaque jour son beau-frère et rival ?

Qui peut dire que tout se serait mieux passé s'il n'y avait pas eu deux camps divisés par une guerre fratricide ? Qui peut dire si les choses pourraient mieux se passer ou si, au contraire, la vie est soumise à des lois d'airain auxquelles on ne peut s'opposer car la divine fatalité régit toutes choses en tirant sur ses fils invisibles ?

Pas moi, évidemment, je ne suis sûre de rien, mais ce dont j'étais sûre, c'était de vouloir te protéger de tout cela, et donc, quand mon père m'a appelée une semaine plus tard pour savoir si j'allais bien et m'a dit que je n'avais pas besoin de pleurer autant, qu'il ne fallait pas pousser les gens à bout comme ça, que mon frère s'était seulement un peu énervé, dans l'espoir que j'accepte l'idée, une fois de plus, que c'était Vicente qui était normal et moi qui réagissais de façon exagérée, je lui ai raccroché au nez et je ne l'ai plus rappelé depuis, forte de la conscience que j'ai désormais que mon amour pour mon père m'a asphyxiée, que sa vie s'est toujours, en un sens, nourrie de la nôtre, entre ces deux sœurs qui s'évertuaient à se distinguer l'une de l'autre et ce fils qui martyrisait la petite dernière pour dissimuler son complexe d'infériorité. Je sais que, quand tu seras grande, tu me jugeras peut-être de la même façon qu'un jour j'ai jugé mon père, et j'en suis terrifiée d'avance, car je me dis que si mes parents n'ont pas su agir autrement, il est plus que probable que moi non plus je ne saurai rien te transmettre de valable, que je commettrai les mêmes erreurs et déverserai sur toi mes angoisses et mes frustrations, que je ne saurai pas contenir mes accès de mauvaise humeur, cacher mes doutes et mes névroses, être pour toi le refuge et la consolation dont tu auras besoin. Il est plus que probable qu'un jour tu me mépriseras quand tu liras que je t'ai conçue comme un appui pour vivre, qu'avant même ta naissance je t'ai utilisée.

Je t'ai utilisée pour combler le vide de mon existence, j'ai désiré ta conception parce que j'avais besoin
de quelqu'un pour peupler ma solitude, parce que chacun recherche, voire planifie ses amours (amants, amis,
enfants) en fonction de ses carences. Le monogame en
série peut d'ailleurs observer, entre les caractères de
ses partenaires successifs, des écarts qui vont croissant
à mesure qu'il s'avance vers de nouvelles régions de
l'existence. Des détails que nous trouvions naguère
insignifiants deviennent la raison même pour laquelle
nous nous sentons soudain attirés par une personne.
Moi, par exemple, j'aimais les musiciens pour ce qu'ils
représentaient : l'énergie, le mouvement, l'exaltation,
et je croyais que toutes mes chances de bonheur rési-
daient dans ces qualités – ces vertus à mes yeux – qui
contenaient une promesse de changement. Et à l'époque, je n'aurais même pas remarqué quelqu'un comme
Anton, qui incarnait leur exact contraire : la tranquillité, le calme, la paix… l'immobilité. Mais lorsque j'ai
eu plus que ma dose d'agitation, qu'elle s'est avérée
excessive, qu'elle m'a laissée nauséeuse, abrutie, et
donc encline à tenir pour des vertus ce qu'auparavant je
considérais comme des défauts et vice versa, j'ai fini
par trouver du charme à une prévisibilité qu'autrefois je
n'aurais pas hésité à qualifier d'ennuyeuse. Car le Roumain était prévisible. Invariablement, il rentrait à la
maison entre 18 heures et 18 h 30, avec un sac rempli
de provisions. Et le seul jour où il a été en retard, où il
est rentré à 20 heures passées, j'ai remarqué soudain
que les étranges pensées qui se bousculaient dans ma
tête depuis deux semaines confluaient en descendant le
long de ma poitrine pour se concentrer en un point
concret de mon anatomie, se traduisant par un élance-
ment du cœur : un besoin nouveau, absurde et avide, le
besoin de lui.

J'aurais trouvé sans nul doute ennuyeux, en d'autres
temps, ce caractère paisible et réservé qui, à la longue,
était devenu l'une des choses que je préférais en lui. Il

s'exprimait toujours clairement, naturellement, sans hâte ni hésitation, sans agrémenter son propos de bons mots ni de digressions. Il donnait l'image de l'innocence et de la simplicité absolues, mais on ne tardait pas à comprendre, à ses silences justement, qu'il avait en lui quelque chose de mystérieux. J'aurais sûrement trouvé ridicules, autrefois, certaines de ses manies, son obstination à ne jamais se servir du micro-ondes, sa résistance acharnée au téléphone portable (il devait être la seule personne que je connaisse à New York à n'en pas avoir), appareils qui, selon lui, n'étaient nullement indispensables et pouvaient même provoquer des cancers (affirmation que j'avais considérée jusqu'alors comme une supercherie, mais qui, dans la bouche d'un scientifique, prenait une sombre valeur d'avertissement). Sans doute l'aurais-je, des années plus tôt, traité de benêt, mais cet été-là j'ai été séduite plus que probablement par le fait qu'à la différence de la plupart des hommes que j'avais rencontrés jusque-là, il n'avait tenté à aucun moment de franchir l'invisible distance de sécurité que nous avions tacitement établie entre nos corps. Quand nous avions fini de dîner, il me proposait généralement, ou plutôt m'imposait une promenade, pensant à juste titre que l'inactivité absolue, loin de me guérir, ne ferait qu'aggraver mon état de faiblesse. Et moi, profitant de ce que je ne parvenais à marcher qu'agrippée à son bras et que j'étais encore trop nauséeuse pour me risquer seule dehors, je tentais de raccourcir l'invisible distance en me serrant contre lui, mais il paraissait ne pas remarquer ces signaux trop évidents, car il se comportait de façon aussi respectueuse que si j'étais une vieille dame de quatre-vingts ans et lui mon infirmier attitré.

Nous aurions pu demeurer longtemps dans cette situation incertaine, comme lorsque l'on rêve tout éveillé, ce qui n'était d'ailleurs pas sans rapport avec mon état car je passais le plus clair de mon temps dans cet entre-deux confus entre sommeil et veille : je m'endormais brusquement, mon livre me tombait des mains, et je ne savais plus très bien si j'avais rêvé, lu ou vécu ce dont je me souvenais à mon réveil.

Le livre que je lisais était *Madame Bovary*, ce titre qui résonnait aux oreilles du CMN comme celui d'un opéra, et dont j'avais trouvé quatre exemplaires, pas moins, dans les rayonnages du salon : un en anglais, un en français, un en caractères cyrilliques (j'avais déduit le titre de l'illustration de la couverture, des similitudes entre l'alphabet cyrillique et l'alphabet grec que j'avais appris à l'université, et de ma propre imagination, qui me sert de mortier lorsque j'ai à bâtir une déduction), et un quatrième dans une langue que je supposais être du roumain. Ma conjecture m'avait été confirmée le soir même par le propriétaire des volumes, qui m'avait expliqué au passage qu'il lisait les quatre langues, et s'il avait les quatre versions, c'était parce que le français était la langue originale dans laquelle l'ouvrage avait été écrit, le roumain sa langue maternelle à lui, l'anglais celle qu'il avait dû apprendre en Amérique, et le russe celle qu'il avait étudiée au lycée.

— Comme je connais le roman pratiquement par cœur, je n'ai pas besoin de comprendre tous les mots de la langue dans laquelle je le lis, je devine le sens grâce à celui de la phrase et à ce que je me rappelle de ma première lecture. Et comme je l'avais lu d'abord en roumain et ensuite en français, j'ai acheté la traduction anglaise ici pour me perfectionner, ensuite j'ai trouvé la version russe chez un bouquiniste et je me suis dit que ce serait bien d'en lire des passages de temps en temps pour ne pas oublier le peu de russe que je sais, car ici je n'ai presque jamais l'occasion de le parler.

— Tu es en train de me dire que tu as lu *Madame Bovary* en roumain et en français avant seize ans ?

— Oui. Tu trouves ça bizarre ?

— Non... Ou bien si. C'est-à-dire que moi aussi, j'ai lu le livre en français et en espagnol à quinze ans, mais il faut dire que, pour mes camarades, j'étais un peu le mouton à cinq pattes. C'est le genre de choses que je me gardais bien de leur avouer.

C'est le moins qu'on puisse dire, car dès que je m'enhardissais à ouvrir la bouche en classe d'espagnol pour émettre une opinion ou poser une question, toute cette bande d'incultes me traitait de fayote, David Muñoz en tête. C'est bien pour cela que j'étais à ce point amoureuse de José Merlo, le seul homme que je connaisse – mon père et mon frère inclus – à non seulement ne pas trouver bizarre que j'aime lire, mais encore à m'y encourager et à m'admirer pour cela.

— Vraiment ? m'a demandé le Roumain. Tu parles sérieusement ?

— Ça t'étonne tant que ça ?

— Non, c'est juste que tu ne donnes pas l'impression d'être ce genre de fille…

— Et pourquoi ça ?

Je ne sais pas pourquoi je lui posais la question, puisque je connaissais la réponse. Une réponse gravée dans la psyché collective, selon laquelle l'archétype de la fille qui lit *Madame Bovary* dans le texte à quinze ans est une brune avec une peau très blanche (à force de passer ses journées enfermée dans la bibliothèque), des lunettes à monture d'écaille (toutes ces dioptries accumulées à force d'user ses yeux à lire), un corps filiforme et androgyne, frisant l'anorexie terminale (car il est évident qu'absorbée comme elle l'est par la lecture des classiques, elle ne mange pratiquement pas, à peine la pomme tristounette qu'elle emporte à la bibliothèque et mordille distraitement tout en relisant Cicéron), les cheveux ramenés en un chignon artistement désordonné (car, plongée dans ses préoccupations intellectuelles, elle ne laisse pas le vain souci de son image ou de sa chevelure lui faire perdre son temps). Et une blonde plutôt grande avec de gros seins, des cheveux longs et des mèches décolorées, bronzée qui plus est (car chaque jour je prenais le soleil sur les marches de l'escalier de secours, juste vêtue d'un haut et d'un minishort, pour ne pas perdre le bronzage acquis au bord de la piscine du CMN), est à l'opposé dudit archétype.

Mais ce n'est pas cette réponse qu'il m'a faite, ne serait-ce que parce qu'il n'a pas ouvert la bouche. Il s'est contenté de me regarder fixement de ses yeux immenses, et quand il s'est rendu compte qu'il était si visiblement absorbé par ma contemplation, il a détourné le regard pour fixer, cette fois, la salade. Et pour la première fois, je me suis dit qu'il n'était pas impossible que je lui plaise davantage que je ne l'aurais imaginé.

Je pensais malgré tout que la chose n'irait jamais bien loin, car j'avais connu dans ma vie, après José Merlo, bien des amours platoniques, des séductions distantes qui jamais ne s'étaient concrétisées. Il y avait eu, par exemple, un collègue de la radio avec qui, pendant les deux ans ou presque où nous avons participé à la même émission, nous marivaudions de la façon la plus éhontée sans que jamais cela ne tire à conséquence, en dépit d'échanges de regards parfois aussi appuyés que celui que venait de poser sur moi mon colocataire. Je croyais, d'une certaine façon, que s'il n'y avait pas un coup de foudre aussi instantané que dévastateur, si rien ne se passait tout de suite, rien ne se passerait jamais, et que le marivaudage serait voué à rester dans des limbes ne menant ni au ciel ni en enfer. Et je me contentais de me sentir amoureuse pour le simple plaisir de l'être, sans exiger la réciproque. J'avais décidé de renoncer à poursuivre un idéal – qu'Anton, de toute façon, n'incarnerait jamais comme l'avait incarné, fûtce brièvement, le CMN – pour me satisfaire de menus plaisirs quotidiens : le dîner du soir, la promenade au crépuscule, les conversations sans fin – au cours desquelles j'étais sans cesse sur le point d'avouer ce que j'éprouvais, mais sentais ma déclaration s'ébrouer au fond de ma gorge, monter par le larynx, soulever la glotte, frôler les commissures des lèvres et rester sur la pointe de la langue, sans jamais sortir.

Il se pouvait aussi, me disais-je, que cette attirance ne soit somme toute qu'une variante du syndrome de Stockholm. Je n'étais évidemment pas séquestrée par Anton, mais le fait est que je ne voyais personne d'autre. Sonia et Tania téléphonaient souvent, mais, prises par leur travail, elles passaient rarement me voir, et il était normal, dans ces conditions, que mon attention se concentre sur l'unique être humain avec qui j'avais un contact rapproché, sur l'homme qui me promenait, qui me nourrissait, qui m'écoutait. Mais l'aurais-je seulement regardé si je l'avais rencontré à Madrid, étant active et en bonne santé ? Si j'avais fait sa connaissance à une première, à une fête, à un concert, dans un café, serais-je allée au-delà de la machinale conversation de circonstance ? Non, probablement pas. Il était trop maigre, trop taciturne, trop dégingandé… Peut-être aussi trop terne.

De mon côté, j'avais maigri à vue d'œil. Sans doute parce que j'avais arrêté de boire et réduit mes trois repas quotidiens à un seul, le dîner, où je me bornais à picorer sans appétit ce que m'avait préparé mon colocataire. J'avais perdu près de 3 kilos la première semaine, qu'à vrai dire j'avais passée presque entièrement à dormir, de sorte que je n'avais pas eu l'occasion de manger grand-chose. La deuxième, j'avais perdu encore 2 kilos. Au septième kilo perdu, je me suis rendu compte que j'étais en passe de franchir une limite : si je continuais à maigrir, j'allais tomber au-dessous de ce que les tableaux des nutritionnistes indiquaient comme étant mon poids idéal. Et j'ai alors compris, pour la première fois, la motivation ultime des anorexiques. Il ne s'agissait pas d'être plus belle, de ressembler à une couverture de magazine. L'obsession de perdre du poids était surtout liée au contrôle de soi. Or, je n'avais aucun contrôle sur ce qui m'entourait : les hommes qui me plaisaient pouvaient, comme dans un conte de fées à l'envers, passer de prince à crapaud après quelques baisers, la justice était une sorte de poker où gagnait celui qui bluffait le mieux et non celui qui s'était le mieux conduit, le bien-être était une tromperie, la famille une prison sans barreaux, le sexe une roulette russe où un préservatif déchiré équivalait à une balle dans le barillet. Bref, le monde extérieur était un territoire imprévisible et inhospitalier, mais au moins était-ce moi qui me commandais à moi-même. Je pouvais décider combien j'allais peser, combien j'allais manger, combien de moi-même j'allais montrer. Je pouvais cesser d'être une blonde aux gros seins pour devenir un angelot languide (même s'il est certain qu'avec mes 55 kilos j'étais toujours une blonde aux gros seins, certes un peu plus mince, mais il aurait fallu que je mincisse bien plus pour cesser de l'être), et cette sensation de pouvoir que j'éprouvais pour la première fois, cette sensation de contrôler mon propre corps et ma propre personne, était quasi narcotique.

Que le Roumain se soit ou non aperçu de ma métamorphose physique, il n'avait fait aucun commentaire à ce sujet. Il est vrai que je ne m'étais pas acheté de nouveaux vêtements et que je ne portais jamais de tenues moulantes ou susceptibles de mettre en évidence mon anatomie, mais il s'était forcément aperçu de quelque chose, ne serait-ce qu'en voyant mes jupes flotter sur mes hanches. Soit il était trop timide pour me faire des remarques sur mon physique, soit il n'avait rien vu, mais cette seconde possibilité me semblait difficile à envisager, étant donné la façon dont il me regardait à table. De toute façon, j'avais renoncé à comprendre le genre humain en général et le genre masculin en particulier, et plus particulièrement encore mon colocataire, de sorte que je ne cherchais pas à élucider le lien logique susceptible d'expliquer une attitude si contradictoire en apparence.

Je continuais de dormir la majeure partie de la journée, mais je ne crois pas que cette inertie ait eu quoi que ce soit à voir avec le fait que j'avais cessé de boire. C'était plutôt la conséquence de la chaleur moite de la ville, qui nous faisait tous bouillir dans notre propre sang, et nous laissait flasques comme des carottes cuites à la vapeur. Ou la conséquence de ma propre passivité : si je restais au lit, c'était parce que je n'avais rien de mieux à faire. Peut-être étais-je tout simplement déprimée. Je ne comprenais pas moi-même ce qui m'arrivait. Je trouvais ridicule de rester durant mes vacances enfermée dans un appartement et me demandais comment j'allais expliquer à mes amis, à mon retour à Madrid, que j'avais passé à New York deux mois dont un qui ne m'avait laissé aucun souvenir parce que je l'avais vécu dans un nuage éthylique, et l'autre qui se résumait en ces cinq seuls mots : un appartement dans le Bronx. Mais je ne trouvais jamais le courage ni l'occasion d'en sortir. J'aurais pu me prendre par la main, aller faire les librairies ou les disquaires, ou me promener dans Central Park, ou voir une exposition au MOMA, mais aucune de ces activités, qui m'avaient paru si excitantes à Madrid, ne me faisait la moindre envie. Je ne reconnaissais plus la citadine invétérée que j'avais été. Parfois je regardais par la fenêtre et appuyais ma joue contre la vitre pour voir le plus loin possible, jusqu'à l'endroit où se dressaient les gratte-ciel, et toute cette armée de verre et d'acier me semblait menaçante, dangereuse, je me sentais comme une misérable fourmi au milieu de cette fourmilière surpeuplée.

Alors qu'il ne me restait plus que quatre jours avant de repartir, que je pesais 54 kilos et que je languissais désespérément de mon appartement de Madrid et de mon chien, Sonia m'a téléphoné pour me proposer un dîner d'adieu. Ne pouvant invoquer aucun prétexte pour me soustraire à cette obligation, j'ai mis une de mes quatre tenues Versace, qui m'allaient enfin comme un gant au lieu de me faire ressembler à une racoleuse de trottoir, ou à une joueuse de beach-volley invitée à un gala, même si le modèle était toujours aussi tocard que le jour où je me l'étais fait offrir, et j'ai appelé un taxi par téléphone, car je ne me voyais pas gagner le centre de Manhattan en métro.

Un dîner sans grand intérêt, dans un restaurant de Soho. Sonia avait déjà rompu avec son amant bassiste et sortait vaguement avec un photographe suédois. Tania restait obsédée par sa thèse, et par pas grand-chose d'autre. Mais l'important, pour l'histoire qui nous occupe, ce ne sont pas les conversations qui ont survolé la table, ce sont les deux bouteilles de vin que nous avons commandées, les quatre verres que j'ai bus au cours de ce repas où je n'ai presque rien avalé, l'agréable sensation, si longtemps oubliée, d'euphorie éthylique, comme si l'alcool avait comblé mes vides et noyé mes angoisses à la manière d'une rivière en crue qui emporte arbres et maisons sur son passage. Tania me paraissait soudain plus belle, Sonia plus spirituelle, ma vie plus prometteuse… Même ma robe Versace, reflétée dans l'immense glace du restaurant, semblait un prodige d'élégance, et moi, désormais à l'aise dedans, un clone de Michelle Pfeiffer. Je ne comprenais pas comment j'avais pu me passer si longtemps d'une sensation si merveilleuse. Ni pourquoi j'avais soudain l'impression que toutes les tables du restaurant flottaient autour de moi, comme dans ce vieux Walt Disney où les meubles s'animent et se mettent à exécuter d'aériennes danses acrobatiques.

Je revois vaguement mes amies me poussant dans un taxi malgré mes objurgations, car j'insistais pour aller continuer la soirée ailleurs. J'ai dû m'endormir pendant le trajet, car mon souvenir suivant est celui du chauffeur qui me tapotait l'épaule. J'ai monté l'escalier tant bien que mal et engouffré la clé dans la serrure. Je suis entrée dans l'appartement en pensant qu'il me serait facile de me mettre dans le lit du Roumain, maintenant que l'alcool m'avait désinhibée et me révélait aussi clairement le désir que j'éprouvais. Car l'ivresse a cette vertu de montrer ce qui est enfoui au plus profond de soi, et que l'on ne pouvait ou voulait pas voir. Elle est un catalyseur émotionnel, qui fait remonter à la surface les dépôts qui stagnent au fond. Le revers de la médaille, évidemment, c'est qu'elle libère également ce que l'on a de pire en soi, et c'est pourquoi tant d'hommes qui battent leur femme ne le font que quand ils sont ivres, non pas parce que l'alcool les rend agressifs, mais parce que, sobres, ils n'osent pas, et que l'ivresse leur sert d'excuse et d'alibi. Quelque chose en moi, cependant, me disait avec insistance qu'il ne rimait à rien de retomber dans mes vieux démons, de me défausser sur Bacchus de la responsabilité de l'acte sexuel désiré. Je suis donc allée à la salle de bains, j'ai pris une douche froide, glacée, dont je suis sortie complètement dégrisée, puis, toujours en peignoir – au cas où –, j'ai dissous dans un verre d'eau deux Alka-Seltzer au lieu d'un pour éliminer les vestiges de mon ivresse. Si bien que je puis jurer et que je jure, à cet instant et à cette table, que je savais parfaitement ce que je faisais lorsque j'ai fait les quelques pas qui menaient à la chambre du Roumain au lieu de regagner la mienne.

Il a dû penser que j'étais ivre, mais s'il l'a pensé, ce détail ne l'a pas retenu. Il ne s'est laissé inhiber par aucun sentiment chevaleresque mal placé, ni par aucune appréhension due à l'évidente analogie avec sa mère. J'ai senti, en me glissant dans son lit, le contact glacé de ses pieds, puis, presque aussitôt – j'en déduis que mes pas l'avaient réveillé et qu'il s'était aperçu que j'étais rentrée –, deux mains qui rejetaient ma tête en arrière, deux lèvres qui se collaient aux miennes, une bouche qui buvait la mienne. Tout s'est déroulé dans l'obscurité, de sorte que la scène paraît très abstraite au moment de la revivre et de la décrire. J'avais conscience de l'humidité de sa bouche, de l'agilité de sa langue, du goût de bière de son haleine sous lequel se cachait, tel l'arôme de bois de chêne que parvient à

déceler le sommelier aguerri, un soupçon de dentifrice
mentholé, et encore au-dessous, enfouie plus profondément encore, la saveur animale de sa salive, à l'âcre et
pénétrant arrière-goût métallique de sang et de phéro-
mones. J'avais conscience de son odeur de sueur,
douce, agréable même, qui se mêlait à la mienne et à
mon parfum (Carolina Herrera, autre cadeau du CMN,
et cette fragrance liée à des réminiscences d'autres
étreintes, loin d'être incongrue, rendait paradoxalement
la situation plus familière, plus reconnaissable, la
dépouillait de l'aspect redoutable de l'imprévu, de
l'inconnu), ainsi que du léger nuage d'encens ou de
marijuana en suspens dans l'atmosphère. J'avais conscience du toucher multiforme de ses doigts (dix qui
dans l'obscurité paraissaient cent) tambourinant sur
mon ventre, orages qui s'élevaient, lançant des éclairs,
jusqu'à mes seins, mous et plus du tout embarrassants,
qui étaient restés comprimés toute la soirée dans leur
soutien-gorge constricteur et qui, libérés de leur geôle,
se révélaient étrangement réceptifs, tels des chatons
avides de caresses. Je me sentais me dissoudre, me
transformer en vapeur, en éther, comme si je tentais de
sortir de mon enveloppe corporelle pour ne pas être
responsable de la scène que j'étais en train de vivre, et
qui aurait inévitablement des conséquences, bonnes ou
mauvaises, plus probablement mauvaises, du moins le
craignais-je, à défaut de les prévoir ou même de les imaginer, lors des rares secondes où je reprenais conscience
de mon corps et raisonnais. Je le sentais au-dessus
de moi, qui pesait d'un côté, si bien que j'ai bougé,
ou plutôt qu'elle a bougé, elle, l'Autre Eva, celle qui
ne s'était pas dissoute et qui n'errait pas au-dessus du
lit en contemplant la scène de haut, elle a bougé, elle a
ouvert ses jambes, et il s'est placé entre elles. Elle, ou
moi, l'a serré dans ses bras, émue par sa maigreur, fas
cinée par la suavité inespérée, quasi crémeuse, de la
peau de son dos. Dans le souvenir, mes mains remontent sa colonne vertébrale, dévient vers les côtes, tâtent

la fibreuse musculature de son abdomen. Je me presse contre lui en aspirant ses cheveux : ils sentent le shampooing, une senteur de goudron qui éveille des échos de mon enfance, des étés à Santa Pola, de l'époque où j'avais un maillot de bain rose à pois et une bouée en forme de phoque. Je referme mes jambes autour de son dos, je le prends en tenailles, une douleur fugace et violente comme un coup de couteau m'indique qu'il en a profité pour entrer en moi, et je découvre un Anton nouveau, qui me domine et sur qui je me sens pourtant exercer un pouvoir mystérieux, inconnu à ce jour. (Tu auras remarqué que nul n'a parlé de préservatif, élément pourtant emblématique des scènes érotiques dans les romans de ce troisième millénaire, bouée de sauvetage indispensable pour ne pas faire naufrage dans les eaux tumultueuses de la liberté sexuelle, ce préservatif que je n'avais pas une seule fois omis dans mes étreintes avec le CMN, quelque quantité d'alcool ou de cocaïne que nous ayons absorbée.) On dirait qu'il me berce, ou peut-être est-ce moi qui le berce, chacun des deux cherchant des lambeaux d'enfance, des échos de cette tendresse qui nous a tant manqué sans que nous en soyons conscients, et cette étreinte silencieuse, paisible, presque compassée, a quelque chose d'un paysage marin, de vagues qui montent et descendent, et du choc de deux bouteilles jetées à la mer avec un message à l'intérieur. Puis je m'endors, sous l'effet fulminant de la chaleur et de la décharge d'endorphines provoquée par l'orgasme, et lorsque le lendemain matin j'ouvre mes yeux somnolents, je me retrouve lovée autour du même corps tiède, et je passe les deux jours suivants au lit, je déjeune au lit, je dîne au lit, je dors au lit, mais cette fois sans livre, et je ne suis pas seule, et je mange au lit, je dors au lit, j'aime au lit, je fais du lit mon territoire et mon refuge, et dans cet intervalle poisseux entre sommeil et veille, il me vient à l'esprit que les aubépines, les abeilles, les arbres, les abricots, l'averse, l'anorak qui interviennent dans mes rêves symbolisent une prospérité de bon augure, et commencent tous par la même lettre : A comme Anton, A comme amour, cet amour contenu dans ton nom.

(Et il convient d'insister à nouveau sur le fait que, pendant tous ces jours où nous avons fait lit commun, aucun de nous deux n'a fouillé dans le tiroir de la table de nuit où aurait dû se trouver l'indispensable gisement de préservatifs, que le pénis a vogué librement sans que nul ne songe à l'enserrer dans une gaine de plastique ni à s'alarmer d'une absence si évidente. Moi, parce que j'avais atteint un vide existentiel si profond que la seule chose sur laquelle je comptais pour le combler était de jouer ma vie sur une ultime carte, en une absurde roulette russe : si c'est la mort qui sort, j'attraperai le sida, et si c'est la vie, je serai enceinte. Mais il aurait aussi bien pu ne rien arriver du tout, que je reste comme je suis ou que j'attrape une fâcheuse mais bénigne candidose. Quant à lui, j'ignorais ce qui se passait dans sa tête, je me disais qu'il devait supposer que je prenais la pilule ou que je préférais, au lieu d'écouter les tambours de ville de la prophylaxie sexuelle, ajouter foi à cette fable urbaine selon laquelle on a, en Occident, plus de chances de mourir renversé par une voiture que d'attraper le sida au cours d'un coït hétérosexuel. Mais je devais apprendre, un peu plus tard, qu'il jouait lui aussi à sa propre roulette russe. Chargeur vide, je la perds. Chargeur plein, elle ne m'oubliera pas si facilement.)

J'achève cette lettre sous l'improbable protection de la Vierge de l'Assomption, dont l'image est épinglée à un bouchon, à côté de rappels de factures impayées et de numéros de téléphone d'éditeurs, tandis qu'à mon bureau l'aiguille aimantée de la boussole qui a guidé mes pas vers ta conception, cette boussole que je te laisserai en héritage avec mon appartement et ce manuscrit, indique le sud, ce même sud qu'indique le cœur de sa pointe ce sud vers lequel circule le sang.

À toi, qui es mon sang, je voudrais avoir transmis, le jour où tu liras cette lettre – si tu la lis –, l'idée qu'en assumant son passé, ses conditionnements, sans essayer de se les dissimuler ou de se mentir à soi-même, en les regardant à distance et de façon dépassionnée, en se donnant une vision plus large de sa propre situation, on peut choisir soi-même le rôle qu'on y jouera, décider si ce rôle sera actif ou passif, sera un rôle de victime ou non. Plus je me replonge dans le souvenir de toutes ces années que je croyais effacées, plus j'y ajoute de détails et de formules conscientes que je ne pouvais ni utiliser ni reconnaître à l'époque car elles ne se présentaient pas à moi de façon claire, traduisible, avouable, plus je les assume et les interprète, et plus je parviens à extraire de vérités du silence. Je ne sais pas si tu comprendras ce que je t'écris, je ne sais pas si ces feuilles raturées t'enseigneront quelque chose, mais je voudrais que tu comprennes que lorsqu'on décide de cesser d'être fille ou sœur *de* quelqu'un, lorsqu'on ose énoncer son nom, rien que son nom, sans complément ni préposition, alors seulement on devient une personne à part entière, et je veux aussi que tu comprennes pourquoi, en un sens, la mort de ma mère m'a préparée à être mère à mon tour et m'a obligée à suivre une ligne droite au lieu de continuer à errer en cercle autour de mon seul nombril. Car j'avais le droit de me détruire tant que je restais seule – après tout je n'aurais emporté personne dans ma chute – mais je ne l'avais plus dès lors que je portais sur les épaules le poids d'un être que j'aurais entraîné avec moi dans l'abîme. En m'obstinant à être celle que les autres veulent que je sois, une victime, une folle, un souffre-douleur, je ferais de toi ce que ma mère a fait de moi : une imitation.

Frustrée par ton impuissance à m'aider, étouffée par la compassion et par le remords né de ta haine, tu commencerais par me haïr, puis tu finirais par m'imiter et par devenir, sans t'en rendre compte, une victime de plus, créée par moi à mon image et ressemblance, une femme qui se laisse écraser par la botte verbale du premier venu. C'est la logique du vampire : qui est mordu mordra à son tour. Et je ne veux pas lui obéir. Je ne me suis jamais aimée, Amanda, et c'est pourquoi j'ai tenté de répandre sur toi cet amour que je n'ai jamais su répandre sur moi-même, mais je sais aussi que cet amour risque de t'étouffer, comme le jardinier qui fait mourir son plus beau rosier par souci de bien faire, en l'arrosant tous les jours. Dans mon cerveau vacant, flottant, une seule sensation prend corps : ta charge physique et émotionnelle, le lest qui m'entraîne vers le sol, le fil à plomb qui me maintient les pieds sur terre, la main qui me tire pour me relever. Sans toi je serais déracinée, je me serais laissé arracher comme ces arbustes que le vent emporte sur son passage dans les westerns. Je me suis laissé piétiner autrefois, mais c'est fini : je refuse que tu me voies pleurer ou déprimer. On ne peut pas changer de passé, mais on peut changer d'attitude envers lui, réagir autrement face aux souvenirs et face au présent. Ce que j'ai appris, c'est que j'ai non seulement le droit d'être heureuse, mais surtout, depuis que tu es née, le devoir de l'être.

Ma mère est morte, elle est déjà loin, aussi hors d'atteinte que José Merlo, et elle a emporté avec elle, à l'instar de mon ancien professeur, tout ce qu'elle n'a pas pu me dire de son vivant, tout ce qu'elle n'a pas pu me donner. Elle est déjà hors de ma portée, elle n'appartient plus qu'à elle-même, elle m'a abandonnée sans que je sache la raison ultime de ses silences et de ses mélancolies. Car la parole d'un vivant est une flamme versatile qui monte et descend selon qu'on l'alimente ou non, et au besoin il se charge lui-même – on peut en tout cas l'espérer – d'expliquer ses paroles ou ses actes ou de rectifier notre interprétation comme par une note de bas de page, mais la mémoire d'un mort, quand bien même elle reste vive et chargée de résonances, se consume d'elle-même, et je ne saurai donc jamais si ma mère était restée amoureuse de mon oncle Miguel, ou si elle plaignait secrètement la pauvre Reme et se réjouissait que la vie, dans toute sa justice romanesque, ait fini par lui faire comprendre qu'elle n'avait en réalité rien perdu de ce qu'elle croyait avoir perdu. Je ne saurai jamais si elle a aimé mon père, ou si elle lui était seulement reconnaissante, ou si elle n'a supporté tous ces cris et toutes ces années qu'afin de montrer aux autres (à Miguel et à sa mère, à mon père, à la bonne société d'Alicante) et à elle-même à quel point elle était supérieure à son mari, de proclamer à la face du monde que la famille de Miguel n'avait pas su voir cette valeur qui était la sienne. Je ne sais pas si elle aimait autant Reme qu'elle le laissait paraître ou si elle ne la voulait auprès d'elle que pour ratifier son triomphe. Je sais que Reme, elle, l'aimait, mais je ne sais pas quelle était, dans cet amour, la part du remords. Remords d'avoir ôté à ma mère ce qui – du moins pouvait-elle le croire – lui appartenait légitimement, remords de ne pas avoir su la remplacer auprès de Miguel, de ne pas avoir su consoler son mari de l'avoir perdue, de ne pas avoir su éviter ce qui s'était passé, tous remords que Reme, si tant est qu'elle les ait eus, a expiés et même plus que cela, car la vie qu'elle a menée, entre son mari et sa belle-sœur, devait ressembler aux paroles des tangos.

Mais ce ne sont là qu'élucubrations. Ma mère est morte, et la seule chose que je sais, c'est que je n'ai jamais su grand-chose d'elle. C'est pourquoi je ne veux pas que, plus tard, tu ne saches rien de moi non plus, que tu ne saches pas d'où tu viens, pourquoi tu es née, pourquoi ton père t'a engendrée et pas un autre, pourquoi ta mère a parié sur la vie malgré le peu de confiance qu'elle avait en elle, malgré le fait qu'elle avait toujours pensé – et pense parfois encore – qu'il vaut mieux traverser le monde sur la pointe des pieds, que cette vallée de larmes n'est qu'un quai de gare sur lequel nous attendons le train qui nous emportera dans l'abîme. Je ne veux pas que tu apprennes par des tiers et de façon approximative, comme cela m'est arrivé à moi, des épisodes essentiels de la vie de ta mère, tout en sentant qu'il te manque les pièces maîtresses sans lesquelles tu ne pourras pas reconstituer le puzzle. Je veux qu'en tout état de cause tu saches que je me suis promis et que je t'ai promis, même si tu ne peux me comprendre ni savoir ce que je suis en train de te raconter, de ne faire de toi ni un appendice de ma personne, ni le véhicule de mes ambitions, ni le miroir de mes vanités, de respecter tes opinions et tes goûts quand bien même ils ne correspondront pas aux miens, et de faire tout mon possible pour que tu te sentes aimée et forte.

Je ne sais pas si je saurai tenir ces engagements, car la condition humaine est placée sous le signe de l'échec, et seul Dieu, comme dit le tango et comme fredonnait tante Reme, ne se trompe jamais. Nous n'obtenons jamais tout ce que nous désirons, et ce que nous n'obtenons pas est justement ce que nous désirions le plus. Sans doute n'y suis-je pas mieux parvenue que mon père ou ma mère, car on ne peut faire abstraction de l'irrévocable, de la réalité que nous avons eue en partage et qui nous a en partage, mais je te passe maintenant le témoin avec détermination, rien ne sert de se demander si cela vaut ou non la peine d'avoir mis au monde une nouvelle vie lorsque cette vie est là, car la vie, c'est toi, la vie est Une et, comme dit la chanson qui t'a donné ton nom, *la vie est éternelle*.

Et elle s'incarne dans ton corps.

ÉCLAIRCISSEMENTS
ET REMERCIEMENTS

Il y a, selon les psychologues, trois types d'amour.

Le premier est celui que nous éprouvons pour nos parents et, en général, pour les personnes qui nous procurent consolation, affection, sécurité, acceptation et refuge Et qui, ainsi, nous rendent heureux. Je veux donc remercier ma mère pour tout cela et bien d'autres choses encore, en lui dédiant ce livre.

Le deuxième est celui que nous éprouvons pour nos enfants et pour les personnes à qui nous pouvons offrir les mêmes bienfaits. Et qui nous rendent heureux aussi, car c'est grâce à eux que nous nous sentons utiles et importants. Il va donc de soi que ce livre est également dédié à ma fille, bien qu'elle n'ait pas encore l'âge de le lire. Et à mes deux chiens, Nacho et Tizón.

Le troisième est celui que l'on ressent pour un partenaire stable. Cet amour n'a rien à voir avec l'amour romantique, qui a cours dans la phase où l'on tombe amoureux, il est celui qu'éprouve un couple déjà solide, qui a dépassé la phase d'idéalisation de l'autre, quand on exalte les forces et les vertus de l'être aimé et qu'on minimise l'importance de ses défauts. Cet amour repose sur l'engagement mutuel d'apporter à l'autre protection et refuge, engagement par lequel chacun donne et reçoit à la fois. Et c'est pourquoi je veux remercier aussi Jeff Robson.

Les psychologues sans mémoire ont oublié un quatrième type d'amour, qui est celui que l'on éprouve pour ses amis. Mais moi je ne l'oublie pas, et c'est pourquoi je veux inclure dans cet aparté beaucoup d'autres personnes qui m'ont témoigné affection et compréhension quand j'en avais besoin :

Mercedes Castro, sans les suggestions et les avis de qui ce livre ne serait pas ce qu'il est, car il serait, sans nul doute, bien pire, et sans les conseils de qui l'auteur serait encore plus insupportable qu'elle ne l'est parfois.

Juan Pedro López Agulló, qui m'a fait connaître Elche.

Antonio, Antonio Jr. et María José Magraner qui m'ont raconté tout ce qui concerne la zone des marais salants de Benidorm.

Eva, Alessia, Inma, Magda, Lola, Luis, Marta, Ángela, Javier, Sabela, Anna, Ana, Germán, Hilka, Gemma, Joana, Julie, Lluvia, Iñaki, Bernat, J et J, les Sonia, les Pilar, les Silvia, Natalia, Olga, Juan et Vicente, Pedro et Toño, Alfonso et Héctor, Alfonso et Jaime, Beatriz, Noelia, Auxi, Joseba et… tous les autres. Toutes les @utres se reconnaîtront.

Ma reconnaissance va également à tous ceux qui ont participé au sondage réalisé par SMS et qui a décidé du titre définitif du livre : *Un miracle en équilibre*, qui a vaincu de haute lutte son rival, *Les Seules Familles heureuses*, par une majorité non pas écrasante mais serrée.

Je dois remercier aussi Gregg Alexander, leader du groupe New Radicals, de m'avoir fourni une bande sonore et un mantra pendant le temps où j'ai rédigé le premier brouillon de ce roman, et où je ne pouvais m'empêcher de fredonner cette chanson : *But when the night is falling and you cannot find the light if you feel your dream is dying, hold tight : You've got the music in you. Don't let go : You've got the music in you. One dance left, this world is gonna pull through. Don't give up : You've got a reason to live. Can't forget we only get what you give. (...) This whole damn world can fall apart. You'll be ok follow your heart.*

Je le remercie également pour ces paroles qu'il a prononcées dans une interview : *We need to use art for something useful instead of just making money for the man. Such as ? Ready for a run-on sentence ? Making closed minds, sexism, corporate greed, economic and educational separation of the races, homophobia, and fat people phobia of the past.*

À propos de musique. Le tango qu'Eva se rappelle quand elle entreprend l'expédition à Cuatro Vientos est *32 escalones* de Carlos Gardel, sur des paroles de Julio Sosa, tirées d'un poème du recueil *Dos horas antes del alba*. Et lorsqu'elle se décrit comme cherchant « dans les vapeurs de l'alcool la cuite finale, celle qui donnerait, sans même attendre le dernier applaudissement, le coup de grâce à la représentation, et tirerait le rideau sur mon cœur », elle cite le tango *La última curda*, paroles de Cátulo Castillo.

Pour les lecteurs qui ne comprendraient pas à quoi fait allusion Eva lorsqu'elle utilise le terme *logos*, je cite l'évangile (gnostique) de saint Valentin : « Qui n'existe pas n'a pas de nom... Telle est la perfection dans la pensée du Père et tels sont les *logoï* de Sa Méditation. Chacun de ses *logoï* est le produit de Sa Volonté unitaire, dans la révélation de Sa Signification. Tandis qu'ils demeuraient encore dans les profondeurs de Sa Pensée, le *Logos* a été le premier à en émerger. En outre, Il les a révélés à partir d'un esprit exprimant le *Logos* unique dans la grâce silencieuse nommée Pensée, car ils existaient à l'intérieur avant de se manifester. Et en les nommant Il les crée. »

Droguées est un livre qui existe, que je recommande avec ferveur, dont le titre espagnol est *Enganchadas* et dont l'auteur est Coché Echarren, qui m'a généreusement et gracieusement autorisée à entretenir, à des fins littéraires, l'illusion qu'il a été écrit par Eva Agulló.

L'affaire David Muñoz est fondée sur divers procès réellement intentés à un hebdomadaire à sensation. Il m'aurait été impossible de recréer les scènes d'audience et de compiler la documentation juridique sans l'aide inestimable de Raquel Franco, mon avocate et mon amie, bien que les deux termes puissent paraître incompatibles.

Il existe une Silvia photographe qui vit à New York, mais pour le reste toute ressemblance avec la Sonia amie d'Eva est pure coïncidence. D'autant plus que Silvia Uslé mériterait un livre à elle toute seule. Elle l'a d'ailleurs écrit, et c'est même là que j'ai trouvé l'anecdote sur les dealers portoricains de Spanish Harlem : il s'intitule *Chroniques de New York*. Les personnes intéressées peuvent contacter l'auteur à l'adresse électronique suivante : lipstickcannibal@hotmail.com

Quant à celles qui désirent contacter Eva Agulló, elles peuvent le faire également à eva_agullo@planeta.es, sachant toutefois qu'Eva est un personnage de fiction et ne peut donc répondre à ses messages. Du moins pas sur ce plan de la réalité.

Le livre lu par Eva et qui traite de la dépression post-partum est *Misconceptions : Truth, Lies and the Unexpected on the Journey to Motherhood* de Naomi Wolf, publié par Doubleday Press.

Les opinions pour et contre le fait d'imposer aux bébés un horaire de sommeil et de repas sont défendues respectivement dans les livres *Duérmete, niño* du docteur Estevill et *Quiéreme mucho* du docteur Carlos González.

Le livre de puériculture que lit Eva et où il est question de l'importance de la promenade pour les bébés s'intitule *Le Plus Heureux des bébés*, et son auteur est le docteur Harvey Karp.

L'article tiré du roman et qui est censé être paru dans la revue fictive *Parents magazine* est réellement paru tel quel, sous le titre « Quel type de mère es-tu ? », dans le numéro de novembre 2003 du magazine *Ser*

Padres, auquel je suis abonnée et que je trouve utile – bien qu'il laisse parfois passer des textes comme ceux-là, ce que je leur suggère humblement d'éviter à l'avenir – pour des parents qui le sont pour la première fois ou qui, moins inexperts, ressentent néanmoins le besoin d'être informés.

Je n'ai pas davantage inventé le texte de la bande dessinée sur Noël : il est paru dans le numéro de décembre 2003 de la version espagnole de *Marie Claire*, son auteur est Jordi Labanda.

J'ai inventé, en revanche, l'*Encyclopédie médicale et psychologique de la famille*. Il va de soi, néanmoins, que les données scientifiques qui y figurent sont réelles et vérifiées.

À propos de médecins, j'aimerais remercier le docteur Miruán Yordi, de la clinique Belén de Madrid, qui m'a aidée à être mère (car si je n'avais pas été mère, je n'aurais pas pu écrire ce livre) en m'assistant dans un accouchement naturel sans césarienne ni épisiotomie.

L'article « Alicante au tournant du xxᵉ siècle » (*Alicante en el cambio del siglo XIX al XX*), écrit par Alicia Mira Abad et Mónica Moreno Seco et publié dans la *Revista de Historia Contemporánea Hispania Nova*, m'a aidée à situer dans son contexte l'histoire de don Trino Lloret.

Le Marché de la Viande (*The Meatpacking District*) est un quartier de New York qui s'appelle ainsi parce que s'y trouvaient autrefois les abattoirs de la ville, remplacés actuellement par de très nombreux clubs, dont le Nell's et le Blue Note.

Enfin, le bar La Ventura se trouve à Madrid, dans le quartier de Lavapiés, 16 calle Olmo. Valentín s'engage à offrir un verre à quiconque se présentera avec un exemplaire de ce livre ouvert à la page où son établissement est cité.

Cet ouvrage a été réalisé par

BUSSIÈRE

GROUPE CPI

à Saint-Amand-Montrond (Cher)
pour le compte des Éditions 10/18
en avril 2007

Imprimé en France
Dépôt légal : avril 2007.
Nouveau tirage : avril 2007.
N° d'édition : 3953 – N° d'impression : 071245/1.